新世纪教师教育丛书·修订版

袁振国 主编

有效课堂管理：

方法与策略

杜萍 著

教育科学出版社

·北 京·

《新世纪教师教育丛书》修订版前言

振兴民族的希望在教育，振兴教育的希望在教师。

教师是一种专门化的职业，它有自己的理想追求、有自己的理论指导、有自觉的职业规范和成熟的技能技巧，具有不可替代的独立特性。教师不仅是知识的传递者，而且是道德的引导者，是思想的启迪者，是心灵世界的开拓者，是情感、意志、信念的塑造师；教师不仅需要知道传授什么知识，而且需要知道怎样传授知识，知道针对不同的学生采取不同的教学策略。教师职业的专门化既是一种认识，更是一个奋斗过程，既是一种职业资格的认定，更是一个终身学习、不断更新的自觉追求。中国教师队伍的培养和培训正在发生着历史性的变革，正在从发展数量向提高质量转变，提高质量将成为新世纪教师队伍建设的主旋律。在这种转变的过程中，无论是职前培养还是职后培训，无论是教育机构还是教师个人，都需要以一种新的姿态迎接这一转变。

从我们对广大中小学的调查中了解到，面对全面推进素质教育的新形势，当今教师迫切需要不断更新教育理念，提高将知识转化为智慧、将理论转化为方法的能力，提高将学科知识、教育理论和现代信息技术有机整合的能力，增强理解学生和促进学生道德、学识和个性全面发展的自觉性。为了响应这种挑战，广大的师范院校和教师培训机构都在积极探索教师教育的新内容和新方法。以华东师范大学为例，1996 年起，就有组织地开发了现代教育理论与教育实践紧密结合的新课程系统和教学模式，这些课程包括：教育新理念、课程理论与课程创新、现代教育技术、教育评价与测量、当代教学理论、教学策略、心理健康的指导和研究、网络教学、课件制作、教会学生思维、师生沟通的艺术、优秀班主任研究、中小学教学与管理案例分析、教育研究方法、基础教育改革的理论与实践等。参加课程开发的教师60%具有教授、副教授职称，80%具有硕士、博士学位。这一项目列入了教育部师范司"面向21世纪高师教学与课程改革计划"重点项目。我主持了这一项目的研究和实践。根据边实践、边研究、边总结、边改进的方针，经过几轮教学，逐渐形成了一批相对成熟的教材，在反复教学的基础上，经过精选整合、修改补充，于2001年由教育科学出版社出版。由于这套丛书理念新、注重理论联系实际、强调可操作性，出版以后受到了读者极大欢迎，数次甚至数十次重印，为满足教师教育的新形势、新要求尽了绵薄之力。

正是由于这套丛书影响大、受欢迎程度高，所以更增强了我们的责任感。丛书出版的六年多来，教师教育的知识、观念不断更新，教师教育的实践不断发展，我们对教师教育课程的认识也不断深化，为此，根据教师教育的新形势和新要求，我们对《新世纪教师教育丛书》进行了修订。这次修订包括两方面，一是对第一版图书进行了较大修订，更新了内容，改善了结构，修饰了语言，修订了错误；二是丛书新增了若干选题，以反映教师教育的新要求。

祝愿丛书与我国一千多万中小学教师共同成长。

袁振国
2007 年 7 月

目　　录

1

课堂管理：想说爱你不容易

17 世纪，捷克教育家夸美纽斯从理论方面和实践方面论证了班级授课制存在的合理性，课堂教学逐渐发展成为世界各国的基本教学组织形式。同时，采用班级授课制的教师发现，课堂管理成为他们最为关心和最感棘手的问题之一，如何进行有效的课堂管理？教师在课堂上采用何种管理方式？诸如此类的问题已成为课堂能否充满活力的决定性因素，也成为影响学生发展的重要因素之一。

第一节　课堂管理：现状与问题

案例一：①

周一上课，我突然检查学生的作业，并一脸严肃地在王同学的桌前站住："请你把作业拿出来给我检查。"

王同学把头埋得很低，一言不发。见状，我又连催了两遍。

想不到他竟站起来硬着头皮说："我忘在家里了，没带。"

我和同学们都知道这是托词。按照规矩，轻则严厉批评，重则要写检查。同学们的目光一下子都盯到我身上，等着一场"暴风雨"的到来。

此时此刻，我是气不打一处来。可是不知是啥原因，我一改平日爱训斥的常态，脸上竟露出微笑，说："哦！没有带来，那就明天再带来吧。下次不要忘在家里，要养成良好的学习习惯。"话一出口，全班同学齐刷刷地露出了吃惊的眼神。他们还没有缓过神来，我已经叫王同学坐下了。

不知道为什么，这一堂课同学们听得出奇的认真。

周六，王同学在周记上承认自己说了谎。"星期一检查作业时，你虽然知道我在撒谎，但是你还是'相信'了我，在众多同学面前保全了我的面子。正是你的'相信'使我无地自容，羞愧难当，同时也鞭策了我。我一定不辜负你对我的希望。"

更意想不到的是，不少同学在周记上都表达了相同的想法。其中一个同学这么写道："老师，星期一检查作业，一开始就让我们心惊肉跳，但是后来却使我们出乎意料。你的忍耐和幽默，使我们不得不深刻反思自己的不足；你平和的语言比你往常的大发雷霆更让我们感到难

---

① 贵知兵，崔益林. 该反思的是我 [J]. 上海教育，2005（20）：60.

受。你给了我们自尊，我们一定加倍努力，好好学习。"

在以后的学习中，王同学一改常态，上课认真听讲，课后及时完成各项作业，各方面的表现都很不错。期末统考中，他的成绩跃居年级前十五名。其他同学的成绩也都有了不同程度的提高。

通过这件事，我认识到，最值得反思的是我自己。

案例二：①

教师节那天，全校教师欢聚在大礼堂里，共同庆祝自己的节日。我的信箱里收到一大沓学生送来的贺卡，这一切让我的心中充满了满足与快乐。

回到家里，我静静地入坐在书桌前，将贺卡摆在面前，惬意地欣赏着上面美丽的图案，幸福地读着孩子们稚嫩而真诚的话语。不经意间，一封未署地址的信从贺卡中掉出来。我轻轻打开一看，不由愣住了。

朱老师：

今天是第18个教师节，我衷心地祝你节日快乐！

可是你知道吗？我恨你！你肯定已经记不得我了。那是上三年级的时候，我在你的数学课上写作文，你发现后，狠狠训斥了我一顿，还当着全班同学的面，把我的作文本撕成了两半。我流着眼泪，心中充满了痛苦和愤恨。我很想站起来对你说："老师，这是我的本子，你没有权力撕！"可我忍住了，我知道与你对抗是没有多大好处的，吃亏的总会是我。我像一叶小舟，而你似滔天巨浪，随时都可以将我淹没；我像一只小猎物，而你就是猎人，随意可以将我摆布。

朱老师，我恨你！就在那天，爸妈知道后，我被痛打了一顿，在他们的"混合双打"中，泪水将我淹没了……

从那次以后，我开始讨厌数学，害怕上数学课。一上数学课，我就浑身没劲。我害怕你，害怕你的再一次批评。一年下来，我掉队了，从

---

① 朱建华. 无法抹去的伤痕 [J]. 人民教育，2003（10）：19.

原来的优等生变成了一名后进生。万般无奈下，爸爸将我转走了。现在我上了中学，可对数学仍不感兴趣，尽管爸爸帮我请了家教。

……

我的脸火辣辣的，无法再读下去了。这封信，如一盆冰冷的雪水浇灭了我一天的满足与快乐。带着难以言表的懊悔，我回想起 5 年前的那件往事。没想到，我一时的冲动，竟给这个孩子带来了这么大的伤害，不仅是身体上的，更有心灵上的，无法抹去，也无法医治。我深深地为自己的野蛮与丑恶忏悔……

夜，很深了。我躺在床上，辗转反侧，难以入睡。回想自己走过的不长的教学之路，一定还有别的可能早已被我遗忘的学生，他们也因为我的伤害而承受着无法抹去的痛楚与怨恨。

我轻轻推开门来到阳台上，望着满天的繁星，向上苍祈祷：希望明天的太阳，能将被我伤害过的学生的天空，照得更明朗一些，让他们多一些温暖和安慰；同时也真诚地向远方仍在恨我的学生，表达我深深的歉意，希望我能有机会弥补我的过失！

我可爱的学生，你能原谅你的老师吗？

案例三：[①]

SG 是 K 中学初中三年级一班的学生。"他总是坐立不安，不是东倒西歪，就是惹是生非"，"是典型的问题学生"，老师如是说。"我做梦也没有想到初中会是这个样子，我讨厌上课，讨厌上学"，SG 如是说。

在小学时，SG 曾是最为"优秀"的那一类学生，曾获得过全国奥林匹克数学竞赛一等奖，全市小学生绘画比赛第一名，全省航模竞赛一等奖。先后担任过学习委员、大队长，还是《小学生》杂志的特邀记者。无论是学校老师还是家长都无不夸耀他是一个聪明的好苗子。刚进

---

① 陈时见. 变革的资源：论有效的课堂管理［D］. 上海：华东师范大学，1999：23 - 24.

初中时，他在陌生而充满好奇的集体中仍然领受了灿烂的阳光，他的初中生活也是在一片赞美声中开始的。然而就在他进入初一不久，他的学习和生活发生了戏剧性的变化。

一次上语文课，老师发现 SG 没精打采，总是精力不集中，便问他为什么。他说昨天晚上到一朋友家帮他做航模，几乎一夜没睡。老师很生气，"你现在是读初中，不是小学。现在是要想法考进重点高中。航模顶什么用？""我只是帮他，"SG 反驳。"帮他也能保证你上高中？笑话。不要以为你现在成绩好，就可以帮别人，刚初一就骄傲自满，那还了得。你父母会准许你去做航模吗？""他们知道的，他们从来不反对。""知道，知道你考重点高中吗？知道你违反课堂纪律吗？连这点都不懂，简直没文化！"老师更生气。"我爸妈都是研究生。"SG 不甘示弱。"研究生又怎样，回去叫你父母来。"老师的权威受到了挑战，抑制不住内心的愤怒，把 SG 赶出了教室，并当堂宣布，以后任何人不把精力放在学习上，就会有如此下场。

SG 被迫去叫了他的母亲。老师首先数落了一番 SG 在课堂中不认真听课的违纪行为和对老师的反抗态度，并要求这位母亲好好地管教她的孩子，不要因为目前成绩好就可以放松警惕。母亲尽管非常感谢老师的"教诲"，但也同时表现出了不满，"这个孩子生来好动，从小就迷航模。""我是为他将来好，这种事你们家长不管，我们当老师的也没办法。"

第二天上课时，老师让 SG 在全班做了检查。上课时，SG 把一张《初中生报》放在桌上，老师走过去，一把夺过报纸，撕成粉碎。SG 说，"我没有看，只是放在桌子上。"老师说："还想狡辩，不想读书就回家去，省得在这里碍事。"过些时候，老师问全班学生郭沫若是什么人，SG 抢着回答，"是郭富城他爸。"课堂内哄堂大笑。老师无法容忍 SG 的公然对抗，走过去一把将 SG 拉起来，推出了教室。余下的时间便是老师向全班学生进行"生动"的教育，大意是，老师是课堂的主人，拥有绝对的权威，老师的所作所为都是为学生将来着想，学生必须服从老师。此后很长一段时间，SG不得不接受教导主任和校长的训话。SG也从此成为学校有名的"调皮捣蛋"的学生，学习成绩也一落千丈。毫无疑问，老师关于SG是否能够考入重点中学的"忠告"和"先知"也必将得到验证。

上述三则案例充分说明教师的课堂管理方式是直接影响学生学习、成长的重要因素之一。随着社会的发展，教育改革的不断深入，越来越多的教师在课堂教学过程中感觉到，学生越来越难管理，课堂管理的效果越来越差。很多教师都感到，如今从教的最大困惑是不知该怎么管学生了，管多了不是，管少了也不是。看到学生有问题不管，当老师的职业良心过不去；可管的过程又"风险"很大。因为师生关系、家校关系不像以前那样融洽了，教师承受的精神压力比过去任何时候都要大。而教师也是普通人，都有七情六欲。教师是该控制自己的情绪，但每个人不可能时时刻刻、分分秒秒都能控制得那么"到位"。所以，很多教师形容自己在管理学生时"如履薄冰""小心翼翼"。[①]

因此，老师们说：[②]

"老师就非得是圣人吗？"

"现在的教师真难当！"

为了避免家长责难，在学校的例会上，一些校长都会一再地提醒教师在工作过程中"一定不能让学生抓住把柄"，甚至连拍拍学生肩膀这样很平常的行为都要谨慎行事，避免学生告老师的状。吴老师说，"面对一些品行不端的学生，老师必须做到骂不还口，打不还手，否则，你的师德有问题。轻则批评教育，重则饭碗不保。以前，当自己的孩子和教师发生矛盾之后，家长都会先跟教师进行沟通，现在不是了，一些家长动不动就直接找校领导，找媒体。一副不把事情闹大就不罢休的架

---

① 苏婷. 让教师体验更多的职业幸福［N］. 中国教育报，2007－04－20（2）.

② 邓兴军，等. 现在做老师怎会这样难［N］. 北京青年报，2007－04－16（A9）.

势，真让人寒心。"

西城区某中学一位英语老师非常坦率地告诉记者："不瞒你说，我现在一见到学生，心情就沉重压抑。我的许多同事都已经出现了厌教的心理问题，每日的口头禅成了'烦死了，我再也不想干了'等诸如此类的话。"

"疲惫至极，成就感全无。"

"目前的教育实际上是一种畸形的教育。"年过 40 岁的女教师梅说，"不论是学校领导还是家长，从上到下只看分数。学校之间比的是本校在高考、中考成绩中的排名位置；班与班之间比的是分数的高低；学生与学生之间也是如此。周末还有很多学生要上各种各样的课外辅导班，这种超负荷的运转摧毁了学生对学习的兴趣。"

女教师梅说，"这种对分数绝对的重视也造成了任课老师和学生之间的一种对立，老师为了提高学生的成绩，挖空心思去备课、上课、测验，利用课余时间给学生补课，但是学生并不领情，他们会反抗老师，会想出各种法子气哭、气走老师。"

女教师梅的一个同龄同事告诉记者，每一个学生都是鲜活的有独特个性的人，他们的兴趣、爱好和能力也都不一样，但是目前我们进行的是整体划一的、无差别的教育和测验，"日复一日，月复一月，教师就在繁复的教学内容和不愿学习的学生之间进行斗争，疲惫至极，成就感全无。"

……

但在课堂管理过程中有困惑或不满的不仅仅是教师。在社会转型的今天，学生越来越强调个性发展、权利意识日益觉醒，他们眼中的教师不再天然地拥有权力和威严，学生们希望被尊重、被赋予更多的自由，他们对部分教师仍然沿用的过于注重课堂控制和通过奖惩制度达到纠正学生消极行为的目的的管理模式十分不满。

学生们说：

"当老师难，当学生更难。"

　　"还有四天就要考试了，学生整天做试卷，其实想想学生们也怪不容易的，数学、语文、英语试卷是满天飞，光看试卷就晕了，还要加班补课，三科老师轮流找，劈头盖脸一顿批，擦干眼泪继续做，做到老师把头点。"①

　　"我害怕上课，老师的眼睛一瞪，说话声音一大，我就不敢抬头，恨不得自己像水汽一样蒸发了。总害怕今天被批评的是我。而老师如批评其他同学，我就松了一口气。每天我都处于紧张状态。"

　　"老师上课总喜欢提问题，可是如果我们回答错误，他（她）就会狠狠地批评我们。在他（她）提问时，我们就感到好像有一个人提着大棒子站在你面前，一旦你回答错误，大棒子就挥了下来。我们在他（她）提问之后，想的不是如何回答问题，而是如何让他（她）的大棒子不挥下来。"

　　"老师太偏心，只喜欢安分守己、学习成绩好的学生。眼睛里也只有他们，对其他学生的态度总是很恶劣。"

　　"老师上课讲的内容枯燥乏味，我们一点也不感兴趣。可是我们还不敢表示不满，因为，我们一有动静，老师就会生气，然后就停下来批评我们。"

　　……

　　面对教师和学生的不满，我们不得不反思，什么样的课堂管理才是有效的课堂管理？

　　近20年来，有关课堂管理的理论和实践的研究可以说日新月异，进展非凡，然而令人遗憾的是，在我国的中小学课堂管理的实践中，很多教师的课堂教学仍然沿用过于注重课堂控制和通过奖惩制度达到纠正学生消极行为的目的的管理模式，忽略了对学生积极行为的引导和激发，这种课堂管理模式刚性太强而且缺乏创造力与活力，具有很大的局

---

① 当学生难啊［OL］. http：//hi. baidu. com/tianwenhui/blog/item/37aba699d34afd086e068cb8. html.

限性，显然已跟不上时代发展的要求。①

　　长期以来，一提起课堂，出现在我们眼前的是这样一幅图景：所有的学生腰板挺直，双手背后或双手叠放在桌子上，双脚并齐；老师讲课的时候，学生两眼睁圆了注视着教师，聚精会神，鸦雀无声；老师提问时，学生"唰"的一声都举起右手，并且都习惯将小手臂弯成直角，等待着老师指名回答被点名的学生站起来，毕恭毕敬地回答。在这样的课堂中，学生始终扮演的是"木头人"的角色，课堂管理就是玩着"我们都是木头人"的游戏。"我们都是木头人，不准讲话、不准笑、不准动"，谁要是忍不住出声了、笑了、动了，就会受到惩罚。这是孩子们常玩的游戏，与我们的课堂管理又何其相似。在我们的课堂中，教师是绝对权威，是首席裁判，在教学过程中，教师是"教案剧"的领衔主演，学生是木头人似的观众，为确保"教案剧"的顺利进行，学生必须保持教室的安静，如果有人忍不住出声了、笑了、动了，轻则挨一顿批评，重则被赶出教室，甚至也会受到体罚。实践证明，这样一种教学观和管理观忽视了学生作为完整的人的独立性和主体性，片面把课堂管理理解为课堂控制、课堂纪律管理，忽视了课堂管理关注学生需求、关注环境建构、关注师生关系、关注学生自控等丰富内涵，这样一种单一、片面的管理模式必然导致学生厌倦课堂、厌倦学习、厌倦老师、厌倦学校，这一系列的厌倦无疑会导致教学、管理和学习的低效甚至无效。

一、科学取向的学生管理理念

　　这里所谓"科学"实非对该种学生管理的褒奖，而是指学生管理受西方科学主义思潮及工业管理中科学管理思想的影响，而对学生采取重视理性养成和工具价值实现为宗旨的管理理论和实践。在近代以来，

---

　　① 魏亚琴. 从控制、惩罚到激励、引导——谈课堂管理理念的更新［J］. 辽宁教育研究，2004（3）：69.

科学主义思潮及工业科学思想在学校领域的反映，使得长期以来学生管理过程中表现出一股"工厂气"及"军队气"。这是因为这种管理取向强调自上而下的命令传达，突出学生的服从性，注重学生管理的统一性、重制度、重机构、重强制性权力因素、重章法而不重视人的需要满足，将"管住"学生当做学生管理的本质追求，对学生管理过多、过死、过细、过严，对学生的自我管理、自主发展缺乏信任度，不敢"放"、怕出事。这样管理的结果，必然造成"目中无人"，束缚学生的发展。不过必须承认，这种学生管理模式的诞生有其历史必然性，也曾表现出历史进步性，但随着当今时代日益向"人"的回归，这种模式受的批判与反抗正日益增多。

具体而言，科学取向的学生管理主要具有以下几个特征。

（一）以管住学生为目的

科学取向的学生管理认为，在复杂的学校教育活动中，为了保证活动的顺利进行，保证活动的效率和效益，学生就该被管住，学生被管住是取得教育效益和效率的前提和保证。因此，科学取向的学生管理围绕如何有效地管住学生这一目标而开展管理活动，把工业管理中对效率、效益的追求迁移到学生管理中，而忽视了学生管理中的效率与效益与工业的效率效益的根本差异，结果使学生管理走向学生发展的反面。

（二）突出制度的精细化

科学取向的学生管理认为一定存在一种合乎科学的程序和方法，能够有效地管住学生，管好学生，学生管理的重要工作便是研究和探索这种程序和方法，并使之精细化，制定出严格的、周详的学生管理的规章制度，使学生时时处处都离不开这些规章制度的控制、监督和惩罚。管理过程中，强调这些制度的严肃性和无条件服从。在强大的制度权威的校园文化环境中，学生被这些制度缚住了手脚，要么成为温顺的小绵羊，要么不断承受制度处罚的打击，不断感受失败的体验，丧失自信。

（三） 以量化考评为根本评价手段

受科学主义思潮的影响，这种模式常常制定种种量化考核指标，并以其对学生进行考核，追求数字意义上的客观、公正、合乎逻辑，强调定量而避免人主观情感的干扰。总体来看，学生管理的量化主要表现有综合素质测评、学生成绩排名、学生获奖次数、作业批改记录、迟到早退次数等。与此同时，为了强化对学生的管理，在学生管理过程中管理者还经常对学生管理实施的主体也进行量化考核，对其施加控制影响，这种控制影响又强化了学生管理实施主体对学生的管理的强化，至于学生的需要、心理则日益被排除在学生管理之外。

（四） 为管理而管理，与学校其他工作如课堂教学相脱离

科学主义的思维方式本质是一种割裂式的分析性思维，以这种思维方式来理解教育，看到的是割裂化的、片状的教育形态，教学、学生管理、教师管理、班级建设等是互不相干的。没有认识到，学校教育工作的各方面其实是一个有机整体，它们相互之间互相依托、互相促进，共同促进学生的主动、健康发展。

（五） 突出管理过程中的教师因素和权力因素

这种管理模式，在主体上始终是以教师为中心的，学生始终是被管者。因此，十分强调教师管理权力的实施，认为只要学生按照教师的要求去做就可以取得管理成效，顺利实现管理目标。这样学生管理活动的各个环节便从教师管理需要的角色出发，教师有什么样的管理需要，学生管理便采取什么样的活动，教师认为什么有利于学生管理目标的实现，便围绕什么开展工作。至于学生真正需要和要求什么，那是很少虑及的。

在当前的中小学课堂中，教师拥有绝对权力，课堂基本上成为教师进行单独表演的场所，学生被排斥在外。这种状况决定了中小学课堂管

理只能是以教师为中心。

传统的课堂教学只是把学生看做一个有待加工，可以被动塑造的对象，认为人的大脑就像储存知识的仓库，儿童的心灵就像是没有任何痕迹的"白板"，可以任人随心所欲地涂写或塑造，课堂教学的任务就是用知识去填充大脑这个"仓库"，注重的是知识的传播，培养学生的记忆能力和"存储"能力，在本质是一种灌输式教育。它把学生变成了"容器"，变成了可任由教师灌输的容器，学生越是温顺让自己被灌输，就越是好学生，教师在课堂上总是希望学生耐心接受、记忆和重复存储材料。正是如此，多数教师会从便于管理角度出发，理所当然地将"绝对安静、秩序井然"作为自己理想的课堂背景。

这种"只听老师说，不能学生说""即使老师错，也不能公开说"的以教师为中心的课堂，严重剥夺和压制了学生学习的积极性和主动性，学生被动接受的知识越多，就越不能培养他对外部世界进行积极干预所需要的独立主动性和反思批判意识，就会倾向于适应目前现状，适应灌输给他们的对现实的不完整的看法，而不是积极主动地改造世界。这样的课堂管理，学生发展的是一种依附权威的思想，他们所受的教育就是听老师告诉他们应该怎样想和应该怎样做。其结果只能是失去个性发展的独立性、主动性，成为安于现状、遇事被动的人。

二、专制独断的管理原则

通过对中小学教师课堂管理行为的调查与结果分析，我们发现：目前我国中小学教师的课堂管理虽然界于民主型管理与专制型管理之间，但更偏向于专制型管理；教师虽然普遍注意到课堂管理的价值，但其管理行为仍更多地指向于处理学生的不良行为问题，而不是激励学生更好地参与课堂教学活动和提高教学效率；最能够引发学生积极课堂体验的课堂维持行为，反而成为教师课堂管理行为最薄弱的环节。[①]

在专制型课堂管理下，中小学教师在课堂管理中往往很少听取学生的意见，处理问题不顾学生的感受，不能客观公正地对待每一个学生。有些教师总是亲近一部分学生而疏远另一部分，喜欢一部分学生而厌恶另一部分学生，亲近一部分学生而歧视另一部分。把学生依据自己的爱憎标准划分为不同的等级和类型，不能公正客观地评价和对待学生。教师的这种独断专行、偏爱和偏见不仅影响了师生关系、生生关系的健康发展，也为课堂问题行为的产生埋下了内源的诱因，为课堂上学生问题行为的有效处理设下了障碍。

三、管理方式或简单粗暴或放任自流

以教师为中心的课堂管理模式注定部分教师为了顺利完成教学任务而更多地采用简单粗暴的方法处理教学过程中出现的问题。而与此同时，由于教师自身的因素和社会、家庭、学生的某些因素的影响，部分教师在课堂管理中又会畏首畏尾，不愿管理，放任自流。

（一）简单粗暴的管理方式的主要表现

1. 有些教师在组织课堂教学的过程中，总是用命令、威胁等语言来实现自己的管理要求，经常会因为很小的事情而大动肝火

这样的课堂管理往往缺乏支持性的气氛，可能会平静如水，鸦雀无声——教师因而会顺利完成教学目标，而学生在课堂上身心都在忍受着巨大的摧残。这种课堂管理，师生间、生生间常常处于互相对立、抗衡和逆反的互动中，给儿童带来多种消极的情感体验，不仅妨碍了学生的学习效果，也妨碍了学生全面发展。

---

① 吴艳茹. 中小学教师课堂管理行为的模型建构与调查研究［J］. 天津师范大学学报（社会科学版），2003（1）：74－80.

2. 部分教师在课堂管理中经常使用否定的、消极的话语

如教师对纪律不良的典型反应常常是板着脸喊道"吵什么！都学好啦？"之类的训斥和威胁，教师的课堂引导语言也常是"不要讲话了"之类的消极性语言，而从正面引导、鼓励、塑造学生行为的积极性语言则较少受到重视。学生不能在课堂上受到启发和激励，教师只是将课堂管理作为维持教学的手段，没有实现课堂管理对学生发展的教育和促进作用。尤其对于差生，教师更是没有一点耐心，一味地进行训斥和命令，当学困生或者是教师不喜欢的学生提问题时，教师往往以"真笨，连这么简单的问题都不会！"的话语加以打击。这在很大程度上降低了学生的学习兴趣和对学习内容的专注程度。

3. 部分教师在课堂管理中经常对学生进行体罚和心理虐待

在课堂管理中，有的教师缺乏法制观念，说什么"不打不成材，一打分数来"，随意对学生进行体罚和心理虐待，其影响之坏、后果之严重，令人震惊。体罚和心理虐待不仅违法，而且也不能使学生心悦诚服、调动自我教育的积极因素，反而容易使他们产生一种戒备、敌意、执拗的对立情绪，恶化课堂纪律。有调查显示，有24%的学生认为教师课堂上使用了体罚，其经常采用的形式有"揪耳朵、罚站、跑步、蛙跳、抄写作业、打扫卫生等"。同时，有66%的教师认为体罚是必要的[①]。心理虐待方面，主要表现就是教师动辄就用讽刺挖苦甚至侮辱学生的语言进行"教育"。由此造成学生出走甚至跳楼自杀的现象屡见报端。这说明了体罚和心里虐待在目前课堂管理中相当普遍。

（二）放任自流的管理方式的主要表现

1. 对学生存在的缺点视而不见，一味地一团和气

部分教师慑于来自社会带有偏见色彩的舆论压力，在教学管理中，

---

① 刘家访. 有效课堂管理行为研究［D］. 重庆：西南师范大学，2002：94.

不敢大胆管理，对学生缺点不能持正确的态度。只看见学生优点，而对学生的缺点却视而不见。对优点大书特书，尽表扬，而对缺点要么是不闻不问，要么是轻描淡写地批评了事，"以他们还是孩子，年龄小，不懂事，以教育为主"等冠冕堂皇的理由搪塞过去。特别是对那些行为不良的学生，更不敢放手教育和管理，以致使这些学生日益飞扬跋扈，这就一方面纵容了经常违纪的学生继续犯错，一方面又打击了表现好遵守纪律的学生的积极性，不可避免地造成学生行为失范，为班级课堂有效管理增加难度。

2. 迎合学生家长爱子心理，变教师为保姆

部分教师慑于来自家长的压力，不自觉中就改变了自己的角色，由教师成了实质上的家庭保姆。教师职责本来是教书育人。但是，部分教师却在学生吃饱穿暖和游戏玩乐方面很下工夫。课堂不能有效管理，教学效率不尽如人意，但是却今天做游戏，明天搞演出，还有的学校进行小学生选美。对于这些他们还冠之以素质教育之名。对学生的学业甚至思想品行关心不够，在家访和开家长会也只是报喜不报忧。①

四、教学过程的程式化

长期以来，由于受应试教育的影响，我国传统教学习惯于以传授基本知识为主要目的，强调要让学生牢固地掌握系统知识，而对于发展智能缺乏应有重视。与之相对应，教师在写教案提出教学目的时习惯于提出某节课我们要教什么，讲什么，而不是提出某节课要使学生学会什么；教学方法上习惯于满堂灌，学生只能被动听。甚至到了高中教师仍不注意培养学生的自学能力和独立能力。这种教学方式的直接结果是：老师耗尽心力，声嘶力竭，但学生兴趣索然，被动应付。最终结果就是

---

① 杨国鹏. 我国中小学课堂管理的现存问题与对策研究［D］. 重庆：西南师范大学，2003：12.

学生既不可能学好掌握的知识，更不可能得到身心全面发展。这也是学生厌学、怕学而导致课堂问题层出不穷的一个重要原因。

五、评价观念滞后，评价手段单一

在学校里，对学生的评价几乎无处无时不在，评价伴随着学生学会学习、学会做人、学会生活的全过程。评价也是一种育人手段，他有非常明显的育人功能、校正功能、激励导向功能、自我教育功能、指导教学功能等。能否正确使用评价手段充分发挥科学评价的育人功能对学生的健康成长十分关键。然而，由于传统教育理论及整个评价制度的影响，部分教师在具体教学工作中对学生的评价往往是评价标准单一（成绩好坏、是否听话）、评价方法主观、评价结果消极，往往以偏概全。在对学生评价之前，大部分教师都给学生预设了一个前提，认为学生是幼稚的，不成熟的，把学生看做是没有成人主体资格的边缘人，而把教师自己则假设为高明的教育者，这样评价的结果自然是"学生不懂事，简单幼稚，嘴上没毛，办事不牢"。基于这样的学生观，教师在教学管理中自然而然地就会使用独断的制度强制和严厉惩罚措施对待学生，结果引起学生逆反心理，进而造成更多的课堂问题。

六、管理效率的低下

有的教师在自己的教学受到学生干扰时，为了控制课堂秩序，常常不顾问题行为的性质和种类，动辄中断正常教学过程，对学生违反课堂纪律的现象或问题行为，进行冗长、频繁的训斥，甚至不惜花费整堂课的时间去进行所谓的"思想教育"。由于唠叨过度，学生厌烦产生逆反心理，因而不仅老问题未能解决，反而产生了新的课堂管理问题，引发了学生对纪律的淡漠和厌烦情绪，也使自己成了一个失败的管理者。这种情况往往发生在年轻教师或新教师的课堂上，课堂秩序的维持成了教师的主要任务，一节课下来，应该完成的教学任务没有完成，而管理的效率也很低。

第二节　课堂管理问题：原因与反思

课堂管理中出现的诸多问题有着多方面的原因，但主要原因有两个，即教师及学校方面的原因和社会方面的原因。

一、教师及学校方面的原因

（一）传统文化影响下，教师权威思想过重

传统是复杂的历史构成，它是历史在现实中的沉积，是生成、积累，具有稳定性和多层性。传统文化不仅积淀于思想家的著作里，而且会渗透在民族心理、思维方式、风俗习惯等许多方面。正如司马云杰所说"所谓传统，就是历史的连续性；所谓传统文化，就是历史延续中形成的文化。这种文化不是单一的，而是一个庞大的社会文化体系。"[①]传统文化影响了教师的教育观念，并体现在教师的课堂管理行为中，传统文化是教师课堂管理理念生成、转变的基础，它决定了教师课堂管理理念的本质特点和基本内容。

在我国历史上，教师具有极高的社会地位。在很长的历史时期里，人们把教师与天地同语，把"师"与"天、地、君、亲"并列供奉膜拜。这是中华民族尊重教育，尊敬教师的真实写照。这一思想对中华民族的影响深远。在我国的历史上，人们始终把教师看成是知识的化身、力量的源泉和长者的象征。教师既神圣伟大又有无限的精神控制力量。即便是在市场经济发展迅速，民主平等意识渐入人心的今天，教师在我

---

① 司马云杰. 文化价值论［M］. 济南：山东人民出版社，1992：257.

国国民心目中仍然具有无法替代的崇高地位。"尊师重教"本无可厚非，但是，在近代以来，这种观念却发生了奇妙的变化。一方面是受时代发展和新的教育思想的影响，教师实际地位的下降。近一段时间以来，在某种程度上，教师和学校成了舆论和社会批评和攻击的对象。另一方面，部分教师深受传统思想影响，把社会对教师的尊重想当然地演化为教师的专制性的权威。在他们的意识中，"绝对听话，服从教师"仍然是好学生好孩子的重要标准。

许多中小学教师认为学生一定要服从教师的管教，还有另外一些看似客观的原因，即教师看问题深刻；教师知识丰富；教师是教育者，而学生是受教育者；学生不服从教师的管教，就无法进行教学；学生自控能力差；应该维护教师的威信等。由此看来，大多数中小学教师仍然沿袭了传统的观念，认为教师应该拥有绝对的权威，学生对教师的服从是绝对和应当的，并认为学生服从教师，教学才能得以顺利地实施，才能完成向学生传递知识的任务。

正是在这种专制性的权威思想指引下，部分中小学教师在课堂管理中表现出更多的专制，专制的课堂管理当然会导致管理方式过于简单、管理效率极为低下。另外，值得注意的是，如果无条件地尊重教师，甚至屈从于教师的权威，必然导致盲从和迷信，其直接后果就是学生缺乏创造性、主体性。

（二）教师缺乏相应的培训，管理观念相对落后，管理能力不尽如人意

许多中小学教师没有一定的教育学知识也是造成其在课堂管理活动中问题重重的重要原因之一。这里的教育学知识，不仅是指教育学这门学科的专业知识，也包括与教育学密切相关的心理学、哲学知识。中小学教师缺乏教育学知识的一个直接后果是：（1）教师不了解学生，不了解学生的身心发展特点。不能对学生的一些所谓的"违规"行为做出合理解释，而只能以成人的道德判断标准来判断学生的行为，并对其行为进行错误定性。有的教师甚至对学生本人进行随意定性，因而曲解了一些学生及其行为，无形中为问题的出现埋下伏笔，也为课堂管理的实施制造了障碍。（2）缺乏教育学知识的教师不把学生看成有思想有个性的活生生的人，而把他们看做是教师管理加工的对象。因而用工业社会中盛行的技术管理模式对课堂中出现的问题进行管理，不仅无益于解决问题，而且影响了课堂教学的顺利开展及其效果。更可悲的是，这种管理扭曲了学生的人格，妨碍了学生的全面发展。

从当前我国教师培训的政策与实践来看，自上而下、一刀切、忽视教师需要、培训机构与中小学相分离等现象及问题同样十分明显，接受培训的教师并不能直接将所学习的知识与技能等运用于教育的实践，或者使教育实践直接发生变化。加之学习方式比较单一，组织形式比较僵化，教学内容脱离教师和学生的实际，老师在采取课堂管理决策时，更多的是凭着直觉和经验。

由于受习惯的影响、加上精力有限、经济困难等因素，部分中小学教师根本不重视自身素质特别是教育科学方面的素质的提高。一些教师师范毕业后（有的教师根本没有受过真正的师范教育，没有最起码的教育知识和理论）就几年甚至十几年、几十年抱着一本总也不变的教科书，对于新的教育理论闻所未闻，更谈不上到专门机构进行专门的理论培训了。而许多学校领导或教育行政部门领导则认为课堂管理能力是每个教师与生俱来的能力，或是教师在师范院交已经获得的能力，因而很少把课堂管理作为一项培训内容。于是，许多中小学教师要么根本没有管理观念，要么自己的理论还是停留在十年几十年以前的水平，要么只有自己从实践中积累的那么一点随意的、不科学的教育管理观念。他们的这些所谓的教育管理观念，在教育实践中已经产生了巨大的负面影响。随着我国新一轮课程改革的深入以及课堂教学改革的进一步发展，这些错误的管理观念的弊端将更加明显。

由于缺乏相应的管理观念作指导，相当一部分中小学教师的课堂管理能力不尽如人意。他们一方面没有计划，不能预测，不能防患于未然，他们所谓的管理是随意的；另一方面，当课堂教学中出现问题时，他们要么不能在第一时间内发现学生的违规行为，对一些突发事件不能迅速做出合理的反应和处理，很难避免其扩大化；要么不能根据变化的情况，灵活调整原有的计划、程序和策略，不能相机而动，随即处理。课堂管理呈现出机械刻板、应变能力缺失等特征。具体表现为：课堂管理要么变成教师对学生的冷嘲热讽，要么变成教师对学生的身心惩罚；不但严重影响了学生的后续学习，也于课堂问题行为的矫治百害而无一利。

（三）学校管理、教育评价制度不够完善

有部分学校的校长等主管领导素质比较低，工作责任心不够，对老师和学生也缺乏爱心，对解决学校中的问题也缺乏耐心。因此，他们对工作敷衍塞责，不去深入地研究学校工作中的各种管理问题及其他实际问题，不重视提高学校和老师的管理水平，不健全学校的管理制度，特别是极少帮助老师管好课堂，从而造成有些学校特别是那些差班的课堂教学秩序长期混乱而得不到改善。

我国教育由于受应试教育的影响，政府部门评价学校、学校评价教师教育教学的成败，其根本标准就是看学生的考试分数或成绩，最直接的就是升学率。因此，我国以考试成就为主要的教育评价标准不仅成为我国各种教育教学改革的瓶颈，而且也制约着中小学教师的课堂管理行为。

以书本知识考试为主的评价体系是从校领导到教师，到每一位家长都认为：只要学生的学习成绩好，教师的教学就是成功的，学校的工作就是成功的。这种单一的教育评价体制使中小学教师的课堂管理活动只能以教学任务为中心，以高分数高升学率为中心而忽略了或者说顾不上对学生的精神世界的关照。当课堂教学中出现妨碍教学活动的行为时，教师往往采取看似高效的简单压制的办法处理，而不对问题进行详细分析，也不顾学生的感受，更不对学生进行相应的引导和启发教育。因而

造成教师课堂管理活动中的种种问题。

二、社会、学生家长方面的原因

（一）社会、家庭对学校的要求过于苛刻

一段时间以来，社会和学生家长对学校管理的理解和要求出现了较大偏差。一方面，他们对学校期望值过高，认为只要把学生交给学校就万事大吉了；另一方面，他们对学校要求又十分苛刻，把一切责任都推给了学校和教师，而且，动辄就以诉诸法律动用舆论相要挟。学生在学校生病了怪学校关心不够；学生逃课了怨教师教学水平不高，没有吸引力；学生因逃避上课受到批评就会被指责不爱护学生；学生在校外甚至在家里出了事，社会和家庭千方百计找学校的原因，并最终归咎于学校。由于目前我国法律不健全，对学校与社会和家庭也会在学生管理方面的责任划分不清，这就对学校和老师造成了极大的压力。

（二）社会缺乏对学校教育和教师应有的理解和尊重，全社会尊师重教氛围有所淡化

随着我国市场经济的发展，人们对学校和老师的认识也开始染上了商业气息。社会上一部分人和学生家长错误地认为，学生上学受教育花了钱，交了学费，是花钱买知识；老师和学生之间是商业意义关系。所以，一些人认为师生之间存在买卖关系。在这种思想支配下，我国传统的尊师重教氛围就大大淡化，社会缺乏对学校和教师应有的理解和尊重。首先，部分社会舆论导向有失公允，在加剧社会与学校矛盾方面推波助澜。舆论受新一轮教育改革思想的影响，过分强调人才创新和学生的权利。在舆论报道时，揭露学校现存的阴暗面多（甚至为了制造新闻轰动效应，不惜歪曲事实制造阴暗面），而正面宣传的少。这就对学校造成了恶劣影响，并助长了学生家长和学生与学校的对立。由于舆论的错误导向而置学校和老师于尴尬境地的事件时有发生。比如，重庆市

某中学曾经发生了一起学生严重侮辱教师的事件，某报一大牌记者根本不听老师和学校领导的申述，也不全面地向学生了解情况，而只是片面地听取当事学生及其朋友对事件的歪曲之词，武断地断定责任在教师，意图制造轰动性的新闻，上级主管部门为息事宁人，要求学校妥协退让。学校迫于压力，对该学生无可奈何，最终以该学生不参加毕业考试但发给毕业证书，学校赔礼并赔偿 5000 元人民币而告终。这样，助长了这个学生的邪气，为恶的胆子更大。刚毕业几个月，该生就因为刑事犯罪而被判刑收监。本来事情不那么复杂，舆论部门如果能够实事求是，公正报道，上级如果能够坚持原则，问题也就会得到圆满解决。而且，那个学生也可能会因此而得到及时教育和挽救。现在报刊大力宣传个别老师的不良行为，而对广大教师的高尚品质视而不见。在这种批评攻击之声不绝于耳的情况下，给人们留下的印象似乎老师多是坏的。面对社会的不公正对待和强大的舆论压力，老师们自然会患得患失，该管的事也不敢管了。其次，部分学生家长对学校不体谅，对教师不尊重，个别甚至把学校当做摇钱树。为一己之利诬告老师。由于基于“我们是花钱买知识”的观念，部分学生家长对学校和老师不体谅，要求的多，配合的少；责难的多，理解的少。不论学生在学校、还是在社会、甚至在家中出了事故，也不管学校、老师是否有责任，有些家长总是要想方设法敲诈学校，动辄告状索赔。社会的宽容极大的纵容了学生和家长，学生、家长打教师的事件经常发生，在老师群体中也造成了不良的影响。①

　　以上原因加剧了社会与学校、教师与学生及学生家长之间的对立，造成了学校领导、老师的心理阴影。这些不良影响必然要反映到课堂管理中来，使得部分教师对学生不敢管、不想管、不能管，只有放任自流。而另外一部分教师由于敌对情绪加重，更加以粗暴简单的方式对待学生。

---

　　① 杨国鹏. 我国中小学课堂管理的现存问题与对策研究［D］. 重庆：西南师范大学，2003：17.

（三）学生受各种因素的影响，思想、心理有一些新的变化，给课堂的有效管理增加了难度

　　学生的变化大致体现在以下几个方面。其一，现在的中小学生大都是独生子女。"独生子女多数是中间型性格（48.61%），其次是外向型性格和倾向外向型性格（32.29%）……与非独生子女相比，属于外向型性格的独生子女明显多于非独生子女。……在意志特征上，独生子女的独立性明显高于非独生子女，而在自制力、坚持性和果断性方面明显低于非独生子女。"[①] 这决定了他们聪明，活泼，好动，独立，但又任性、自制力差，心理承受能力差，情绪起伏波动大，缺乏同情心、爱心，因而受不了纪律约束，受不了批评教育，对老师、同学比较冷漠。目前大多学校教室超编，四五十个甚至七十多个这样的孩子聚在一起，管理难度可想而知。其二，缺乏父母管教的孩子比较多。不少年轻父母要外出经商、打工或以其他方式去赚钱，因而只有把孩子交给爷爷、奶奶、外公、外婆看管。这些老人们不仅精力不足，而且很多人没有文化，根本不会管教孩子，只有放任自流。其三，单亲家庭学生增多。由于离婚率越来越高，打工者各种事故的增加，使得当今社会上单亲家庭越来越多。这些单亲家庭的孩子大多由于心理受伤害而性格孤僻，行为怪异。其四，外界对学生的不良影响增加。由于现在人们的思想越来越多元化，大众传媒越来越发达，故不良思想对他们的影响越来越大。很多学生缺乏正确的人生观，享乐主义、自由主义、个人主义非常严重。所有这些因素综合到一起，就使得现在的学生越来越难教，这为课堂有效管理增加了不少的难题。

---

① 王耘，叶忠根，林崇德. 小学生心理学［M］. 杭州：浙江教育出版社，1998：317.

2

有效课堂管理：
课堂管理的目标追求

　　美国学者布罗菲说："出色的课堂管理不仅意味着教师已经使不良行为降到最低程度，促进了学生之间的合作，并能在不良行为发生时采取有效的干预措施；而且意味着，课堂总是持续着有意义的学习活动，整个课堂管理制度（包括但不限于教师维持纪律的措施），都是为了使学生参加有意义的学习活动并达到最高程度，而不只是为了将不良行为降到最低程度。"[1] 课堂管理历来是教师感到最为困难的事情，也是教师在课堂中花费时间和精力最多的工作，甚至可以说是教师从事教育教学工作所面临的最严重的挑战。在教学实践中，教师对如何处理教学问题一般已经获得了基本的知识和经验，但在课堂管理问题上，教师却常常是按经验办事。特别是刚刚走上工作岗位的新教师，由于缺乏相关课堂管理理论知识，只能按自己过去所感知的和所理解的课堂管理理念、方式和方法去管理课堂，使得原本并不牢固的素质教育变得更加脆弱，好不容易建立起来的一点点素质教育的光辉却因为失败的课堂管理而化为乌有。因此，有效课堂管理就成为教师最向往的事。

---

　　[1]　Jones V F, Jones L S. 全面课堂管理［M］. 方彤，等，译. 北京：中国轻工业出版社，2002：21.

第一节　何谓有效课堂管理

一、课堂管理的意义

"课堂"在英文中为 Classroom，其最简单的意思是指进行各种教学活动的场所，即教室。但"课堂"与"教室"有着本质的区别。课堂是由教师、学生与环境共同组成的强有力的互动情境，是一种有系统的教育形态，是一种独特的社会组织。其中，教师是课堂的中心人物，学生是课堂教学的主体，环境是提供教学的场所，师生通过在教学环境中的交互影响的过程实施教学，达到教育目标。"管理"一词，英文为 Management，根据《韦氏新国际字典》（Webster's New International Dictionary）的解释，manage 最早来自拉丁文 marus，意指"手"，也指 mode of handing（处置方式），后引申为有控制和指示、使人服从、小心处理及执行业务以达成目标等多种含义[1]。关于"课堂管理"[2]，中外学者并无统一、明确的定义。

约翰逊（Johnson，美国）等人认为"课堂管理"是"建立和维持班级团体，以达成教育目标的过程"。[3]

古德（Good，美国）将"课堂管理"定义为"处理或指导班级活动所特别涉及的问题，如纪律、民主方式、补充和参考资料的使用与保管、教室的物理特色、一般班务处理及学生社会关系"。[4]

艾默（Emmer，美国）则将课堂管理视为教师一连串的行为和活

---

① GOVE P B. Webster's Third New International Dictionary［M］. Springfield. Merrian-Webster Inc，1986：1372.

② "课堂管理"的含义在一定程度上等同于一些学者所称的"班级经营""教室管理"。

③ JOHNSON L V，Bany M A. Classroom Management［M］，New York：Macmillan，1970.

④ GOOD C V（ed.）. Dictionary of Education［M］. New York：McGram-Hill Book Company，1973：102.

动，旨在培养学生课堂活动的参与感与合作感，建立良好的课堂秩序，处理学生问题行为，创设教室情境，培养学生的责任感，引导学生积极学习。①

莱蒙齐（Lemlech，美国）认为，"课堂管理是一种提供能够开掘学生潜在能力和促进学生学习进步的良好的课堂生活，以使其发挥最大效能的活动"。②

台湾学者李祖寿认为，"课堂管理是安排教学环境（包括物质的和精神的），以使学生能有效地利用其学习时间，在教师的指导与希望之下，从事其应有的及可能的学习"③。朱文雄则认为课堂管理的意义，应指"教师管理教学情境，掌握并指导学生学习行为，控制教学过程，以达成教学目标的技术或艺术"。④

我国大陆学者近年来对课堂管理方面的研究主要集中在教学目标和课堂行为两个方面，如"课堂管理是教师通过协调课堂内的各种教学因素而有效地实现预定的教学目标的过程"⑤，"课堂管理是鼓励课堂学习的教师行为和活动"。⑥

以上定义虽侧重点不同，但对课堂管理内涵的阐述基本相似。在上述定义的基础上，我们认为，课堂管理是指在课堂教学过程中所进行的管理，即在课堂教学中教师与学生遵循一定的规则，有效地处理课堂上影响教学的诸因素及其之间的关系，使课堂教学顺利进行，提高教学效益，促进学生发展，实现教学目标的过程。

对于这个定义，我们可以作以下的解释。

---

① EMMER E T. Classroom Management. ［M］//Dunkin M J（ed.）. The International Encyclopedia of Teaching and Teacher Education. Oxford：Pegramon Press. 1985：437.

② LEMLECH K，Classroom Management. Methods and Techniques for Elementary and Secondary Teachers ［M］. New York：Longman3，1988.

③ 李祖寿. 教学原理与技法［M］. 台北：大洋出版社，1979：169.

④ 朱文雄. 班级经营［M］. 高雄：复文图书出版社，1989：11.

⑤ 田慧生. 教学论［M］. 石家庄：河北教育出版社，1996：332.

⑥ 陈琦. 当代教育心理学［M］. 北京：北京师范大学出版社，1997：297.

1. 课堂管理的本质不仅是一种结果（实现教学目标），而且是一种过程（运用各种策略）。
2. 课堂管理的目标在于遵循一定的规则，提高教学效率和效能，促进学生发展，实现教学目标。
3. 课堂管理的方式要求必须遵循一定的规则，而这规则反映了教师的教育理念和教育哲学观，符合教育的原则。
4. 课堂管理的范围涵盖了影响课堂教学的诸因素及其之间的关系，如师生之间的关系、教室情境、教学中所发生的一切活动等。
5. 课堂管理中的决策应由教师与学生共同参与决定。

二、课堂教学与课堂管理

所谓教学，是教师引起、维持和促进学生学习的所有行为。它的逻辑前提是必须具备三个基本的条件：第一是引起学生的意向，即教师需要激发学生的学习的动机，教学必须在学生想学的基础上开展；第二，必须指明学生所要达到的目标和所要学习的内容，学生只有知道自己学什么和要学到什么程度，才能有意识地参与到教学中来；第三，要采用学生易于接受的方式，这一方面是教师在教学中通过自己的言行、借助一定的技巧和策略，使学生易于掌握学习的内容，另一方面，通过与学生之间构建良好的关系，通过师生互动与多方面交往，使学生愿意学习，愿意在课堂中生活。

教学是人类行为中最为复杂的一种行为，正如杰克逊（Jackson）所说，在小学，教师每天与学生单独沟通的次数就达 500 次以上[①]。在每一节课，教师的时间是有限的，他必须选择适当的方式方法与学生之间发生相互作用和交流，以吸引学生的学习注意力。同时，由于课堂的

---

① JACKSON, PHILIP W. Life in Classroom [M]. New York: Holt, Rinehart & Winston, 1968.

多维性、同步性和不可预测性等特征，使得课堂往往变得难以管理①。因此，教师在学校教育教学过程中，仅仅重视教学本身，重视教学中知识的传递过程，并不一定能达到应有的效果。课堂教学中所涉及的因素很多，通过对课堂中各个因素的调节与控制，可以保证教师的教学得以顺利地进行，并达到应有的效果。因此，需要探讨课堂管理与课堂教学之间的关系。

课堂教学与课堂管理是教师课堂行为中的两个重要方面。课堂教学是教师的主要行为，其目的是保证教学目标的达成，保证学生按照教师的预期在行为、思想、知识、能力等方面有所变化，它是学校教育的主要行为与活动。而课堂管理始终围绕着课堂教学进行，是课堂教学得以顺利实施的手段和保障。二者在同一地点同时发生。

就二者关系而言，表现为相互依赖、相互制约。一方面，好的课堂教学的前提是有好的课堂管理技术和师生关系，是学生的自我控制能力与水平发展到一定阶段的有力保障。另一方面，好的课堂教学也有利于课堂管理的实施。课堂中问题行为的频繁出现，不仅会影响到师生关系，也会使课堂教学无法按正常的秩序开展，相反，教师有高超的课堂教学艺术，不仅能吸引学生的注意力，也会使学生对教学的内容与过程产生浓厚的兴趣。这一点，在我国中小学的课堂实际中可以看到。一般的，重点中小学学生的违纪行为较其他中小学为少，课堂中教师用于管理学生的时间也相对较少，学生所获得的成绩与发展相对较好原因可能是多方面的，如学生的来源、教师的教学水平等，但使课堂教学与课堂管理有机结合，是至关重要的。

课堂教学与课堂管理有时是难以区分的。第一，从课堂管理的目标与结果看，课堂管理始终围绕教学开展，其最终的目的是教学目标的达成，即提高教学的质量、促进学生的发展，这也正是课堂教学的目标所应达到的结果。第二，从教师在课堂中使用的手段看，有时也难以区分

---

① DOYLE W. Classroom Organization and Management ［M］. //WITTROCK M C. Handbook of Research on Teach. New York：Macmillan，1986.

出课堂教学手段和课堂管理的手段，甚至，我们常常可以将教师在课堂中所使用的某些手段既看做是课堂教学的手段，也可以看做是课堂管理的手段，如教师在课堂上演示一个有趣的物理实验，这是教学中经常使用的教学手段，而这样的教学手段，可以吸引学生的注意力，使学生的行为能够集中于教师的演示上，这本身也可以看做是课堂管理的手段。第三，从课堂教学的内容看，对教学内容的有效组织和艺术加工，可以使一些学生难以理解的教学内容在加上"糖衣"以后为学生所理解与接受，并为有效课堂管理奠定良好的基础。

三、有效课堂管理

正如上文所述，课堂管理是指在课堂教学过程中所进行的管理，即在课堂教学中教师与学生遵循一定的规则，有效地处理课堂上影响教学的诸因素及其之间的关系，使课堂教学顺利进行，提高教学效益，促进学生发展，实现教学目标的过程。课堂管理的有效性是课堂管理的关键。

与课堂管理有效性相关的两个概念是效率与效益。效率是指单位时间内完成的工作量，实际使用时间越少，效率越高。效益则是指效果和利益，或简单地可以理解为课堂管理的产出与投入、成果与消耗、所得与所费的比较。课堂管理的效益可以从以下方面去理解：一是数量方面的对比关系，表明教师在课堂管理中时间、精力、学生所付出的劳动与教学任务的达成、教学质量的关系；二是具有一定的质量上的规定，质量上的要求往往是效益的基础；三是对一定的社会适应性的规定，强调课堂管理的成果必须符合社会的需要，即能使教育所培养的人具有满足社会需要的能力。就课堂管理的有效性而言。既强调效率，又强调效益，强调效益与效率的结合。

对有效课堂管理的研究，目前尚有争论。争论的焦点集中于课堂管理是否能够科学化，是否能够用衡量企业生产与经营的标准来考察课堂管理。从教育哲学的角度看，科学的价值取向有着它天然的问题与矛盾，它制约着课堂管理行为的多样性和艺术性；从具体的课堂管理实践看，从成本收益的角度来分析与考察课堂管理，同样会遇到相当多的问题，如教师与学生时间与精力的投入和课堂管理行为的成效都是难以量化的，既然难以量化，又如何去考察盈亏；如此，教师想获得高的效率或效益，势必导致对"差班"或"差生"的抛弃或忽略。因此，课堂管理是不应当着眼于成本收益的，特别是短暂的现实盈亏。①

另一方面，对课堂管理有效性的考察，还有必要对客观的效益和主观的效益进行分析，从成本收益的角度对课堂管理有效性进行考察，并通过具体而明确的指标的确定与实施，就可以对课堂管理的实际效果加以分析，而对课堂管理有效性的研究，还取决于教师的课堂管理的效能感（efficacy），这是教师对自己的课堂管理行为是否合理和有效的自信程度，它决定了教师课堂管理行为的选择和教师的动机水平、归因、兴趣、态度以及行为的习惯。课堂管理的有效性是这两种效益的有机结合。

因此，有效课堂管理的理念要求我们应当注意以下内容：首先，关注学生的进步与发展，特别是学生自我控制水平与能力的进步与发展；其次，关心在教学中师生的互动状况；第三，关注管理的效益，这种效益取决于单位时间内学生的行为结果与行为过程的变量；第四，关注策略的使用，策略是教师在课堂管理过程中使用的解决问题的一系列的方式方法。

对于课堂有效管理我们可以从以下几方面进行认识。

第一，从课堂管理所涉及的因素看，既包括人的因素，如教师和学生，又包括物的因素，如课堂中的物质设备；既包括观念性因素，又包括操作层面的因素。其中，最主要的因素是教师、学生和课堂环境因素。这些因素相互影响、相互制约，构成了课堂管理的矛盾与动力，共同决定着课堂管理的方向和模式。

---

① 刘家访. 有效课堂管理行为研究［D］. 重庆：西南师范大学，2002：60.

就教师与学生的关系而言，这是课堂管理中涉及人的因素，它们是课堂管理行为的主要方面。在课堂管理中，教师是行为的主要方面，他们决定着课堂管理行为的发展方向，并对课堂管理行为的模式与策略的选择负责，从而决定着课堂管理行为的有效性。从学生方面看，学生在课堂中的行为主要受到教师行为的影响，教师所选择的课堂管理行为的方式方法决定着学生的发展方向，并最终决定着学生行为的合理性，但是学生在课堂中的行为并非完全地依赖于教师，作为有着主体精神与意志的人，学生在课堂中的行为还与他们所具有的行为观念相关。从师生关系看，当代教育思想认为，学生是主体，应立足于学生的主体精神的发挥，将学生在课堂中的活动看做是学生生活的一部分，使学生在课堂中获得生动、和谐的发展，这已经成为教育发展的一个趋势。因此，有效课堂管理应注重对学生发展的认识，注重将学生放在课堂管理的中心，即课堂的生长的典型的标志应是学生发展，是学生自主的进步。

就师生与课堂环境的关系而言，课堂环境作为师生从事一定行为的背景，其形成与改善，与教师和学生的课堂管理行为相关，即教师与学生的课堂管理行为的理念和态度，决定着他们对课堂环境的构建模式。反之，课堂环境一经形成，又对师生在课堂中的行为产生影响。因此，构建积极的、健康的课堂环境，是教师课堂管理所采取的必要的途径，其目的是促进学生获得发展。

教师、学生、课堂环境三个因素共同构成课堂管理行为的内部的要素。综观三者之间的关系，其着眼点是构建积极的课堂环境，其途径是处理好师生关系，其最终的目的是促进学生主体性的发挥和和谐的发展。

第二，课堂管理是课堂中师生的围绕环境的构建进而促进学生发展的过程，这一过程与师生在课堂中的其他行为有着本质的区别。首先，课堂管理注重对课堂所涉及的多种因素的谋划、实施和评价，即按照管理的一般职能，对课堂中的因素的管理，而师生在课堂中的其他行为往往是按照教育教学原理，关注的是学生知识、能力、人格、精神等方面的发展与变化。其次，课堂管理行为的短期目标是构建积极环境，最终促进学生的发展，而其他课堂则以学生的发展作为浅近目标和最终目的。第三，环境的构建是课堂管理行为的主要任务，而其他课堂行为则将环境置于研究的背景，而将教学作为主要的任务。总之，课堂管理所倡导的所有理念，始终与环境因素相联系。

第三，课堂管理以课堂作为看问题的基点和视角，一切行为始终与课堂相联系，并通过处理课堂中的各种矛盾，寻找调动学生行为积极性的策略，使课堂健康发展。因此，注重课堂的生长成为课堂管理新的理念。就课堂而言，课堂是具有动态的、需要师生、生生互动的组织系统，在这一系统中，管理已经不能再局限于传统意义上由教师规划与控制课堂中的所有行为，而是关注课堂中学生的行为积极性是否得到发挥，关注学生的自主性和独立性的落实，关注在课堂中对学生行为的预测、协调和激励。一句话，关注课堂本身的生长。

概言之，课堂有效管理注重课堂中环境的构建、注重对各种因素的教育学处理，其最终的目的是促进学生的全面发展。这就是对课堂管理的本质认识。

第二节　有效课堂管理：特点与内容

一、有效课堂管理的基本特征

有效课堂管理一般都具有以下的特征。

（一）人本性

人本性应该是当前有效课堂管理的首要特征。传统的课堂管理常常被视为"科学"的管理，总是自上而下，逐层布控，遵循统一规范。它处处有规范，时时有监控，教室成了相互监视、比较、竞争的场所。

这里制造了一个权力被滥用的陷阱、一个"管理主义"盛行的时代。在一个越来越复杂的变革时代里，在一个个性和人性张扬的时代，传统课堂管理方式太具刚性，显然跟不上时代的发展，不再能满足现实提出的新要求，甚至与当今时代发展相悖。

有效课堂管理要求以人为本，以学生为本，将外在的课堂管理要求转化为学生个人的自觉行为。管理中不是把学生看成物，而是看成活生生的、有血有肉的鲜活的人。首先，尊重学生身心发展的规律。学生身心发展具有一定的规律性，拔苗助长，定框制规都不行。素质教育的要义之一就是让学生生动活泼地发展，就是要按学生身心发展成长规律来教育教学。管理当中要体现对教育对象——学生的尊重。其次，要尊重学生发展的个性差异。心理学家贝克尔指出，人从根本上说是由某种两重性推动的，人要成为某些事物的一部分，同时，又需要与众不同，人们大多数喜欢被当做个别的人而受到特殊的对待，注重自己有没有得到重视，自我价值能不能实现。个性是人的本性，对具有不同个性和兴趣爱好的学生要有不同的教法，是以学生为本最根本的一点。现代教育要求培养各类合格人才，教育不能是铸模，把性格各异的学生变成标准件，那是教育的失败和悲哀。最后，要实现学生的全面发展。课堂教学的目的不应该是单一的传授知识，而应该是最大限度地促进学生的发展。因此，课堂应该成为学生发现自己潜能的地方，能够成为学生获得最大帮助的地方。课堂管理应该成为学生全面发展的重要保障。

同时，有效课堂管理还要求以教师为本，学校管理者必须尊重教师，尊重他们在学校各项工作中的主体地位，充分认识、正确估计他们的作用，要知人善任，发挥所长；注意了解和研究教职工的心理特点和各种需要，激发教职工的工作动机，调动其积极性；要鼓励教师探索创新，形成自己独特的教学风格和工作作风，创造性地运用教育教学规律，发挥主观能动性；大力支持教师在职培训活动，促进教师的专业发展。

（二）教育性

有效课堂管理是与课堂教育教学过程紧密结合，不断提高课堂管理效率和教育教学质量的活动。

课堂有效管理行为是依据管理目标，不断地进行自身的调节与控制的动态发展过程。在这一过程中，必须注意有效课堂管理与教育教学的紧密联系，这包括两层含义：第一，课堂管理行为的每一个方面和每一个步骤，都要以实现教育教学任务为基本内容。如师生所制订的课堂管理行为目标和计划，就应当与教育教学目标相联系，或以教育教学计划的相关措施为核心。第二，课堂管理行为本身还应发挥其教育作用。课堂是培养人的场所，是学生学习、生活的基地，是学生精神生活所必然依赖的地方。因此，课堂中教师的所有行为都应当具有表率作用，并将教师的课堂管理行为限定在教育目标所确定的范围之内。第三，有效的课堂管理行为强调合理地组织课堂中的人、事、物，以实现教育教学目标。就课堂管理的内容而言，无非是对课堂中的人、事、物进行组织与安排，这种安排是否合理，取决于是否有利于教育教学目标的顺利实现。

（三）调适性

有效课堂管理的教育性不仅能够解决当时出现的问题，而且更有利于预防以后出现类似问题，因为有效课堂管理的一个特点就是调整师生的思想和行为，进而使师生适应课堂教学，这就是所谓的调适性。所以说，调适性应该是有效课堂管理的又一特性。这一特点对新生班级或者处在生疏环境的学生来说尤为重要。通过师生共同的努力，使学生尽快调整自己并适应新的教师和陌生环境；教师也尽快了解学生并掌握他们的个性和特点。如此，课堂管理才能尽快规范有效，对学生发展才更有利。有效课堂管理的调适性要想发挥最大功能，尽量使一些可以避免的问题不出现、不发生，使已经被解决的问题不反复，就要求教师解决问题时要有计划，讲策略，并充分了解每一个学生的特点和个性。依据计划，针对个性，有的放矢。要以理服人、以情动人，要换位思考，多策并举。特别是在课堂教学过程中，教师要尽量避免被少数几个人吸引并只与他们交流。要面向全体，一视同仁。解决问题时，视具体情况，区别对待。

（四）民主性

在有效的课堂管理中，师生双方都是主体，故要特别重视并鼓励学生的参与。课堂或班级不仅是教学的场所，它还是学生社会化的场所，是学生精神和人格获得发展的基点。在传统的课堂管理中，教师为了更好地向学生传递知识，通常使用一种压服和专制的方式使学生服从，从而保证课堂教学的顺利进行和教师独一无二的权威。这种课堂从表面上来看是成功的，而实际上在教师获得至高权力满足感和完成教学任务成就感的背后，是对学生身心的摧残和人格的蔑视。学生的个性全面发展要求教师在课堂管理的过程中充分考虑学生的需要和潜能，创设出适合学生生活与活动的环境，为学生在课堂中能按照本性行为提供更加广泛的空间。因此，在课堂管理中，应该增加班级所有成员的相互作用，使每一个人都获得一种"存在感"。如教师和学生共同制定课堂秩序和规则，使学生能够自觉履行各自的职责并重新认识自己的潜在能力，愿意自觉遵守和承受由于违纪带来的后果。同时，测评也罢，监督也好，都不应该是单向的，而应该是双向、交互性的。

（五）主体性

课堂管理离不开作为学习和发展主体学生的自主、自动。主体性不仅是学习行为的规定，而且也是学习目标的规定，基础教育的教学目标是使学生掌握知识，是使学生学会学习，奠定将来的发展基础，只有在自主、主动、创造的学习行为中，才可能内化积淀相应的学习素质。管理职能是为保证目标的实现，现代教学目标由单纯追求知识占有量到综合素质培养的转型，决定了课堂管理由单纯的行为约束、思维的牵制到引导学生体验学习的主动性、亲历性、探索性的转变。

课堂教学是由教师的教与学生的学两方面因素共同组成的活动过程，缺一不可。因此，教师和学生是课堂管理中的两大主要因素，他们都是课堂管理的主体。就二者关系而言，以往人们认为，教师是行为的主要方面，在课堂管理中起决定性作用，而学生只是被动地受教师的行为影响。实际上，由于学生是有主体精神和独立意志的个体，学生在课堂中并非完全依赖于教师的安排。现代教育理论认为，学生与教师同样是主体。承认学生是具有自由意志和人格尊严、具体的、现实的主体，尊重学生的自由意志和独立人格不仅是真正教育的条件，也是教育本身的内在规定性[①]。课堂中，要充分尊重学生的主体地位，充分鼓励其主体精神的发挥。把学生在课堂中的活动看做是学生生活的一部分，积极关注学生在课堂上知识、能力、人格、精神等方面发生的变化，使学生在课堂中获得生动和谐的发展，最终促进学生的全面发展。唯如此，课堂管理才可能高效；唯如此，课堂管理才算高效。学生的身心全面发展是教育教学管理的最终目标和最大效益。这就要求教育工作者必须平等地而不是居高临下地、民主地而不是独裁地、公正地而不是偏袒地、启发地而不是填鸭式地对待学生。最根本的是，把学生当成有血有肉、有个性、有思想的独立的人，而不是任人摆布的"物"。

（六）高效性

学生在校的时间是有限的。因此，如何真正向课堂要质量要效益，如何能够在这有限的时间里给学生更多的思考时间、更多的自主参与机会，这是课堂有效管理必须考虑的事情，这也是当今教育改革的追求。因此，有效课堂管理不仅应尽量预防教学过程中出现问题，而且在解决问题时也应尽量让学生参与，以使管理的过程也成为学生学习的过程。

---

① 钟启泉，崔允漷，张华. 为了中华民族的复兴、为了每位学生的发展——基础教育课程改革纲要（试行）解读［M］. 上海：华东师范大学出版社，2001：263.

同时，课堂有效管理更注意在解决问题时追求高效性。尽可能用最短时间和最少精力解决干扰课堂教学的问题，以保证课堂教学的流畅性。流畅的教学避免毫无过渡地从一个环节跳到另一个环节，或从这个活动跳到那个活动，以避免学生注意力分散，影响其学习效果。同时，有效课堂管理的最终目标是尽可能提高教学效率，从而使学生尽可能快地获得发展。

总之，有效课堂管理的主要目的是形成师生、生生之间的互动，使全体成员都以自己的独特性参与到课堂中来。一方面保证教学过程顺利进行，另一方面要以促进学生身心共同发展为宗旨。为实现这些目的，我们必须首先对当今课堂管理的现状予以深刻的反思和剖析。找出问题，剖析原因，然后对症下药。

二、课堂管理的内容

有效课堂管理的范围十分广泛，可以说它涉及课堂教学的方方面面，贯穿教学的整个过程。其主要内容包括以下三个方面。

（一）建立课堂常规

课堂常规是由教师与学生共同制定的维持课堂秩序、激发学习兴趣、培养学生自治、增进师生情感等的一套合适的系统的规则。教师要指导学生共同参与制定课堂常规，认识、了解、执行课堂常规，养成良好的课堂行为习惯。

（二）处理课堂问题行为

课堂问题行为，简单地说，就是学生违反课堂常规所表现出来的行为。在课堂管理中，教师要充分认识学生在课堂中所表现出来的问题行为产生的原因，运用适当的处理原则、策略，有效地处理。

（三） 创建良好的课堂教学情境

良好的课堂教学情境可以直接促进学生的学习，因此，教学情境的布置，是课堂管理的重要内容。

三、有效课堂管理的功能

有效课堂管理的目标，不仅在于防止学生不良行为的发生，更主要的是提高教学效率，激发师生潜能，促进学生发展。因此，有效课堂管理的功能主要表现为下列几个方面。

（一） 有效课堂管理通过建立课堂常规，维持良好的课堂秩序，可以保证课堂教学活动的顺利进行

课堂既是学生学习和活动的场所，又是学生人格社会化发展和成长的主要场所。为了各种活动有计划、有效率地开展，课堂必须维持一定的秩序与常规。但由于课堂活动过程中经常会出现各种新的问题，产生各种冲突与矛盾，出现各种偶发的事件，使课堂活动的正常进行受到干扰。因此，及时预见并排除各种干扰课堂活动的不利因素，有效维持正常的课堂活动秩序，对于课堂活动的进行具有重要意义，维持课堂秩序无疑是课堂管理过程中不可忽视的重要任务。

有效的课堂管理是以良好的课堂常规为基础的。课堂常规是教师与学生共同参与制定的，其主要目的在于约束学生的行为，培养学生自我管理和相互合作的精神。因此，课堂常规有助于将教师的外在控制转化成为学生的自律，减少师生之间产生矛盾与冲突的可能性，消解许多潜在的问题，维持良好的课堂秩序。

（二） 有效课堂管理可以提供良好的教学情境，有助于激励学生学习

课堂常规的建立有助于维持课堂秩序，但这只是课堂管理的消极功

能，从更积极的角度看，还应重视创建一个充满教育性和启发性的教学情境。这要求教师设计各种有效的教学活动，运用各种教学技术，布置适当的教学环境，激发学生的学习兴趣，在潜移默化中陶冶学生的性情，实现教学目标。因此，提供一个良好的教学情境，使学生积极学习，也是课堂管理的主要功能之一。

（三）有效课堂管理可以加强师生之间交流，有助于在课堂上保持积极的师生互动

课堂是一种特殊的不断变动的师生生活和成长的环境。课堂活动也是教师和学生共同劳动的一个活生生的动态发展过程，是人类的一种创造性的社会实践活动。课堂活动过程本质上是一个课堂互动的过程，体现了教师与学生个体或群体之间在课堂活动情境中的相互作用和相互影响。课堂互动是课堂的本质特性，亦是课堂管理的重要任务。课堂互动是有效课堂管理的基本标志。

课堂交流是课堂互动的前提。没有交流，就谈不上课堂互动。课堂活动本身也是一种寻求对话的实践活动，实际上是一个信息交流的过程。无论是学生知识经验的获得、心智的开启、能力的发展，还是教师课堂教育教学质量的提高，都有赖于课堂活动中信息的有效传递和交流。在课堂中，只有实现了人与人之间、人与环境之间自由的信息交流，课堂才会迈出僵化的泥潭从而获得生机。课堂管理正是通过不断调节课堂活动，激发学生主动参与，促进课堂师生间和谐的交流，同时又通过有效的课堂交流，促进和保持课堂的积极互动。传统的课堂是一种独白，教师把责任和义务告诉自己，然后进行自我评判。新课堂寻求对话，寻找与学生的对话，它在学生的回应中评价自己，审视自己。独白意味着教师总是高高在上地俯视学生，充当课堂的主宰；对话则是教师把自己看成课堂组织中的一部分，与学生都是完成课堂活动的一个环节，因而承认学生的内在价值和权利。有效课堂管理就是一种不断激发课堂交流，保持课堂互动的历程。

第三节　有效课堂管理与教师管理素质的提升

21 世纪的教育不仅仅是为了给学术界和社会发展提供人才，而且是把人作为发展目的加以对待的。它使"每个人的潜在的才干和能力得到充分发展，这既符合教育的从根本上来说是人道主义的使命，又符合应成为任何教育政策指导原则的公正的需要，也符合既尊重人文环境和自然环境又尊重传统和文化多样性的内源发展的真正需要。"① 这种思想已经逐渐成为指导各国教育理论研究和教育实践活动的基本理念。而帮助教育教学活动顺利实现这一理念，则成为中小学课堂管理的指导思想。我们需要在新的教育教学理念的指导下构建新的课堂管理理念，提升教师课堂管理的素质。

一、教师课堂管理理念的更新

（一）坚持"以人为本"的管理理念

有效课堂管理应该既信奉科学，又崇尚人道，以科学为基础和手段，以人文为价值目的，促进学生在物质与精神两方面的和谐发展；用科学人文主义的理念和追求来塑造和养育内心和谐，与他人、社会、自然和谐的人。它的根本的出发点就是人的全面和谐的发展。课堂管理的核心是人，它通过管理主体的人，对作为既是管理客体也是主体的人的管理，最后达到发挥人的价值、发掘人的潜能、发展人的个性的目的。简言之，在课堂管理中，中小学教师最重要的管理理念应该是"以人为本"。"以人为本"就是说中小学教师在课堂管理活动中应该坚持学生的自然属性、社会属性、精神属性的辩证统一。这是中小学教师从事

---

① 联合国教科文组织. 教育——财富蕴藏其中 ［M］. 北京：教育科学出版社，1996：70－71.

课堂管理工作时应当树立的一种教育管理哲学。

（二）坚持"民主平等"的管理理念

教师是课堂管理的至关重要的角色。为了有效地对课堂进行管理，教师作为决策者作用的发挥至关重要。但是，教师管理决策绝不能武断独裁，在决策时，不能听不得不同的意见。相反，应该鼓励学生积极参与课堂管理决策。因为一个人的学识及能力毕竟是有限的，而学生的智慧和力量却是无穷的。同时，教师和学生的立场和思维也不相同。所以，教师必须发扬民主作风，积极营造宽松的管理氛围，让每个人都有机会参与课堂管理工作，充分发挥大家的作用。同时，教师要实现有效课堂管理，必须树立公正、平等的管理理念。公正平等的管理理念要求教师面对课堂上出现妨碍课堂教学的问题行为时，能够公正公平一视同仁地进行处理，而不受教师对学生的偏好或厌恶情绪的干扰。

（三）树立"管理即教育"的管理理念

中小学教师在具体教育教学实践中，往往把管理和教育分割开来，把管理当成与教学无关的单纯管理或把管理当做教学的前提条件。有的教师甚至把管理工作推给班主任了事。教师往往为了教学任务的顺利完成以及教学目标的圆满实现，不愿意花费时间和精力去研究管理，管理理念和策略贫乏而苍白。一旦出现课堂问题行为或其他突发事件，他们除了断然采取简单而粗暴的处理方式外，别无办法。这样，不但不能真正解决问题，而且还会诱发新问题的出现和老问题的重犯。所以，中小学教师要实现有效课堂管理，必须树立"管理即教育"的管理理念，把管理本身就看做是教育的过程，以提高管理的质量。

此外，前面讲到的有效课堂管理的一些特征，实质上都是教师应该重视的课堂管理一些理念。

二、教师课堂管理能力的提高

Vemon F. Johnes 与 Louises S Johns 认为教师的课堂教学管理能力主要包括：了解学生需求能力；建立良好的师生关系、同学关系的能力；提高学生动机水平的能力；制定课堂行为标准的能力；处理学生纪律问题、违规问题的能力；用问题解决法和行为矫正法正确解决学生行为问题的能力[①]。国内专家提出的最重要的教学管理能力主要有：规划能力、行动能力、激励能力、控制情绪能力、幽默能力，演讲能力、倾听能力。我国学者程巍、申继亮认为作为课堂管理者的教师所面临的管理一般有四个方面：对学生的管理；对教材的处理；对教学环境的管理；对时间的管理。其中最主要的是对学生的管理[②]。李保强，李如密则认为课堂教学管理的内容涉及对教学思想的管理、教学对象的管理、教学信息的管理、教学过程的管理、教学中人际交往形式及其管理、课堂纪律管理等[③]。另有研究者认为课堂教学管理能力应包含：教学设计的能力、教学研究的能力、现代教育观念、应用信息技术的能力、合理运用媒体的能力、学习资源设计和开发的能力。

课堂教学是学校教育教学的中心工作。一切有目的、有计划、有组织的教育教学影响都需要通过课堂教学这个特定的时空平台来实现。而对课堂的有效组织和管理直接影响着学科教学的效果。在中小学课堂教学实践中，那些善于进行科学课堂管理的教师，其教学成绩往往更好。如果一名教师不善于管理课堂，那么他的知识便很难有效地传递给学生。因此，教师课堂管理能力的提高是课堂有效管理的重要基础。

---

① JONES V F, JONES L S. 全面课堂管理 [M]. 方彤，等，译. 北京：中国轻工业出版社，2002：23.

② 程巍，申继亮. 中学教师的课堂管理方式与职业知识水平的关系研究 [J]. 天津师范大学学报（基础教育版），2001（3）：16 – 18.

③ 李保强，李如密. 构建课堂管理学的几个理论问题 [J]. 北京师范大学学报（人文社会科学版），2001（5）：119 – 125.

（一） 加强教师的理论学习

加强教师的理论学习是提高教师教学能力的一个有效途径。这是因为：首先，理解和把握教育教学的真谛、确立新的教学观念，需要一个不断将外在的教育教学理论内化的过程；其次，教育教学实践中反映出来的问题只有上升到理论层面，才能知根知底。具体的操作方法也常常是在特定的背景中使用才行之有效，若缺乏理论根基，只知道做什么和怎么做，而不知道为什么要这样做，也不知道情况有所改变时是否需要改变，在实践中不仅易出偏差、而且操作方法也不能灵活迁移到类似的教育教学情境之中，更不会在教育教学实际中加以创新和发展。再者，教师只有不断系统地学习课堂教学管理方面的理论知识，才能在较高层次上更新其知识结构，进而提升其课堂管理能力。

（二） 强化课堂管理实践

古人云：纸上得来终觉浅，绝知此事要躬行。系统的理论学习对于一名教师来说是必要的，但也是远远不够的，还必须在实践中去检验、学习活的教育教学知识技能。为了巩固理论学习的成果，也为了能够快速提高教师的课堂管理能力，学校要为教师提供多种形式的实践操作平台，鼓励教师参与教学实践；另一方面也应大力提倡教师探索新的途径和方法。同时，学校要经常组织课堂教学观摩活动。课堂教学观摩是一种典型的研究其他教师经验的"做中学"的专业发展途径。它分为组织化观摩和非组织化观摩。组织化观摩是有计划、有目的的观摩，非组织化观摩则没有这些特征。一般来说，为培养提高新教师和教学经验欠缺的年轻教师宜进行组织化观摩，这种观摩可以是现场观摩（如组织听课），也可以观看优秀教师的教学录像。在观摩中教师不但要注意"听"，还要着重"看"。其目的是促进教师专业发展而非考核考评，因而常常是同事、同级之间的互助指导。

三、教师课堂管理素质的提升

　　课堂管理活动中之所以问题重重，其主要原因之一就在于中小学教师自身的管理水平不尽如人意。由于中小学生还处在身心发育的关键时期，心灵敏感而脆弱。这一时期教师的正确管理和引导对他们的成长起着无法比拟的作用，教师管理水平的高低不仅直接影响着课堂管理的效果和质量，而且很大程度上决定着学生的健康成长和全面发展。这就要求教师必须具有科学的课堂管理理念，具有教育智慧和艺术。因此，要想提高管理的效率，真正实现有效课堂管理，首要的一环就是提高教师的课堂管理素质。

（一）重视教师课堂管理素质的提高

　　教师要进行有效的课堂管理就必须有科学的课堂管理观、学生观，有较强的应变能力、监控能力及与学生交流沟通的能力。对课堂管理和学生的正确认识和理解是进行有效课堂管理的前提，良好的应变能力、监控能力和交流沟通能力是教师管好课堂的必要条件。科学的课堂管理观就是：以师生的互动为中介，以学生的自我控制为目的，以适当的方式与策略对课堂中各种因素进行有效调控，最终促使课堂教学的顺利实施和学生的全面发展。学生与教师同样是课堂教学与管理中的主体，是有血有肉、有情感、有思想的独立个体。课堂上要充分尊重学生的主体地位，发挥学生的主体作用，广泛吸引学生参与课堂管理活动。在此基础上，教师要充分施展自己与学生的交流沟通能力、灵活的应变能力和策略适当的监控能力，在交流中了解学生，通过了解而针对不同学生、根据不同情况采取有效的应变和监控。这些课堂管理素质的提高，对于中小学教师来说十分重要，应该引起教育主管部门和广大中小学教师的高度重视。

（二）坚持教师培训的基本原则

要提高教师的课堂管理素质，基本途径是加强教师的在职培训。而要做好教师的在职培训工作，必须坚持一些基本原则。教师培训的一个总的原则是"因地制宜，分类指导，按需施教，学用结合，采用多种形式，注意质量和实效"。在具体实施教师培训时还要把握好五项基本原则，即：培训的主体性原则，把教师当做培训的主体来对待；培训的发展性原则，把培训当做教师和培训者共同发展的过程来实施；培训的交往性原则，把培训当做教师与培训者共同参与的社会性过程来实施；培训的实践性原则，把培训当做课堂教学技能提高及整个工作改进的演练过程来实施；培训的研究性原则，把培训当做教育科研的过程来实施。

（三）采取多种方式加强教师职后培训

教师职后培训可以采取多种方式进行。

1. 接受高等院校的培训

去师范院校或教育学院进行系统培训，学习新的课堂管理理论，了解新的课堂管理方法等。教育行政主管部门和各学校要结合本地区、本单位实际，制订计划，分层次分批进行有针对性的培训。

2. 参加校本培训

随着新课程中"三级管理"的推行，学校拥有越来越大的权力，同时也承担起更多义务，如对本校教师进行培训。由于各个学校，尤其是各个中小学有其自身的特点、优势以及自身的问题，所以，教师积极参与校本培训有助于有针对性地解决问题。校本培训可以结合自身特点灵活进行。比如，定期开展课程理论、课堂管理理论讲座，教师论文交流；充分发挥网络优势，进行网上学习交流；新老教师结对子，传帮带；充分发挥教研室教研与阵地作用，总结经验，交流心得等。

3. 进行自我培训

教师管理水平的提高更多地靠教师自己，靠教师不断地进行经验总结和自我更新。教育是一个使教育者和受教育者都变得更完善的职业。只有当教育者自觉地促进自我发展和自我完善的时候，才能真正提高自身的管理水平。教师自我培训是在教育教学的实践活动中实现的。具体来说，有如下几种方式：反思管理实践，在总结经验中提升自己；尊重同行教师，在借鉴他人中完善自己；学习教育及管理理论，在理性认识中丰富自己；投身教学科研，在把握规律中端正自己。

第四节　有效课堂管理与学生自我教育能力的培养

现代教育关注社会变革中人的发展，重视对人格的培养，这种"以人为本"的思想要求课堂更加关注作为完整生命的人整体意义上的发展。因此，真正有效的课堂管理，必然要求教师立足于长远的行为目标，让学生在不同的课堂情境中，对不同的教师，都能持续地表现出他们的适当行为，把适当行为内化为他们的一种自觉行动，最终实现学生的自我控制、自我调节和自我管理。

一、引导学生正确认识自我，提高学生自我评价能力和学习动力

只有正确认识自我，才能正确评价自我。中小学生在自我认识方面，往往表现出比较大的片面性，即不能全面地以发展的观点认识自己。他们有时夸大自己的成绩，过于自信地拒绝别人善意的帮助；有时

又过于自卑，认为自己什么都不行，缺乏上进的信心和学习动力。中小学教师应该通过各种方法促使学生正确认识自我，正确评价自我，从而形成积极向上的良好心态，树立学习的信心和决心，形成强大的学习动力。在促进学生自我管理的过程中，教师要经常帮助学生总结自己的行动和体验，客观、全面地评价自己的道德品质和文化素质，从而使自我认识的水平得到提高。教育学生客观评价自我必须注意两点。一是教育学生既要看到自己的优点，又要看到自身的不足。有缺点、有错误并不可怕，可怕的是对自己的缺点认识不清，甚至故意掩饰。教师应教育学生认清缺点，努力改正。二是教育学生把自我评价和他人评价结合起来。他人的态度，他人的评价是自我评价中一项重要的参照因素，从而取长补短，互相促进。

二、培养学生良好的学习意志和毅力

学生良好的学习意志品质是实现学习意志行为的根本保证。一般来说，学生在学习过程中良好的意志品质主要包括以下三个方面：首先是学生对自己学习目的有明确而深刻的认识，能自觉地投入学习，以达到既定的学习目标。学习自觉性是一种可贵的意志品质，它使人自觉、独立地调节自己的学习行为，完成自定或指定的学习任务，而不需要家长、教师的督促，在学习中能独立思考，有自己的见解，自觉地支配自己的学习活动。如学生认识到掌握学习策略的必要性，能自觉地按照学习规律的要求去做，主动地调整自己的学习策略，改进学习方法，科学地安排作息时间，从而圆满地完成学习任务。其次是能控制和约束自己的言行，这在心理学中称之为"自制力"。它表现在以下两个方面：一是能迫使自己去完成应当完成的学习任务，时常提醒自己去执行已经做出的决定。二是善于抑制干扰学习的欲望、情感，如战胜惰性，抵制诱惑等。中小学生的自制力一般比较差，虽然他们也知道学习的重要性，也想注意听课，认真做作业，但常常不能在课堂教学过程中有效地控制自己。不少人学习不努力，上课时注意力不集中；有的为了玩耍，作业马虎应付，甚至有的厌学逃课，等等。自制力差使一些学生经常触规违纪，扰乱课堂秩序，学习难以长进。三是不断坚持同学习上的种种困难作斗争的能力，即学习的毅力。其特征主要为具有克服学习上障碍的顽强精神，不怕挫折的坚韧性和持之以恒的耐性。"贵在坚持"正说明了这个意志品质的重要性。有学习毅力的人经得起在与困难作斗争中可能出现的失败与挫折，失败了再来，耐得住长时间的学习活动。缺乏学习坚持性是当前中小学生中的一个突出的弱点，主要表现在学习行为虎头蛇尾，开头干劲很足，但不能长时间坚持。如上课时后半节课注意力就开始分散；学习兴趣不稳定，容易转移或消失。遇到困难便丢下作业或不参加课堂活动，碰到几次失败就垂头丧气，产生厌学、弃学的消极情绪，这样的人往往不能最终高质量地完成学业。要尽可能地改变学生这些不好的学习行为，就要求教师掌握一些方法、挖掘一些途径，在课堂教学中运用多种教学策略，让教学内容和教学环节更富有趣味性，保持学生对学习的兴趣，锻炼学生的学习意志力。

三、创新班级管理机制，提高学生自主管理能力

班级管理机制是指班级管理的方法和模式。创新班级管理机制，就是要改革和完善现有的班级管理模式，以提高学生的自主管理能力，培养学生的自主性和创造性。针对目前中小学班级管理中教师对学生的约束多、限制严，大多数学生处于被动接受教育的现状，我们应有针对性地改变班级管理模式。比如，实行班长轮任制，让每一个学生主动参与班级管理，激发学生爱班的热情，增强班级凝聚力，培养学生的自主性和创造性。班级管理创新，为每位学生创造参与组织管理和实践的机会。通过担任多种班级管理角色，提高每一位学生的自主管理能力，让更多的学生在集体活动中承担责任，服务于集体。这不仅能增强学生的集体意识和班级凝聚力，而且能使学生获得班级管理主人的积极体验。

学生主动参与班级管理的积极性得到激发的同时，从管理者的角色中也能学会管理他人，实现自我管理和自我教育。

四、营造宽松和谐的人际环境，寓教于"不教"之中

师生关系是教师和学生在教育教学过程中结成的相互关系，是人与人之间的关系在教育领域中的反映。师生之间建立一种平等、友好、融洽、和谐的关系，能激发学生的学习兴趣，提高课堂教学效率，减少课堂问题行为，有助于学生良好品德和良好性格的形成，有助于培养出一代具有创造性的、人格健全的学生。有助于学生接纳教师，建立融洽的师生关系。

同时，班级是学生学习、生活、自我教育、相互激励的场所。要提高学生自我管理能力，就必须让学生参与到管理中来，就必须为学生营造宽松和谐的育人环境。比如，教师和学生共同讨论制定课堂规则的内容以及违规的处理方法，让学生自觉思考之所以需要这些规则的原因以及产生不良行为的后果并使学生自愿遵守，等等。这样不仅可以创造一个民主和谐的课堂环境，也可以通过这一过程增加"规则"的约束力。实践证明，这样的做法，可以在引导学生参与管理的过程中，有效引导学生进行自我管理。

五、教会学生自我控制的策略

自我控制是人自主地调节自己的行为，使其与个人的价值和社会期望相匹配的能力。自我调节是在没有外部指导或监控的情况下，个体维持其行为历程以达到某一特定目的的过程。一般来说，自我控制偏向于行为的限制，而自我调节则包括行为的促进。自我管理是一个人运用有关原则，修改个人学习行为并与环境相互作用的能力，其内涵比自我控制更丰富。

最有效的管理是学生在课堂中的自我管理。正如高尔顿所认为的，"唯一有效的管理方法，是学生个人发自内心的自制。教师的主要任务是在帮助学生发展这套自制工夫，使他能够凭靠自己去做适当的决定，去约束自己的行为"①。教会学生自我控制，可以使教师将更多的时间用于教学而将更少的时间用于管理学生的课堂问题，能增强学生学习的自主性和积极性，提高学生的自我成功体验。学生形成自我控制能力，要受多方面因素的影响，需要教师给予具体的指导。

总之，中小学"教师要引导学生在知、情、意、行方面实现自觉、自强、自理。在认知方面，要引导学生自我观察、自我分析和自我评价，让学生自己认识自己，提高自觉性；在情感方面，引导学生自我激励、自我肯定、自我否定；在意志品质方面，引导学生自我监督、自我控制；在行为习惯方面，引导学生自我计划、自我训练、自我检查、自我总结和自我调节，实现自律，最终达到有效管理课堂的目的"②。

---

① 邱连煌. 班级经营：学生管教模式、策略与方法［M］. 台北：文景书局，1998：155.

② 任阳梅，司彩兰. 课堂管理的有效策略［J］. 山西教育，2002（15）.

3

规矩方圆：有效课堂管理的基础

教师们都有这样的经验，当学生在课堂上表现出专心听讲、积极发言、愉快和谐、文雅体谅、乐于助人以及诚实的行为时，教学就成了教师们最有满足感、最有成就感的事业。但是，教师们也同样知道，即使教师一百个不愿意，在课堂上学生也总会出现注意力不集中、敌视不敬、自由散漫、肆意吵闹甚至攻击他人的行为，而使教学效果降低，此时，教师教学的乐趣也荡然无存。

"杂乱"是因为"无章"，"有条"才能"不紊"。只有"遵守规则"，才能"秩序井然"。课堂常规是保证课堂秩序基本行为、课堂成员应该遵守的要求或准则。课堂常规的建立目标就在于使学生树立常规意识，使其课堂行为合乎常规的要求，鼓励学生养成自我控制的能力，减少课堂问题行为的出现。

第一节 课堂常规：你的眼里有学生吗？

以下是几组在学校里随机拍摄的镜头。[①]

镜头一：某教师正在讲课，学生们个个两手抱臂，腰板挺直，坐得端端正正，眼睛都看着教师。少顷，教师提问，几个孩子举起右手，示意要发言。这时，坐在后面的几个孩子稍微有些松懈了，腰弯了一些，目光也开始四处游离。经验丰富的教师已经发现，迅速用目光扫了他们一眼，孩子们一惊，立刻又坐正了。

镜头二：上课铃已经响起，可是，教师因有事还没有到教室。孩子都很奇怪，他们左顾右盼，议论纷纷。有的孩子站了起来，和同伴们做鬼脸；有的孩子拿起了卡通书，看了起来；有的孩子则拿出上节课的作业本，抓紧时间做作业。一会儿，教师来到教室，看到这一幅乱哄哄的场面，非常生气，"你们一点自觉性都没有，老师没来，不会自己先看书吗？哪些人违反纪律的，站起来！"那些调皮的孩子在同伴的指点中灰溜溜地站了起来，一顿训斥看来是难免了。

镜头三：办公室外面，站着一个小男孩，低着头，摆弄着自己的手指，任凭其他老师怎么问他，都是一言不发，一脸受了很大委屈的样子。原来，他在上课时老爱用手玩些小东西，被老师教育了好几次都不改，老师很恼火，就让他在办公室外面反思反思。了解他的老师都说，这孩子啊，其实蛮聪明的，回答问题挺不错的，就是爱做小动作，如果能改掉这个缺点就好了。

这些镜头您熟悉吗？对此，我们可以有哪些思考呢？

---

① 百味轩. 课堂常规：你的眼里有学生吗？［OL］. ［2003－06－10］. http：//www.cedu.cn/bbs/printpage. asp？BoardID＝19&ID＝5272.

　　以上的现象，教师们都不会陌生。在我们的学校里，几乎每天都在上演着这一幕幕场景。不少教师都感慨：现在的孩子太不守规矩了！在课堂上常常不听指挥，知识在他们的眼里，好像并不是那么稀罕，每次都要你想方设法来诱导他们学习。课堂纪律大不如前，教师在上课时常常要花好长时间来整顿纪律。一个称职的教师，不仅要教孩子知识，还要管理孩子的纪律。确实，课堂管理是教师的基本功，一个不能有效控制课堂气氛的教师是不可能进行有效教学的。

　　以下是几个学校的课堂管理规定，这些规定也有很多值得人思考的地方。

案例一：

学生课堂管理规定①

　　1. 学生必须依照作息时间按时上课、下课，不准无故旷课、迟到、早退。

　　2. 学生上课应保持肃静，维护课堂正常的教学秩序，不准在走廊、教室内喧哗。

　　3. 上课开始，学生班长或课代表应主动配合老师进行考勤、点名。

　　4. 上课时，学生应注意听讲，遵守课堂纪律。

　　5. 学生不得穿背心、拖鞋进入教室，不准在教学场所吃零食，不准吸烟。

　　6. 学生晚自习，按规定时间在图书馆、教室进行，不准做其他与学习无关的事情，班主任负责经常性的检查，教务处抽查。

　　7. 学生应爱护教室内的一切公物，不准随便搬走桌椅、挪走电器设备，损坏公物加倍赔偿。

　　8. 学生不准在教室内违章使用电炉等设备做饭、聚餐。

　　9. 学生应自觉保持教室清洁、整齐，不准随地吐痰，乱扔纸屑，

---

① 学生课堂管理规定［OL］.［2004－11－18］. http：//www. lajy. net/Article/jyyj/2004 11180327. html.（收录本书略有改动）

严禁在桌上、墙上刻画。

10. 教室内放置电视机等教学设备的班级应加强管理，不得在上自习课时开放电视机，影响学习。

11. 除节日由学校统一组织外，平时不得在教学楼里举办舞会、联欢等活动。

12. 学生离开教室时，注意关好门窗，随手关灯。

案例二：

学生课堂行为规范①

1. 全班同学应在课前两分钟内做好课前准备，将该节课使用的课本、笔记本、作业本整齐摆放在课桌的左上角，铅笔盒横放在桌面前沿。桌面书籍应摆放整齐。

2. 如果不在本班教室上课，须排队提前到达指定地点，整个过程做到"快、静、齐"。

3. 迟到学生应站在教室门口喊"报告"，经老师允许后再进教室上课。

4. 上课要精神饱满，上课铃响后，应立即主动积极地投入课堂学习。

5. 坐姿要规范，背要直、肩要平、头要正，两脚平放地面。听课时不得用手撑头，不得晃脚，不得在座位上扭动身躯。

6. 上课专心听老师讲课或同学发言，目不斜视，边听边想，认真记笔记。应虚心接受老师教育，服从老师管理。

7. 课堂分组讨论时，要紧扣主题，积极发言，不得讲与主题无关的内容。

8. 课堂上应踊跃发言。回答问题时要原地直立，精神饱满，声音响亮清晰，讲普通话。

---

① 学生课堂行为规范［OL］. http：//www.sjjzx.com/sjzlawweb/qita/sjzketangguifan.doc.

9. 课堂上不做小动作，不随意讲话、谈笑或离开座位；不打瞌睡；不吃零食，不喝水。不得在课堂上转笔或转书。课堂上禁止阅读与上课无关的报刊书籍或收听音乐。

10. 自习课应保持教室安静，不得擅自离开教室，不得看闲书、闲聊或做与学习无关的事情。

××学校教务处

2005.5.

案例三：

课堂规则①

课堂教学是学生接受知识、提高能力的主渠道。上课是学习知识、发展智力的基本方式和途径。为保证课堂吸收效果，规范课堂纪律，每个学生都应严格遵守"课堂规则"。

1. 学生在上课预备铃响后，做好上课前的物质准备（准备好教科书、练习册、学习用具以及老师上一堂课布置的作业等）和思想准备。班长、副班长应负责组织预备铃期间的教室秩序，确保教室安静等待上课。

2. 实行课前报告制度：任课教师宣布上课，全班同学应起立向教师致敬，每班应由班长（副班长、值日班长）报告全班总人数，实到人数，缺席人数的姓名、缘由。对缺勤学生，任课教师应在课堂日志予以记录。

3. 学生上课要坐姿端正，集中精力听讲，认真做好笔记，不随意说话，不翻阅与课堂内容无关的书籍或从事与课堂内容无关的任何活动。有疑问或回答教师问题，须先举手，教师允许后，起立发问或回答。

4. 学生迟到或早退，须向老师报告，待允许后方可进入或离开教室。

---

① 课堂规则［OL］.［2008 - 03 - 08］. www.tjyz.org/dyzx/lawing/yizhongketangguize.html. （收录本书略有改动）

5. 学生上自习课时要认真复习和完成作业，不随意离座、打逗、不高声说话。自习课纪律应由班干部负责组织，学生有特殊情况需向班长请假并获批准方可进行。

6. 校会课课堂规则

（1）校会课是学校对全体学生进行教育的专用课程，任何人不得挪为他用。

（2）校会课前，值日生应将黑板擦干净。校会课期间，学生应坐姿端正，课桌面不应有任何书本文具。

（3）校会课应集中精力听讲，对学校提出的各项要求应认真听好，严禁在校会课上做作业、看书、说笑。如校会课上要离开教室，必须经班主任同意。

7. 体育课课堂规则

（1）体育课应课前在教师的指导下，由体委在课前组织同学布置好场地器械。学生必须提前换好服装、运动鞋，并提前到达集合地点。预备铃响后立即整好队伍，保持肃静，准备上课。

（2）体委向教师报告出勤人数，师生互相问好，学生应认真听好教师宣布的本课任务及要求。

（3）如因身体或其他原因需请假，应由请假人亲自携带医生证明、家长请假函并由班主任签字到体育教师处请假，否则，按旷课处理。

（4）学生上课要集中精神听讲，服从指挥，积极参加活动。按照老师要求，加强自我保护，注意安全。

（5）教师提问要立正回答。分组练习，要保持队形整齐。如迟到、早退或向老师发问，要立正喊"报告"，经老师允许后方可行动或发问。

（6）要爱护场地器械，课后体委应积极组织班内同学按照老师要求将器械放回收好。

8. 信息课、实验课课堂规则

（1）课前应做好预习，明确实验目的、要求、实验原理、方法步骤。上课时认真听好教师的布置。实验课应按指定位置做好，严禁打逗、说笑、喧哗。

（2）注意熟悉实验仪器设备的名称和正确的操作方法。严禁私自将实验仪器及用品带出实验室。

（3）实验要自己动手，亲自操作，仔细观察现象，认真测定数据，做好记录，分析实验误差的原因，严格遵守操作规程，注意安全，爱护仪器设备。

（4）计算机上机操作应认真按照操作规程进行，上机操作遇到问题应举手向老师示意，严禁下位、说笑、喧哗、打逗。严禁未经允许私自操作、运行与课堂教学无关的程序。严禁未经允许私自带入个人软盘、光驱等上机操作或私自拆装计算机。

上述"课堂规则"无论是在内容上，还是在形式上，都是很多中小学教师所期望的理想课堂的直观描述，是教师的教育观、教学观、学生观的直接反映。同时它也折射出中小学教师在教学观念中的一些误区。[①]

误区之一：课堂管理等于约束学生的行为。

课堂管理是教师为了保证课堂教学的效益和秩序，协调课堂中的人与事、时间与空间、思维与情感等各种因素的有效手段。课堂管理包括课堂行为管理、课堂思想管理、课堂情感管理等内容。显然，行为管理不等于行为约束，况且行为管理只是课堂管理的一个组成部分，而不是全部。在上述案例中，所有条款都是针对学生行为的。即使学生能够完全达到"课堂规则"中的要求，但如果学生对课堂持有一种反感的、敌对的态度，课堂教学也难以达到最佳的效果。

误区之二：课堂行为管理就是明确学生不能做什么。

课堂行为管理有两种表达方式，一是规定学生可以做什么，另一个

---

① 张文学. 从一则常规看课堂管理［J］. 中小学管理，2003（3）：51 -52.

是规定学生不可以做什么。"课堂规则"中主要规定了学生不能做什么，看不出教师对学生的尊重，教师显得"目中无人"。对课堂教学中学生的违规行为，教师习惯于从负面影响考虑，想的是它对我的课堂教学会产生怎样的影响，我如何去制止这种行为。相反，如果从正面影响考虑，教师想的就会是这种违规行为为什么会发生，我如何利用它为我的教学服务。

误区之三：教师是课堂的主宰。

从"课堂规则"中，我们不难想象，教师是课堂的主宰。学生遇到不会解的题目只能向教师请教，听课时不允许插嘴（哪怕教师讲错或是学生有不同的见解！）……在这样的环境下，课堂中毫无生气可言。

误区之四：学生没有合作学习的时空。

在"课堂规则"中，笔者很难发现让学生在课堂上进行合作性学习、探究性学习、研究性学习的规定，学生只能被动地接受教师讲授的知识，可以独立思考，却不能与他人合作探究，或是与他人一起分享学习中的乐趣。培养学生的合作精神、探究精神，应从小学课堂做起。

误区之五：听话的学生就是好学生。

"课堂规则"制定者心目中的好学生就是能遵守"课堂规则"的学生，简而言之，听话、守"常规"的学生就是教师心目中的好学生，我们在确定"好学生"的标准时，只是看学生外在的行为表现，看学生静态的分数，这是传统教育的最大弊端。这是一种对人的奴性化的教育。事实上，任何一节优秀的课，无不贯穿着学生情感的参与，无不渗透着学生思维的参与，无不贯穿着学生全身心的参与。

上述"课堂规则"，反映的是以知识为本、以教师为主宰的传统课堂教学观念。在这种教育观念的支配下，教师忽视了对学生人格的培养，淡化了学生的生存意识和斗志，弱化了学生的人性、独立性、自主性和竞争意识。孩子最宝贵的创造性被扼杀。笔者认为，只有走出思想中的误区，真正尊重孩子，才能培养出具有创造力和竞争力的人才。

第二节　课堂常规是什么？

案例一：

H老师是一所市重点学校的生物课教师。今年他代初中一个重点班的生物课，他所教班级的大多数学生都来自知识分子家庭，且成绩很好。学生上课都能安静地听教师讲课，按时完成教师布置的作业。H老师上课要求学生一定要先在家里预习教材，上课时，他会提出一些问题，指定学生回答，有些问题的答案只有参考预习的内容，学生才能回答出来。讲完书本内容，H老师就会安排学生在实验室做实验。

一天，H老师开始讲光合作用的过程，他首先提问L什么是光合作用。L一边摸着头发，一边回答"我不知道"。H老师常常可以听到她这样回答。

"你不知道什么？"

"我什么也不知道。"

H老师接着又问，"讲得更清楚一点，我只问你光合作用的定义！"

L并没有被吓唬住，也用同样大的声音说："我的意思是，我什么也不知道，我不知道为什么植物是绿色的。它们为什么不是蓝色，或其他什么颜色？它们为什么不能在水星上生存？书上说植物会制造食物，怎么制造？我实在不了解什么是光合作用。"

H老师注视着L，她转身背着他。他说："你讲完了？"

L："我想是吧！"她听见有些男生发出轻轻地嘘声，她对受到如此明显的崇拜有些洋洋得意。

H老师告诉她，"L，我要你知道，这不是你出风头的地方。"

"我也希望这样，"她说，"我知道我该怎么做。"她将眼睛转向窗外。

这节课剩下的时间里，H老师十分冷淡，态度冷若冰霜，他只提问

那些能正确回答问题的学生。

讲解完后，H 老师开始布置实验室的活动，他发现 S 在玩实验室里的显微镜。他大声说："你能不能告诉我实验室的规则？" S 把头低了下来，喃喃自语。

H 老师扫了课堂一圈，把该讲的话讲完，就要学生们开始做实验。他在实验室走来走去，巡视学生的操作。他站在 W 和 D 的身后，看到她们似乎遇到了难题。他并没有伸出援手，因为，他认为重点班的学生都有能力自己解决问题。但当她们做得一团糟时，他不敢相信，成绩好的学生还有如此表现。

案例二：①

刚开始给这个班上课时，我板起脸孔，向学生约法三章：课堂上不许这样，不许那样……果然课堂很肃静。可是当我提问题时，竟然没有一个学生回答问题。我火了："怎么你们都变成哑巴了？"这时，学生才说："老师，你不是规定我们上课不许说话吗？"我心里羞愧，但还是强辩说："是叫你们不要乱说话，不是叫你们不回答问题呀！"学生抗议："哪有这样不讲道理的老师？"有个平时最调皮的学生尖叫起来，惹得全班哄堂大笑。我一气之下，把他拉到教室外，把门关上，不让他听课。教室里的学生都成为"小木头人"，一动不动地听我讲课。我提问一个同学，当我喊到他的名字时，他竟然吓坏了。

教师进行课堂教学的目的是"教"而不是"管"。多数的教师都希望自己在课堂教学时不必去管理学生，希望学生能好好学习、专心于课堂活动。可教师们时常会发现，在课堂上要耗费许多时间来维持课堂秩序和纪律。因此，建立一套行之有效的课堂常规就显得很有必要。

在一些人看来，课堂常规就是指教师拿着教鞭，要求学生遵守纪

---

① 林美筹. "捣蛋"班级课堂管理［J］. 广西教育，2003（3）：10.

律。在另一些人看来，课堂常规是指教师要尊重学生，能够使学生自我
约束。还有人认为，课堂常规就是指在课堂上用来维持学生适当行为的
措施。不同的人对课堂常规有不同的看法，因此，课堂常规有时指良好
的态度，有时是指绝对的安静，有时是指有一点吵闹的有目的的活动，
有时又指一种规则。

一、什么是课堂常规

　　早在 20 世纪 20 年代，国外就有学者提出，维持良好的课堂常规是
"任何系统的教学技术的基础"[①]。良好的课堂常规被认为是教师有效教
学的一个必要条件。

　　在本书中，我们把课堂常规定义为：是学生进行课堂活动的一种要
求，是以实现教学目标、促进学生发展为宗旨，适当、积极地处理影响
课堂教学的诸因素为前提，教师和学生共同参与制定的一套有系统的规
则。这一定义，我们可以理解为：

1. 课堂常规制定的目的是为了实现教学目标、促进学生发展，而不
   是仅仅为了树立教师权威，一味要求学生服从。
2. 课堂常规由师生共同制定，通过参与制定规则使学生知道究竟自
   己应该如何作为，也知道别人（主要是教师）对自己行为的期
   望，以配合教师使教学顺利进行。
3. 根据台湾学者方柄林[②]的观点，影响课堂教学的因素主要有：人
   的因素、物的因素、事的因素。人的因素是指教师、学生以及学
   生与学生、教师与学生之间的关系；物的因素，是指教室中一切
   物质的环境与设备；事的因素，是指这些人以及人和物所发生的

---

　　① MORRION, HENRY C. The Practice of Teaching in the Secondary School ［M］. Chicago：
University of Chicago Press, 1972. See：Jackson, Philip W. Life in Classroom (2nd edn.) ［M］.
New York：Teachers College Press, 1990.

　　② 方柄林. 普通教学法 ［M］. 台北：教育文物出版社，1976：306.

一切活动。课堂常规的制定必须有效地处理这些因素，才能使常规发挥其效果，使教学活动和谐、平稳、有效地进行。

4. 所谓有系统，是指课堂常规必须是文字形式的公约，或虽非文字形式，却是为师生所公认的约定。

二、课堂常规的种类

课堂常规的类型多种多样。按地域分，有些常规是全国性的，即是全国所有学校班级必须共同遵守的；有些常规是区域性的，即为某区域中的学校班级所遵守。有些常规是某一学校、班级自行制定的，只限于这一学校、班级遵守；有些常规可能出自于某一班级师生间的相互约定；甚至有些常规可能是局部的、阶段性的常规，仅为某班级部分学生私下约定在某一时候所共同遵守者。因此，课堂常规的内涵十分复杂，在其运作上也颇多限制，在建立课堂常规时应加以重视。

三、有效的课堂常规的要求

课堂常规能否达到预期的目的，即良好的课堂常规，应具备以下三个共同要素，在此常规下，能促使学生专心于课堂活动、自治和表现出良好的人际关系。

（一）学生能专心于课堂活动

学生能专心于课堂活动是指学生能在课堂上做他们应该做的事，通常指他们能集中注意力，不出现做白日梦、干扰其他同学等问题行为，积极参与教师为他们所设计、安排的教学活动，或是经由教师许可而进行的其他活动。

学生专心课堂活动的时间长短，对教师而言很重要，因为它直接关系到其学习量的多少，同时，专心于课堂活动的学生很少在课堂上出现问题行为，他们不会浪费时间或干扰其他同学的学习，也不会给老师增添麻烦。

对教师来说，使学生专心于课堂活动，是一种目标。为达到这个目标，教师必须认真设计教案，尽力使教学活动生动有趣且具有启发性，内容难度适中，以避免学生分心。但并非所有的课堂教学活动都能做到生动、吸引人，有些重要的课堂教学活动甚至很枯燥。因此，我们在设计或制定课堂常规时，必须注重运用一些策略或技巧，以帮助学生维持注意力，专心于课堂活动。

（二）学生能自我管理

学生能自我管理，是指学生能为自己的行为负责，在任何情况下都只做自己该做的事。也就是说，他们能遵守课堂常规，自我约束，尊重他人的权利，按时完成教师所布置的作业等。

能自我管理的学生，能自觉维护课堂秩序，不会在课堂上干扰他人的学习，不会大声嬉笑、交谈、吵闹等，更不会在做作业时干扰其他同学或做些超出常规的举动。

能自我管理的学生会有意识地控制自己的行为。他们沉着冷静，能控制住自己生气和兴奋的情绪，以避免在课堂上做出嬉闹、敌意、攻击他人等行为；也能克制自己不受他人不良行为的影响，并尽量不做危害自己和他人的事情。

能自我管理的学生也是懂得尊重他人权利的学生，他们会认为班上每位同学都有隶属感，享有安静权，都有免于威胁的权利，并都有权持有个人意见并表达出来，同时他们不愿意侵犯他人所应享有的权利。因此，懂得尊重他人权利的学生即使并不赞同别人的活动，也不会威胁、妨碍或阻止别人。

因此，课堂常规的制定，必须考虑如何鼓励学生发展自我控制的能力，使学生能将外在控制转化为自我约束。

（三）能表现出良好的人际关系

在人际交往中，人们必须谨记"你希望别人怎样对待你，你就要怎样去对待别人"。大部分人在人际交往过程中，都希望受人注意、得到支持帮助、受到别人赞赏等。学生也都希望因自己的特殊表现而受到教师或其他学生的注意。教师和学生也都需要他人的帮助与支持，"帮助"是对他（她）的活动给予直接的协助。"支持"则是指公开地表示赞同。同样，教师和学生也都非常需要受到赞赏，即教师和其他学生能发现并肯定他（她）或他（她）所做的事情的价值，并对其本身或工作表现提出好评。课堂常规的制定过程中，应充分注意师生的这些需要，并尽量满足这些需要。教师应尽力让学生了解这些人际交往的原则，并指导学生彼此关怀、协助并给予支持。这些都是良好课堂常规的一部分。

第三节　课堂常规的建立

课堂常规的建立强调一个过程，教师在课堂常规的建立过程中，会遭遇一定的困难，也必须认清一定的事实。本章在第三节还将具体阐述建立课堂常规的原则与策略。

一、什么是课堂常规的建立

课堂常规的建立就是教师指导学生认识课堂常规，了解课堂常规，共同参与制定课堂常规，并切实执行课堂常规，进而将所认知的课堂常规内化为持久的态度，表现在行为和习惯上的历程。教师必须运用一定的策略，让学生了解接受课堂常规的意义，使常规成为学生生活学习的一个重要部分。

1. 课堂常规的建立，必须由师生共同参与、共同合作制定适当的规则，并根据此规则，教育学生自觉遵守，形成良好的行为习惯。
2. 课堂常规，从制定到执行，实际上是一种隐性课程，发挥着课程的作用，不但是学生直接学习的内容，也影响着其他课程的学习结果，因此，教师必须以有效的策略建立课堂常规。
3. 如同其他课程的学习一样，可以将学习的内容分为认知、情感态度、意志、行为习惯四个方面，教师在建立课堂常规时，也应考虑这四方面的内容，既使学生充分认识课堂常规的内涵，又能使他们产生积极的态度，养成良好的课堂行为习惯。

二、课堂常规建立的目的

课堂常规建立的目的，一方面在于维持课堂教学的秩序，使教学活动能顺利进行；更重要的是能培养学生的自制的能力、民主的意识、良好的人际关系等。教师不仅要注意指导学生良好的行为，而且要培养学生参与团体活动的习惯和积极的态度，使课堂成为教学的乐土。因此，建立课堂常规的目的就在于：

（一）维持课堂秩序，促进学生学习

这是建立课堂常规的最主要的目的。在课堂教学过程中，许多学习项目需要在非常专心、不被干扰的情境下才能顺利进行，即课堂教学活动需要安静而能让人思考的环境，这就要求课堂教学应有良好的秩序，才能使教师安心教学，学生专心学习。一个缺乏适当常规的课堂，是无法提供良好的学习情境的，在吵闹、缺乏秩序的教室中，学生会注意力分散、拒绝完成较困难的作业等，最终会降低教学的质量和效率。

（二）培养良好习惯

良好习惯的养成是建立课堂常规的积极目的。课堂常规的建立可以

使学生从服从、顺从课堂常规到逐渐自觉遵守课堂常规，由被动消极地遵守逐渐转向主动积极地执行，由此养成良好的课堂行为习惯。

（三）增进师生、生生之间的情感，激发学生学习兴趣

课堂常规的建立可以促进师生之间、学生之间的互动，使他们能够和谐相处、相互合作，自然容易建立起良好的情感。而在此和谐、积极的课堂气氛中，学生的学习积极性必然高涨，兴趣浓厚，能主动、有效地投入学习活动中。

三、影响课堂常规建立的要素

如第二章所述，课堂是由教师、学生与环境共同组成的强有力的互动情境，是一种有系统的教育形态，是一种独特的社会组织。课堂与国家、学校、社区、家庭的关系十分紧密，建立课堂常规要考虑的因素也很多，教师必须掌握这些因素，才能避免一些不利于教育目的、具有消极功能的常规，才能协助学生形成有利于学习、具有积极意义的常规。

（一）国家的教育法律、政策、规章

国家的教育法律、政策、规章主要是指宪法、教育法、义务教育法、教育方针、课程计划等，这些看似与建立课堂常规之间相距甚远，但它们是整个国家教育活动的最高指导原则，这些原则都是教师在指导学生建立课堂常规时必须考虑的因素。

（二）本学校的办学思想和办学特色

每一所学校都有其办学思想，这是指导该校教育、教学工作的基本要求。每所学校都会结合所在社区的要求、办学指导思想、学生的特点、办学条件，形成其办学特色。这些都构成了校园文化的一个重要组成部分，而这种特有的学校文化，会左右或支配教师指导课堂常规建立

的方向，成为在制定课堂常规时必须考虑的因素。

（三）教师的教育理念

从社会学的角度出发，教师是学生的指导者、鼓励者、管理者，他代表着社会的利益，是社会道德、文化的传播者。在指导学生建立课堂常规时，教师的学生观、管理观等教育理念必然会体现出来。

（四）学生的需要

学生是课堂教学活动的主体，学生的价值观、需要等都会影响课堂常规的建立。但教师在将学生的需要转化为各种规则时，要注意对学生的需要进行分类选择，并注意其正负向度，积极正向的需要应及时在常规中体现，对负向的需要也要予以正向化。此外，学生之间的个别差异也会造成他们在需要方面的差异，在一个班级中，相近的、相冲突的需要都会出现，这都需要教师在建立课堂常规时认真研究，为学生创建一套最有利于学习的课堂常规。

四、建立课堂常规的困难所在

任何一位教师、学校行政人员、家长及学生，都会很关注课堂的常规问题，而且也能充分认识到建立课堂常规的重要性，那么，为什么课堂问题行为仍得不到改善而继续不断地发生，为什么课堂常规问题仍然困扰着无数的教育工作者呢？

第一，就我国而言，现在的学生大多是独生子女，他们基本上生活在一个以儿童为中心的家庭环境中，他们的兴趣、自主权和自我表现都受到了较大的关注及重视。因此，在学校中，在课堂上，他们不大愿意顺从教师的权威，做教师所交代的事。在孩子的自主权提高的同时，当孩子与学校、与教师产生冲突时，家长也倾向于站在孩子一边。

第二，就目前而言，不少教师们仍习惯于使用一些自己常用的小策略来处理课堂中的不良行为并建立课堂常规，这些策略大部分是采取严格及权威的姿态来处理课堂中出现的问题，有的有效，有的无效，教师们迫切需要建立一套有效的、适当的课堂管理系统，以使教师能有效控制课堂上学生不良行为的出现，同时也能维系师生间良好的人际关系。

第三，学生具有某些人类的共性，即否定权威、抗拒别人要求做的事。课堂常规总不可避免地与权威产生牵连，学生即使知道课堂常规很重要，他也会认为是课堂常规强迫他依某些方式行事，于是就导致学生对教室常规产生抗拒心理。同时，学生具有个别差异，而课堂常规却无法像教学一样个别化，因而不论采取哪一套课堂常规，都不能令每一位学生满意。

第四，教师和学校行政人员经过一连串的努力之后，似乎对课堂常规问题已显得疲于应付。一些教师甚至开始认为孩子们的本性是恶劣的，"你再怎么做也拿他没有办法""他们根本就是与教师对着干""我真希望我能平静地、没有麻烦地度过每一天"。

这四个问题，使我们在建立课堂常规时遭遇了一定的困难，但我们也不必过于担心。这些只是我们所必须面对的现象。而对学生而言，身为一个团体中的成员，他们也需要并希望获得一个有秩序、和谐及公平的课堂。换句话说，他们需要课堂常规。

五、建立课堂常规时教师应有的认识

教师在建立课堂常规时，应注意以下几个要点，只有记住这几点，才能有助于教师在建立课堂常规时产生一种积极正向的态度，觉得所施教于学生的方法是正确的，觉得学生的行为是在自己掌握之中，而且能够肯定自己所努力的方向是正确而积极的。

1. 大多数学生都喜欢学习，即使他们假装不想学。

2. 大多数学生都真心喜爱和蔼可亲而且乐意帮助他们的教师。

3. 大多数学生对学校都具有正向的态度（虽然有时候他们会假装对学校不具好感）。

4. 大多数学生也想要有位成人督导他们学习。

5. 几乎所有学生都希望教室中有公平而且合理的规定，并希望能确实执行。

6. 大多数学生讨厌在教室中捣蛋的人（但他们可能会注意这些人，哄堂大笑，结果反而增强这些人的不良行为）。

7. 所有父母都希望子女好好学习。

8. 大多数父母都大力支持教师。

9. 大多数有子女在学的成人都认为教师的工作是有意义的。

资料来源：G M Charles. 教室里的春天. 金树人，译. （台湾）张老师文化事业股份有限公司 1998：21.

以上这些事实有助于教师对课堂常规的建立正确的看法。这些事实显示了课堂常规有助于学生良好的学习，而学生及家长也支持合理课堂常规的建立，肯定教师在建立及维持课堂常规时所做的努力。

但要教师牢记这些关于课堂常规的正向认识并不是件容易的事，特别是当师生之间发生冲突时，有必要及时提醒自己注意这些事实，例如，在教室内贴些标语，或是与班上学生讨论有关公平的原则及良好的行为，诸如此类的提醒方式都有助于维持师生间的和谐，也有助于使人们了解师生所努力的目标是一致的，那就是，在最愉快的环境下达到最佳的学习效果。

第四节 课堂常规：分类与内容

"没有规矩，不成方圆"，课堂教学要想取得预期的效果，就必须以恰当的课堂常规为基础。每个学校的课堂常规有其各自的特点。比如，我国大多数中小学都制订了诸如"上下课起立"，上课时"不准随便下座位""发言要先举手"等常规。课堂常规的内容十分丰富，几乎包含了学生在课堂上活动的方方面面。现列举部分专家学者所提出的分类方式及内容来加以说明，教师可根据自己的情况酌情考虑。

一、根据课堂常规的活动性质分类

根据课堂常规的活动性质，课堂常规可分为"点名""出入教室""上课""收发作业""值日生工作"等内容。①

（一）点名

1. 座次一经排定，非经允许，不可私自调换。

2. 上课时，应依座次入座。

3. 上下课时，由班长或值日生喊"起立""敬礼""坐下"或"下课"。

4. 听到老师点名，应回应"到"或"有"。

（二）出入教室

1. 出入教室不可争先恐后。

2. 上课时，非经允许，不得外出。

---

① 吴鼎. 教学原理［M］. 台北：国立编译馆，1974：412.

3. 依一定的秩序出入教室。

（三）上课

1. 听见上课的信号，立即进教室。
2. 在教室内不奔跑，不发出无谓的声音。
3. 做事安静，学习专心，不做本门课程以外的工作。
4. 要发言，先举手。
5. 说话要清楚有层次，举动要谨慎而敏捷。
6. 离开座位，要把椅子放进课桌下，不得拖动出声。
7. 上课的用品要带齐，作业要按时交。
8. 课桌面和课本要保持清洁，不得涂抹损坏。
9. 因事要离开教室时，先起立报告，得到教师的许可。
10. 纸屑、铅笔屑要放入垃圾箱。
11. 今天的事，今天做完。
12. 上课时不看与课本无关的书籍，不妨碍他人的学习。
13. 不用手或衣袖拂拭黑板和桌面。

（四）收发作业

1. 分发笔记、试卷，由前向后或由后向前，依序传送。
2. 讲义或试卷如有破损或模糊不清时，待全班发齐后再调换。
3. 收发卷时，不借机发出无关声音。

（五）值日生工作

1. 每次下课，把黑板擦干净。
2. 上课前、放学后，切实做好教室清洁工作。
3. 做好老师交代的工作。

二、根据适用常规的项目性质分类

根据适用课堂常规的项目性质，课堂常规可分为："礼貌""秩序""整洁""勤学"等几个方面。[①]

（一）礼貌方面

1. 应对有方

（1）能常应用"谢谢""对不起""请问""可不可以""假如""或许""好不好"等口语。

（2）认清场合，应对得体。

2. 进退有节

（1）能和颜悦色，与人相遇应点头、微笑。

（2）适当地行礼、让座、让位。

（3）在团体中，想发言先举手示意，发言时言词中肯扼要；对他人发言注意倾听。

（4）态度稳健，不卑不亢。

（二）秩序方面

1. 动静得宜

（1）闻规定信号（如上下课钟声）能立正或端坐，而后立即行动。

（2）上课时间专心学习，无嘈杂之声；下课时间在运动场所，活泼生动而不粗野喧嚣。

（3）公共场所及教室，时时保持安静，不乱跑喊叫。

（4）晨间早读及午间静息，保持安静而无嬉戏谈笑现象。

---

① 吴清山. 班级经营［M］. 台北：心理出版社，1993：329.

2. 条理分明

（1）进出教室或公共场所能鱼贯而行。

（2）对共用物品、工具、器材等，能排队依次使用，用后还原。

（3）能靠边走，勿挡住路口。

（4）收发学习用品，能依顺序传递。

（三）整洁方面

1. 容光焕发

（1）头发定时剪理，定时梳洗。

（2）服装整齐，经常换洗。

（3）常修剪指甲，常洗澡。

（4）坐立行走，抬头挺胸，精神饱满，仪态稳健大方。

2. 窗明几净

（1）窗户玻璃、桌椅、黑板常擦拭。

（2）桌椅排列，纵横线条力求整齐。

（3）离开座位，椅子轻靠桌旁。

（4）窗户开放要有定位。

（5）物品、器材，安放定位，排列整齐。

（6）纸屑废弃物丢弃在一定地方。

（7）轮值扫除，保持各个场所整洁。

（四）勤学方面

1. 认真学习

（1）上课时注意力集中。

（2）作业书写工整清洁。

2. 遵守时间

（1）遵守作息时间。

（2）按时做好应做功课。

（3）依照指定时间交作业。

三、根据活动的类型①

（一）课堂活动要求

1. 要做好课前准备，预备铃响后要立即回教室坐好，准备好上课用品，等待老师上课，迟到学生要先敲门，经老师允许后方可进入教室。

2. 上课开始或结束时要按规定的礼仪进行。

3. 上课时坐姿端正，认真听讲，课堂上不准看课外书，睡觉、讲话或做其他学科的作业。

4. 课堂上要认真思索、积极发言，发言时应举半臂右手，经老师允许后起立发言，发言后经老师允许后再坐下。

5. 下课出教室时，学生要让老师先行，来校客人到班级听课进入教室时，要全体起立鼓掌欢迎，离开教室时，全体起立鼓掌目送。

（二）课间活动要求

1. 课间在教室、走廊要慢步轻声，行走于走廊自然成行，右侧通行，不打、不闹、不跑、不跳、不大声喧哗、不打口哨、不说脏话等。

2. 在校园内遇到校外来校参观、访问、检查、办事等的领导及同志们要主动文明礼让，要热情回答客人提出的问题。

3. 课间都要到操场上搞体育活动，不准在平台、甬路、主楼楼前、

---

① 中学日常行为规范［OL］．［2008 - 03 - 11］．http：//www.bxjyw.com/xxgz/dy/4175.html.

校门口逗留或搞体育活动。

4. 未经批准不准随便出校门。

5. 不准吃零食。

6. 不准随地乱扔纸屑和吐痰。

（三）自习课要求

1. 按时上早自习、下午自习，不准迟到或任意出入教室。

2. 严格遵守自习课课堂纪律，不准串座、讲话，要保持教室肃静。

3. 自习课时间不准到室外搞体育活动。

4. 自习课课堂纪律由学生自我管理（班主任监督指导）。

（四）课间操和体育活动要求

1. 要积极认真按时参加课间操和各项体育活动，不得无故缺席、迟到。

2. 课间操铃响后，体委要迅速组织本班学生列队，要做到静、快、齐。

3. 认真做好两操（眼操、广播操），动作要准确到位，合乎拍节。

4. 课间操结束要迅速集合，列队蛇行走入教室，要求行进过程步伐整齐，不准喧哗、打闹。

5. 要求按课表到操场搞体育活动，不准擅自增加或取消。

（五）文明礼貌、仪容仪表要求：

1. 要尊敬师长，在校内外第一次见到老师要主动礼貌地打招呼。

2. 与老师讲话时要起立，经老师允许方可坐下。

3. 进老师办公室要先敲门，经允许后方可进去。

4. 对外来客人要有礼貌主动让路、让座，落落大方地回答客人的提问。课间在走廊主动给教师、客人让路，不拥挤抢行。

5. 爱护公物，不乱涂乱画，不践踏草坪，不攀枝折花，损坏东西要赔偿。

6. 注意保持校园整洁，养成良好卫生习惯，不乱扔脏物和随地吐痰。

7. 着装要得体，适合学生身份，整洁大方，不穿高跟鞋，不穿拖鞋，不化妆，不戴首饰，不梳怪发型，不留长指甲，不染发，不染指甲，不吸烟，不喝酒。

8. 放学后，要及时回家，不准进三厅一社（包括双休日、节假日、假期），注意不要在非亲属家里留宿，不准夜不归宿。

9. 学生不准谈恋爱。

（六）集会要求

1. 按时集合，不缺席，不迟到，一切行动听从指挥。

2. 集会时要保持会场肃静，不讲话、不起哄、不看书、不睡觉、不做小动作，更不能随意走动。

3. 升国旗，奏、唱国歌时要肃立、脱帽，行注目礼。每当遇到升降国旗时应自觉面向国旗肃立，待升降旗结束后再行动。

4. 对报告人或演讲者鼓掌致意，表示欢迎和感谢，要适时适度。

5. 会议期间保持会场卫生，不吃零食，不乱扔脏物。

6. 会议结束，听从指挥，有序退场。

四、我国《小学生日常行为规范（修订）》和《中学生日常行为规范（修订）》中有关课堂常规的规定

2004年3月25日，教育部发布关于《小学生日常行为规范（修订）》和《中学生日常行为规范（修订）》的通知，其中《小学生日常行为规范（修订）》中与课堂常规有关的规定有：

1. 尊敬老师，见面行礼，主动问好，接受老师的教导，与老师交流。

2. 尊老爱幼，平等待人。同学之间友好相处，互相关心，互相帮助。不欺负弱小，不讥笑、戏弄他人。尊重残疾人。尊重他人的民族习惯。

3. 待人有礼貌，说话文明，讲普通话，会用礼貌用语。不骂人，不打架。到他人房间先敲门，经允许再进入，不随意翻动别人的物品，不打扰别人的工作、学习和休息。

4. 诚实守信，不说谎话，知错就改，不随意拿别人的东西，借东西及时归还，答应别人的事努力做到，做不到时表示歉意。考试不作弊。

5. 虚心学习别人的长处和优点，不嫉妒别人。遇到挫折和失败不灰心，不气馁，遇到困难努力克服。

6. 按时上学，不迟到，不早退，不逃学，有病有事要请假，放学后按时回家。参加活动守时，不能参加事先请假。

7. 课前准备好学习用品，上课专心听讲，积极思考，大胆提问，回答问题声音清楚，不随意打断他人发言。课间活动有秩序。

8. 课前预习，课后认真复习，按时完成作业，书写工整，卷面整洁。

9. 坚持锻炼身体，认真做广播体操和眼保健操，坐、立、行、读书、写字姿势正确。积极参加有益的文体活动。

《中学生日常行为规范（修订）》中关于课堂常规的规定有：

1. 按时到校，不迟到，不早退，不旷课。

2. 上课专心听讲，勤于思考，积极参加讨论，勇于发表见解。

3. 认真预习、复习，主动学习，按时完成作业，考试不作弊。

4. 积极参加生产劳动和社会实践，积极参加学校组织的其他活动，遵守活动的要求和规定。

5. 认真值日，保持教室、校园整洁优美。不在教室和校园内追逐打闹喧哗，维护学校良好秩序。

6. 爱护校舍和公物，不在黑板、墙壁、课桌、布告栏等处乱涂改刻画。借用公物要按时归还，损坏东西要赔偿。

7. 遵守宿舍和食堂的制度，爱惜粮食，节约水电，服从管理。

8. 正确对待困难和挫折，不自卑，不嫉妒，不偏激，保持心理健康。

总之，课堂常规的种类、项目很多，无法一一列举，教师可根据自己所在班级的特点和实际需要，指导学生共同参与制定，一同遵守。

第五节　有效课堂常规的建立：原则与策略

有效课堂常规建立的目的，从积极的方面看，是希望学生能在尚未形成预期常规概念、出现某种问题行为时，教师就给予先行的提示。提示的内容主要是积极、正面、具体可行的行为规范，使学生在课堂教学活动中行为规范，形成良好的、有利于学习的课堂气氛。从消极的方面看，建立课堂常规可以在学生的不良行为尚未进一步严重之前，教师即给予提示、纠正、削弱，使学生重新建立新的良好行为。总之，教师绝不能在学生的不良行为已养成习惯时，才作消极的处罚、约束、限制或管理。简而言之，有效课堂常规的建立，首要目的是行为的养成，形成良好的行为习惯，而不是在学生不良行为形成后，再进行管理、处罚和削弱。本节探讨有效课堂常规建立的原则和策略，强调预防性课堂常规建立的原则和方法。

一、有效课堂常规建立的原则

建立课堂常规的原则是指在建立课堂常规时的基本要求，这些基本要求应贯彻在课堂常规建立的方方面面。实际上，课堂常规的制定也是一门学问，课堂常规制定得怎么样，直接关系到课堂管理的效果。而每一位教师在建立课堂常规时，都会遵循一定的基本要求，这一要求反映了教育、教学目的、学校办学思想的要求和教师的教育理念、学生的需要。尽管课堂常规多种多样，但要使其能够得到有效执行，在制定的时候至少应做到以下几点。

（一）教育性原则

教育性要求常规的制定必须尊重学生，要从学生的身心特点出发，以发展学生为目的。因此，课堂常规应是经过教师和学生的充分讨论，共同协商制定的。在措辞上应建设良好气氛，多用"做什么"，少用或不用"不准做什么"一类的话，这样的常规学生便于理解、遵守，教师便于实施。教师决不可凭个人意愿，一手包办，将自定的规则强加于学生头上，这样只会适得其反。

（二）民主原则

有效课堂常规的建立应采取民主原则，即教师应尊重学生的人格与意见，尽量使学生自愿、自然地接受常规，并表现出符合课堂常规的行为；让学生养成自尊和尊重他人的态度，遵守纪律的行为习惯。在课堂常规的建立过程中，教师运用民主的原则，应让学生有表达自己的意见的机会，有意见沟通的明确途径，认真对待学生的意见，缩短师生间的心理距离，让学生产生受重视的感觉，进而愿意接受常规的规范，做一个重纪律、守规矩的学生。

（三）积极指导原则

传统的课堂常规的建立，偏重消极性的常规管理，即只有等到不良的行为出现之后，教师才在某方面进行严格的管理与惩罚，要求学生遵守纪律，以禁止不良行为的再现。在这种方式中，教师主要依靠其权威来压制学生，处理问题，容易导致学生心理上的抗拒，也易使学生在教师权威下动辄得咎，无所适从，影响课堂管理的效果。而教师这样做，即使有时能改变一个学生的行为，但教师一旦离开教室或转身板书，学生往往会故态萌发。

　　有效课堂常规的建立，教师应采用多启发、鼓励、暗示的方式，使学生在潜移默化中自觉自愿地接受并遵守常规。同时，采用引导在先的方式，让学生先养成适当的行为，而不是等到学生出现问题行为后再施以惩罚。因此，良好的课堂常规的建立，应采取积极的事先指导的原则，目的不是禁止学生为所不当为，而是鼓励学生为所当为。

（四）科学性原则

　　科学性要求课堂常规的制定要以课的类型和课堂基本环境为依据。不同的课型有不同的特点，学生在不同的课型里的活动是不一样的，因此，课堂常规的制定要考虑到课的具体类型，比如，实验课与讲授课的课堂常规就不可能一样。课堂基本环境是指学生的数量、教室的大小和资源的可利用性等。

（五）共同参与原则

　　课堂活动本身就需要学生有计划地参与，这样可以提高学生学习的积极性，产生对集体的向心力和隶属感，并使其成就感能得以满足。课堂常规的建立也不例外，教师应积极采取各种形式让学生参与讨论，学生会由此在个人意识上产生一份责任感，并认同"他们自己"制定的规则，觉得有履行规则的义务，以减少学生与教师对立和故意反抗的现象。因此，课堂常规的建立应采取共同参与的原则，班级人人参与常规的制定。师生间的默契配合，将使班级产生和谐、有活力、有朝气的气氛，有助于课堂常规的建立。

（六）激励原则

　　心理学研究表明，在处理教育问题中，表扬和赞赏的效果比批评与惩罚的效果好。希望得到认同，受到赞赏、激励是人的基本需要。学校中的学生需要适当的鼓励和赞赏，而不要过分的指责和批评。鼓励是防止不良行为发生的最好方法，教师多采用鼓励的方式，激发学生养成良好的行为习惯，这有助于课堂常规的建立。因为一个被认为是行为良好的学生，往往相信自己真是那么好，因而他会更加努力表现良好，保持优良记录，以维持自尊；反之，一个被教师认定为"差生"的学生，久而久之，必将自暴自弃地依照人们所谓坏的方式来表现他们的行为，这就是心理学上所谓的"皮格马利翁效应"。

（七）发展原则

有效课堂常规的建立的根本宗旨应是促进学生发展。在课堂常规的建立上，应体现"一切以学生的发展为本"的思想。教师建立课堂常规时要积极地指导、帮助学生，制定各种规范。不仅使学生认识这些规范，还要使学生形成良好的态度和情感，自觉遵守常规，更重要的是培养学生良好的行为习惯，促进学生的社会化。

（八）自律原则

课堂常规建立的最高目标，是促进学生的自我管理，也就是要指导学生在常规养成的过程中，同时培养自我约束的意识和自觉自律的精神，使之举手投足、一言一行均能不逾越课堂的常规。凡是道德的培养、行为习惯的形成，都需要学生的身体力行，常规的建立也是如此，如果教师只采取强制手段，则可能引起学生的抗拒，影响课堂常规建立的效果。尤其是中小学生的情绪、态度、行为等都处于不成熟状态，教师更应注意通过课堂常规的建立，逐渐使其养成自觉自律的习惯。

（九）个别差异原则

由于学生的遗传素质、所处环境及两者交互作用的程度的不同，课堂上学生的个别差异是客观存在的，为使学生的个性得到充分发展的机会，教师在建立课堂常规时，应注意到学生之间的差异，针对个别学生的特点，予以个别化的指导。

（十）　爱心原则

教育是爱的艺术，教师的爱心是教育力量的源泉，教师只有爱学生，才能在师生之间架构沟通的桥梁，学生才愿意在情感上接受教师，进而在行为上愿意接受教师的指导。没有爱心的课堂管理，只能是一种机械式的训练，无法提升到管理理念的层次；没有爱心的课堂常规的建立，只能是一堆苛刻的教条，无法使学生自觉、自愿、自律。同时，教师不仅要爱个体的学生，也要爱学生集体，爱这个集体的发展历程。因此，无论教什么班级，无论学生成绩是高是低，教师在进行课堂管理时，均要有爱心。

（十一）　目标管理原则

目标管理是一种人性化的以人为中心的企业管理方式。目标管理以管理、激励为手段，以达到共同预设的目标为目的。这一原则同样适用于课堂常规的建立。理想的课堂常规，可由师生共同制定。由于所需制定的常规很多，运用目标管理的方式，可将预定的常规分批设定为努力的目标，逐步建立，可以减轻师生在常规适应上的压力，会有助于常规的建立。

二、建立有效课堂常规的策略

建立有效课堂常规，教师必须考虑许多影响常规建立的因素，遵循常规建立的原则，同时，还要把握常规建立的策略，这样才能提高课堂管理的效率。有效课堂常规建立的策略很多，现从课堂常规建立的方式、渠道、时机三方面介绍几种经实践证明行之有效的策略。[1]

---

① 吴清山. 班级经营 ［M］. 台北：心理出版社，1993：351.

（一）就建立的方式而言

1. 自然形成法

自然形成法是在原已存在的班级内多数同学所共有的良好常规的基础上，加以具体化，使之成为全班学生应遵循的行为规则的方法。例如，大多数学生在上课铃声响过之后，都能迅速进入教室，安静地坐好，老师就可凭借同学自然的良好行为加以处理，使之成为班级共同的常规，要求大家遵守并不断发展。这种方式简单易行，容易建立常规。

2. 引导形成法

引导形成法是把握情境，利用一定的教育机会，将一个原本不存在或未受注意的常规引入班级，要求大家遵循的方法。例如，学生下课，不能遵守秩序，总是拥成一团向外挤，某一日，一位学生被挤倒了，别的学生踩到他，使其受了伤，教师可借机说明不遵守课堂常规可能引起的后果，并有效引导学生认识遵守规则的重要性，以促使学生遵守规则。

3. 强制形成法

强制形成法通常是借助外力，采取取消学生某种权利或予以处罚的方式，强行制约学生，以形成某种规矩的方法。例如，常有学生上课发言从不举手，屡经劝说，都不见效果，某日，这一学生上课又不举手就说话，老师就可运用这种方式强制其改进，久而久之，全班学生上课发言都先举手，形成了良好的常规。

4. 参照形成法

参照形成法是老师或同学发现其他班级有某种良好表现，而这正是本班同学所欠缺的，于是指导同学学习他班良好的班规的方法。例如，本班同学自习课上总是吵闹不休，而另一班同学则不是这样，该班因此屡受学校表扬，教师可举此为例，要求本班同学参照该班同学的行为加以学习，以养成规矩。

5. 替代形成法

替代形成法是以一种合适的行为来替代某一种不良行为的方法。例如，有些同学每当上课收交作业、分发学习材料时，就喜欢大声吵闹，甚至随意走动，教师可让这些学生担任收发学习材料的小组长，由他们来收作业、分发材料，用以替代其原有的不良行为。

（二）就建立的渠道而言

1. 由上而生

由学校或教师设计某种常规，要求学生遵行。例如，教师发现由于竞争激烈，学生使用学习辅导材料相互保密，不能做到互相帮助，缺少爱心，于是，教师可以制定同学之间互助互爱的规则，成立爱心学习小组，引导学生关心其他同学。

2. 由下而生

由下而生是指由同学自己发动、建议设立常规的方法。例如，学生发现本班同学上课爱乱丢纸屑，于是学生们建议并共同商议不可乱丢垃圾，否则予以处罚，并制定处罚的方式。

3. 平行移植

平行移植是由本班同学发现别班同学有某种本班所没有的良好常规而建议本班同学也能采用并遵守的一种方法。例如，某班同学都能按时交作业，而这正是本班同学所缺乏的，于是到此班级取经，并建议本班同学都按时交作业，进而获得全班同学的采纳。

4. 上下交融

上下交融是师生之间共同商定以某一种良好的行为规则为本班共同

遵守的常规。例如，师生发现本班某些学生上课有攻击别人的行为，师生立即共同商议，制定不得攻击他人的常规，同学们彼此互相约束遵守。

（三）就建立的时机而言

1. 分拨分批式

课堂常规可能很多，要求一次同时实施，实际上可能有困难，教师可采用目标管理方式，一次先要求同学遵守某一组常规，直到学生全都熟悉并养成习惯后，再推出另一组常规。

2. 重叠增强式

以分拨分批式为基准，当第一批常规推出数日，学生虽然尚未养成习惯，但大致上已相当熟悉，执行时也颇顺利，此时，结合第一批常规，推出第二批常规，同时辅导学生们遵守的方式。

3. 分层渐进式

将某种难度较高的常规分解成数个次级行为，再逐一指导学生学习的方式。例如，学生上课分心，老是东张西望，教师可要求学生先能专心静坐5分钟，养成5分钟专心的能力时，再逐次要求延长安静时间，如此，逐次要求，直到注意力能稳定为止。

4. 交互统合式

交互统合式是重叠与渐进的运用，以辅导学生学习不同领域的常规的方式。例如，交互推出课堂上的学习常规、道德常规、活动常规等不同种类的常规，并指导学生遵守。

三、建立课堂常规的注意事项

掌握了课堂常规建立的原则和策略方法，还远远不够。课堂常规的建立是一项复杂的过程，在这一过程中，还有许多事项要求教师理解并掌握。

（一）在制定课堂常规方面

案例：

一年级一班的语文课上，班主任语文老师非常严厉的走进教室，因为上一节课是数学课，课堂秩序非常混乱，因此班主任非常生气。进来问好之后，老师说："今天我们就站着听课，我看谁读的最洪亮最标准谁再坐下。"学生们规规矩矩地站着，跟着老师的问题进行集体回答，三分钟后学生被获许坐下。但是对于这些刚刚进入学校的51名六七岁的孩子，让他们始终保持安静的听课，似乎是不可能的，所以老师不得不一遍遍地重复着课堂规则。

"坐好，把手背到后面。"

"把手放直，写作业时要左手压住本。"

"坐正了，坐直了，把笔拿正了。"

"把头抬高。"

"我看见两个小朋友表现真好，一写完就看书。"

"写完就坐直了，我就知道谁写完了。"

"写完别说话，坐直。"

"有什么事，举手再说话。"

……

课堂中教师在不停地对孩子们的各种行为进行着规范的要求，这节课我们看到了教师有很多"坐直了"的要求，请不要以为这位老师苛刻到何种程度，孩子一会儿坐不直都不行。事实上笔者发现，对于学生扭头说话，不专心听课，玩其他东西，与同学说话，弯着腰写字，教师都在用"坐直了"来要求学生注意听讲，不要影响他人的学习。对于一年级的学生，从一开始就让他们形成良好的学习习惯是无可厚非，但教师仅仅用命令式、简单的一些规则要求好动的低年级学生显然无法起到良好的效果。对于小学高年级的教师，当笔者问到建立什么课堂规则时，他们似乎有些疑惑，有些教师似乎自己也不太清楚课堂规则所包含的内容。在与高年级一位语文教师访谈中了解到，他一直是执教中高年级，所以一般基本的课堂规则在低年级学生就已经被养成了，而且也无需再三强调了。比如，上课前后与老师问好，要遵守课堂纪律，学生回答问题要举手，等等。所以高年级教师对于课堂规则的内容可能会根据情况来制定，通常认为学生应该注意时，进行提醒，但一般也不太会进行特别严格的要求。比如在六年级的一堂语文课上，一个学生在发言时，其他一些学生就在下面窃窃地笑，于是老师会说，别的同学回答问题时要尊重他们。[①]

制定课堂常规时应该注意下列原则。

- 课堂常规必须符合三个标准：明确、合理、可行。当然，简单也不可忽视。
- 不可一次规定太多规则，一般而言，以 5～10 条为宜，须等学生已学会一些规则后，再逐渐增加。如果一次定得太多，等于没有目标。
- 每一条规则，表明一件具体行为。
- 常规内容必须以书面的形式呈现，文字不得含糊。
- 学生可以讨论规则，也可以提出修正意见。
- 不成问题的行为，不必制定规则。
- 学期一开始就制定课堂常规，第一天是定常规的最好的日子，以后可利用班会时间加以制定或修改。
- 如果学生需要调整的行为很多，应先从最重要的 1～2 个开始。
- 课堂常规和校规应分别制定，不宜重复。

---

① 康颖卿. 新课程背景下的小学课堂秩序研究［D］. 西安：西北师范大学，2006：13.

- 有效的常规是：描述清晰、正面措辞、简短扼要、数目不多。
- 课堂常规可在全班张贴，或制成小卡片分发给学生。
- 一时办不到或较困难的行为标准，暂时不要制定，或将其分解成数个次级常规，分层实施。

（二）在执行课堂常规方面

案例：

在老师讲完当堂的内容做练习时，或是练习课上，总是会出现一小阵混乱，对于一个新接班的又有着传统管理理念的老师，为了制止嘈杂，有时使用毫无商量余地的手段来建立她的新的课堂要求。

2005 年 4 月，我去某校听过一节五年级的数学课，X 老师，讲完课让学生做练习，她在学生中间走动，学生们做完了就赶快拿给 X 老师看，让老师检验是否做对，于是 X 老师身边不一会就围了一大堆学生。同年 9 月，我又去了这个班，由于升入六年级，每个老师代一个班，X 老师也换成了 Y 老师，又是练习课：

老师：好了，现在你们就开始写布置的这些题，不许说话。

（老师站在讲台前，低下头批作业，一个学生举手，老师没看见，有两个学生一起走上讲台，老师一抬头，看见两个学生。）

老师：干吗呀？上讲台干吗？回去。

（两名学生没说话做了个鬼脸，走下讲台。老师继续批改作业，又一名学生走上讲台。）

老师：回去。（看见一名学生举手）

老师：别举手，没有可问的问题。

（在接下来的一堂课中，仍然还有学生不断地上讲台，老师头也不抬只说"回去"，还有些学生离开座位往讲台上走几步，又假装害怕一溜烟跑回来。教室里老师看似严厉地低头批改作业，而学生们在下面却干什么的都有。)①

　　老师自始至终都在执行着她上课时宣布的"不许说话"的规则，并且在整整一堂课，没有给学生一次和老师对话的机会。但是该教师的课堂管理的效果却并不理想。

　　在执行课堂常规时，应注意以下几点。

- 好的开始是成功的一半，因此，开始执行常规时，应切实把握，有效运作。
- 建立良好的师生关系，营造和谐愉快的课堂气氛，则教师更容易发挥积极的影响力，协助学生执行常规。
- 选拔优秀学生干部，强化课堂组织功能，再予以适当授权，可有效迅速地建立课堂常规。
- 良好的课堂常规的建立，并非一朝一夕的事，教师应有耐性，留给学生足够的时间、空间，使之有效地、扎实地养成遵守常规的习惯。
- 为了方便常规的制定与执行，往往将常规分成几类，更重要的是应让学生有整体的了解，前后一贯地遵循。
- 各种课堂常规，学生遵循的情况如何，表现出来的行为是否已合乎要求，班主任应通过班级干部或通过任课教师随时了解，以保障课堂常规实施的效果。
- 不同年龄层的学生，有不同的心理、行为特质，在班级常规的执行时，应特别注意其个别差异。

---

① 康颖卿. 新课程背景下的小学课堂秩序研究 [D]. 西安：西北师范大学，2006：14－15.

（三）在检查课堂常规方面

常规由师生经不同渠道或方法共同讨论建立后，应对这些拟订的常规加以检查，检查时应注意以下几个方面。

- 重要的课堂常规是否已经列出来？有无遗漏？或常规的重要性是否已经受到应有的重视、强调？
- 有无举出适当的例子，让学生更为了解，而有助于遵守？
- 学生是否清楚遵守常规时可获得奖励，或违反课堂常规时会受到何种制裁？
- 所有常规是否经过正式公布，使学生都知道？
- 常规是否每天都能加以检查？学生对于常规的反应如何？
- 当学生遵守常规时，是否受到应有的奖励？违规时，是否受到应有的处分？
- 常规的叙述，是否采用正面积极的方式？
- 常规的表述，是否简短易懂？

4

课堂问题行为处理：
有效课堂管理的关键

　　课堂教学活动中，如果教师不能有效地实施课堂管理、处理学生的问题行为，可能会导致学生的不满、反抗等，最终是教师不能把握时间，无法完成教学任务，甚至会降低学生的学习兴趣。学生在课堂上的问题行为可能是在诸多教学问题中，最令教师头痛的部分。而课堂问题行为的发生，几乎是不可避免的。因此，教师必须掌握问题行为发生的原因、处理的原则、策略，才能有效地消除问题行为。而如何让老师能在课堂活动中有效地处理问题行为，有个胜任愉快的教学生活，是本章所要探讨的主要内容。

第一节　课堂问题行为：教师心中的痛

案例一：

我教的孩子现在说不喜欢我①

周一例会，教导处总结开学以来各学科日常教学平时抽查及学生反馈情况和期中考试反思。其中公布的各年级学生喜爱的学科教师名单里没有我。这是很让我吃惊的事情。一直以来我都在学生喜爱的教师范围之列呀。教导处抽查的学生大都是班级里的学习好的，可我却是所谓的学困生和问题生喜爱的教师。

回想开学以来的上课情况，心里不觉感到一阵吃惊。面带笑容上课的次数少之又少，常常是开开心心去候课，狮子吼般一节又一节课，结果是学生还是课堂捣乱不学，而我还是无可奈何。所教的一百多名学生，总有十几个不学，旁若无人的玩。对于小学三年级的孩子我又能发多大的脾气批评呢，又有多少个家长可以配合我呢。家长关心的语文数学的成绩，他们会时常主动找任课教师当面交流或电话交流。而我们这些所谓的副课教师想见见家长是要颇费一番周折的。私下找学生谈心，问及家长有没有关心英语学习，得到的回复常常是家长只问语文数学学习，唉……算了，只好做好学校这方面的工作吧。可一个人教七八个班级每天在楼上楼下班级间回转，精力又能有多少？结果是教师扯破嗓子，顽皮学生还在偷乐着自己的"厉害"呢……

案例二：

一名就读于某市小学的 W 同学，因为上音乐课时自言自语，被音乐老师用胶带施以"封嘴"半节课的惩罚。

---

① 蒲公英的种子. 我教的学生现在不喜欢我［OL］. http：//www. teacherblog. com. cn/blog/347/archives/2006/9023. shtml.

　　W 同学的三位同班同学介绍说，12 月 19 日下午，他们在学校的音乐教室里上音乐课。当时音乐老师正在弹钢琴，而坐在下面的 W 同学一直在说话。这位老师开始"警告"W 同学：在课堂上不要讲话了，如果再讲话，就用胶带把嘴巴封起来。

　　但 9 岁的 W 同学并没有听老师的话，又开始自言自语。老师发火了，立刻站起来，走到 W 同学的跟前，掏出一段封箱胶带纸贴在他的嘴巴上，在场的所有同学一下子哄堂大笑。而此刻的 W 同学却大哭起来，但老师见状没有理会，继续上课。就这样，W 同学被封住嘴巴上完大半节音乐课，在同学们的笑声中一路哭回了教室。①

　　案例三：②

　　"我们学校有四大金刚，上课时只要有一个金刚，这堂课就实在难以上下去了。"一位老师说。

　　"我们班的××，上课不听讲，一心一意看漫画书，你让他出去，他拔腿就往外走，这对他来说，真是求之不得呢！"另一位老师说。

　　"这位学生还只是自己玩自己的，我们班的××那才可恨呢，居然将课本放在自己的头顶上转圈，引得全班呵呵大笑，整堂课没法上了。"第三位老师说。

　　……

　　每一位教师都期待每天的教学活动都是快乐的，但"每天我神采奕奕地来到学校，却精疲力竭地回到家里"，相信这是很多老师曾有过的经历。而在课堂教学活动中，最令教师困扰的可能就是学生的问题行为。

---

　　① 周宏斌，范群. 9 岁学生上课讲话被老师用胶带封住嘴巴［N］. 中国青年报. 2001 - 12 - 26（七）.

　　② 宗敏. 课堂管理中的潜规则——80 - 15 - 5 法则［J］. 中国教师，2005（10）：39.

一、什么是课堂问题行为

行为是指人类所表现出来的所有生理与心理的活动，即行为是一个人所表现出来的所有活动。

（一）问题行为

关于问题行为，美国心理学家林格伦下了一个比较经典的定义"从广义上讲，'问题行为'是一个术语，它指任何一种引起麻烦的行为干扰学生和班级集体发挥有效的作用，或者说这种行为所产生的麻烦表示学生或集体丧失有效的作用"①，但国内学者由于各自的研究目的、对象、内容和研究方法不一样，为问题行为下的定义也不一样，如孙煌明认为，儿童的问题行为，是指那些阻碍学生身心健康、影响学生智能发展，或是给家庭、学校、社会带来麻烦的行为②。车文博认为学生问题行为是指在成长过程中，在中小学学生身上常见的各种不利于品格发展和身心健康的行为，它是品德教育和心理卫生教育的对象。③

综上所述，我们认为：问题行为是指在某种时空状态下人们所表现出来的一种不适当的行为。

（二）课堂问题行为

关于什么是课堂问题行为，国内学者有以下解释：周润智认为，课堂问题行为是指由学生发出的影响教学正常进行的一切举止和言行④。施良方、崔允漷等人认为，课堂问题行为是指在课堂中发生的，违反课

---

① 林格伦. 课堂教育心理学［M］. 章志光，译. 昆明：云南人民出版社，1983：187.
② 孙煌明. 试谈儿童的问题行为［J］. 南京师范大学学报，1992（4）：23.
③ 车文博. 心理咨询百科全书［M］. 长春：吉林人民出版社，1991：105.
④ 周润智. 学生课堂行为归因分析［N］. 光明日报，1993-06-24.

堂规则，妨碍及干扰课堂活动的正常进行或影响教学效率的行为①。孙璐、叶珊认为，课堂问题行为是学生在师生交互作用中产生的影响学习或教学的问题行为②。阴山燕、赵慧认为，课堂问题行为是在课堂中发生的，与课堂行为规范和教学要求不一致，并影响正常课堂秩序及教学效率的课堂行为。③

课堂问题行为，简单地说，就是学生违反课堂教学规则所表现出来的行为。这些行为是那些在特定的情境中教师认为阻止或威胁到学习活动的学生行为，它破坏了课堂学习活动的连续性。大多数在课堂上出现的问题行为，一般都是一种"本不应该出现，偏是学生故意让它出现"的行为。这样产生的"问题"，通常包括干扰其他同学学习、破坏课堂活动的顺利进行、或违反纪律、对抗教师和学校的合理要求等。例如，在大家都安静地听教师授课时，一个学生不注意将铅笔盒打翻在地，发出较大的声响，不能算是问题行为，而学生存心将铅笔盒扔在地上，以惊吓其他学生或教师，这就是一种必须纠正的问题行为。

二、课堂问题行为的特征

有学者将课堂问题行为的特征概括如下。④

（一）课堂问题行为具有普遍性

课堂上，不仅学困生有问题行为，学优生也会有；不仅低年级学生存在问题行为，高年级学生也存在。只是他们在数量、发生频率和程度等方面略有不同。

---

① 施良方，崔允漷. 教学理论：课堂教学的原理、策略与研究［M］. 上海：华东师范大学出版社，1999：290.

② 孙璐，叶珊. 课堂问题行为心理分析及应对策略［J］. 现代中小学教育，2004（10）：33.

③ 阴山燕，赵慧. 防止课堂问题行为升级的策略［J］. 现代教育科学，2004（5）：17.

④ 同①，290－291.

（二）课堂问题行为的程度以轻度为主

课堂问题行为虽然普遍存在，但这些问题行为的程度是不同的。我国中小学课堂违纪行为的调查资料显示，课堂问题行为中轻度的占84%，非常严重的仅占2%[①]。研究还表明，课堂问题行为主要表现为轻度的问题行为，而且持续时间短，易变性强。

（三）课堂问题行为具有一定的危害性

虽然课堂问题行为大部分都为一些轻度问题行为，但其消极影响不可忽视。这主要表现为：①妨碍学生自身的发展：造成学习效率低下，学习质量不高，学习成绩下降，影响良好习惯、品德、人格的形成和发展；②干扰其他同学的学习和发展：分散同学的注意力，影响他们的听课质量，妨碍他人作业的完成，甚至还会带坏一些同学；③干扰教学活动的正常进行：打断课堂活动的进行，影响教学的进度，降低教学效率。

三、课堂问题行为与教学

课堂上学生出现问题行为无论是对学生个人，还是对学生集体及教师，都会产生一定的影响。

首先，对学生个人而言，课堂上的听课时间与学习效果之间关系是十分密切的。一个学生在课堂上出现问题行为多是参加与学习无关的活动，他们花在课堂学习上的时间较少，势必影响其对教学内容的掌握，降低学习效果。

其次，课堂上，受到问题行为干扰的，往往不只是产生问题行为的学生自己；也可以影响课堂上其他同学。有时，学生的问题行为可能简

---

① 胡淑珍. 教学技能［M］. 长沙：湖南师范大学出版社，1996：169 – 170.

单地诱发另一个学生不听课，也可能使问题蔓延，诱发许多学生产生类似的问题行为。进而蔓及全班，破坏正常的课堂秩序，这是教师们都会遇到的，也是教师们最怕发生的事。此外，也有可能课堂上的其他学生因为他们正常的课堂活动受到了干扰，而对那个肇事的学生进行报复，于是又造成了更严重的课堂混乱。

再次，课堂上，学生的问题行为破坏了教师组织的秩序井然的教学进程，必然会引起教师的关注，分散教师的注意力。而教师在面临一个有问题行为的学生时，会感受到很大的压力，并感到自己应有的权威受到了损伤或威胁。克鲁格山克（Cruickshank，美国，1981）及他的同事在研究后指出，有关教师的"问题"可归纳为五点，其中有一类问题，是"控制"的问题，就是"教师希望学生在课堂上举止合宜——安静、守秩序及有礼貌，他们也期望学生诚实并尊重他人"。当教师必须应付那些吵闹、不守秩序、没礼貌、不诚实及不尊重他人的学生，且这些学生的行为妨碍了教学计划的顺利进行时，教师就会感到相当苦恼、愤怒[①]。这时，最可能出现的情况是，教师因为受到一个学生的问题行为的干扰，非常生气，中断或停止课堂教学活动而对学生进行训斥。教师对学生（或学生们）的训斥（或停止课堂活动）会耗去大量的教学时间，也会干扰课堂教学的进程。更有甚者，有些教师对待学生的不良行为，会进行冗长的、频繁的训斥，甚至不惜花整堂课的时间阐明他对全班采取的这一做法是有道理的。这些教师常将他们的行为视为是对学生问题行为的一种表态，对其他学生可以起一定的教育示范作用，因而可以为其唠叨、冗长的训斥辩护。教师在课堂上用这样的行为与学生打交道，常常降低了教师正面引导的作用，会使学生产生这样一种看法，即教师就是密切注意和等待问题行为的发生的。有时，教师严厉的态度会使学生产生怨恨或惧怕情绪，这样一般就会使学生失去对教师的尊敬。而学生对教师经常性的怨恨或惧怕心理，可能使学生变得过

---

① CHARLES C M. Building Classroom Discipline：From Models to Practice ［M］. New York：Longman，1989：4.

分拘谨，以至于不能有效地参与课堂活动，而且教师的这种做法又可能会导致教师与肇事学生的更剧烈的冲突。

总之，课堂上学生的问题行为不仅会影响课堂教学的顺利进行，对学生的身心发展也会产生一定的消极作用。

以上的论述主要从心理学的角度探讨课堂上学生的问题行为。除此之外，一批社会学家（如哈格里夫斯等人 Hargreaves et al.，1975）却主张应用"标签理论"来研究课堂不良行为。他们的观点比较新，但课堂研究工作的实例却不多。他们的方法是研究造成课堂混乱的所有的肇事者，从而对标明"问题"行为的方法进行描述和分析。他们不是要从问题学生身上去搜索他们的性格缺陷，而是着重回答以下某些问题——他们认为这些问题对分析课堂问题行为是至关重要的。这些问题包括，"谁制定纪律""这些纪律的内容是什么""某些老师和儿童对制定的纪律是否有不同的看法""某些教师和学生是否认为这些纪律不合理"。不难看出，这些中心问题可能导致对什么是问题行为和处理课堂情况的方法，作出截然不同的解释①。而我们在分析课堂上学生的问题行为时，也应注意分析这些问题。

第二节　课堂问题行为：类型与原因

一、课堂问题行为的类型

课堂上，学生的问题行为的出现，既影响学生的学习，又会干扰正常的教学秩序。要想在处理问题行为时做出适当的决定，教师必须首先了解问题行为的本质，即问题行为的前因后果、严重程度以及可以采用的干预手段。

---

① 中央教育科学研究所比较教育研究室. 简明国际教育百科全书·教学（上册）［M］.
北京：教育科学出版社，1997：7.

奎伊（H. C. Quay）将课堂问题行为分为三类：人格型问题行为、行为型问题行为、情绪型问题行为。人格型问题行为带有神经质特征，常常表现为退缩行为；行为型问题行为主要具有对抗性、攻击性或破坏性等特征；情绪型问题行为主要是由于学生过度焦虑、紧张和情绪多变而导致社会障碍的问题行为。①

我国学者吕静把学生的问题行为分为三种类型：行为不足、行为过度、不适当行为。行为不足主要是指人们所期望的行为很少发生和从不发生，如沉默寡言等；行为过度主要是某一类行为发生太多，如经常侵犯他人；行为不适指人们期望的行为在不适宜的情境下发生，但在适宜的情境下却不发生，如上课时放声大笑等。②

还有学者将问题行为分为智力活动问题行为、情感问题行为、人格问题行为、青春期问题行为、习惯性问题行为、人际交往障碍等。

综合诸多学者的观点，我们将课堂问题行为根据不同维度做如下分类。

（一）课堂问题行为根据其严重性的依次递减，有以下五种类型③

1. 攻击他人——对老师和同学进行身体上或语言上的攻击。

2. 品德不良——如欺骗、说谎、偷窃等。

3. 反抗权威——学生（带有恨意地）拒绝做老师交待的事。

4. 课堂干扰——大声说话、大声叫喊、在教室走动、扮鬼脸、乱丢东西。

5. 游手好闲——不做作业，上课注意力不集中等。

---

① 皮连生. 学与教的心理学［M］. 上海：华东师范大学出版社，1997：337.

② 杨心德. 中学课堂教学管理心理［M］. 杭州：杭州大学出版社，1993：109.

③ CHARLES C M. Building Classroom Discipline：From Models to Practice［M］. New York：Longman，1989：3 - 4.

（二）课堂问题行为按照出现问题行为的主体数量，可以分为个别学生的问题行为、群体学生的问题行为和全班学生的问题行为

1. 个别问题行为

个别学生的不恰当行为通常可以分为以下四类。

（1）活动过度——高度活跃，但没有侵犯行为，常常是由于神经功能障碍所引起。这类行为包括：a. 不能安静地坐着，烦躁；b. 说话过多；c. 对愉快的事迫不及待；d. 时刻要求受到关注；e. 哼哼唧唧，或发出其他噪音；f. 容易激动；g. 极度渴望快乐；h. 综合协调能力弱。

（2）注意力不集中——不能完成工作和活动，极易分心。这类行为包括：a. 游戏和活动时心不在焉；b. 不能完成项目；c. 注意力不集中，易分心；d. 不遵从指导；e. 回避陌生人，害羞；f. 坐着的时候无意识地摆弄小东西；g. 坐立不安，烦躁。

（3）行为不守秩序——不接受纠正，喜欢招惹他人，高度的挑衅性。这类行为包括：a. 游戏和活动时心不在焉；b. 不接受改正；c. 招惹他人；d. 纪律对行为的改变保持时间不长；e. 挑衅，顶嘴；f. 喜怒无常；g. 好斗；h. 难以应付挫折。

（4）冲动行为——时刻要求受到关注，有表现欲，行为不可预料。这类行为包括：a. 行为不计后果，草率；b. 意外事件多；c. 对事情投入。

2. 群体学生的问题行为

课堂管理包括与群体学生建立并维持课堂秩序。与个别学生表现的问题行为不同，群体学生的不恰当行为是作为一个整体出现的。有七种群体课堂管理问题：（1）不团结；（2）不能坚持行为标准和工作程序；（3）对成员的消极影响；（4）班级认可违规行为；（5）有分心、工作阻塞的倾向，模仿行为；（6）低道德的、敌对的、抵抗的或消极的行为；（7）不能针对环境的变化做出调整。

（三）课堂问题行为按照严重程度，可以分为严重破坏性行为、中等程度和轻微问题行为

1. 严重破坏性行为

学校中的严重破坏性行为和犯罪包括暴力、故意破坏、抢劫、偷窃和吸毒。这些行为通常发生在课堂以外的地方，如食堂、走廊或教学楼之外。

2. 中等程度的问题行为

中等程度的问题行为包括动作拖拉、打断上课、讲话、大声喧哗、轻微的语言和身体侵犯、走神、没带文具和书本。

3. 轻微问题行为

课堂上大多数的问题行为相对来说都是轻微的，与集中注意力、群体控制和完成学习任务有关。

在选择对问题行为的恰当反应的时候，教师先考虑一下问题行为的严重程度是十分重要的。严重性可以根据行为的恰当程度、次数、意向以及与理想行为的差距程度来衡量。教师反应的程度应该与问题行为的严重程度相匹配，有时还可以有意忽略某些细小的问题行为，因为，这时教师的反应行为可能比问题行为更具破坏性。

通常教师们很关心学生的攻击他人、品德不良、反抗权威等问题行为，也害怕去面对。然而，课堂上的许多问题行为，并不属于暴力型和危险型。有的行为十分简单，不过是破坏性地表达了对他人、客观事物、任务或规章的烦恼、挑衅和愤怒情绪，或自己所受的挫折。有一项研究，研究者调查了上百个班级，发现在课堂上，师生之间即使是轻微的口语冲突，实际上也很少发生。教师们在日常教学工作中最常见的是那些较不严重的"课堂干扰""游手好闲"等问题行为，如学生未经教师许可随意交谈、注意力转移、在教室走动，或是不做教师指定的作业。根据美国学者琼斯（Jones）所做的一项研究显示，这类行为在教师常遭遇的课堂管理问题中占99%，也即课堂上99%的学生问题行为只是一些爱讲话及不专心听课的举动①。依据波拉（Borich，美国）研究，大多数课堂上出现的问题行为，强度都不高，也没有持续性，而且与其他较严重的事件也没有什么关联。库宁（Kounin，美国）则指出，有55%的课堂问题行为与在上课时讲话及喧哗有关，而有17%的课堂问题行为则与学生不专心听讲有关，如看其他书籍、走神。②

陈李绸博士也曾做过有关课堂管理的调查研究③，从动作、语言、其他三方面调查课堂中的问题行为。动作方面包括上课东张西望前顾后看、上课摆弄玩具、动作缓慢、乱丢纸屑垃圾、与同学争吵、扰乱他人上课、上课看其他书籍、上课吃东西、破坏公物、敲桌子或发出声响等、上课姿势不良、擅自离开座位；语言方面包括未经许可说话、唱反调、上课和同学说话、说话声音太大，发言声音太小、口出秽言、打小报告、常打断别人的发言、不回答老师的问话；其他方面包括不写功课、不带课程所需的用具、常缺交作业或迟交作业。根据调查结果，课堂管理中，学生所表现出来的前10个问题行为，依次是常缺交或迟交作业、未经许可说话、上课东张西望左顾右盼、不写作业、上课和同学说话、不带课程所需的用具、乱丢纸屑垃圾、与同学争吵、打小报告、上课姿势不良。

冯维等提出初中生常见的问题行为可归为五种类型：学习问题行为，交往问题行为，性格问题行为，情绪问题行为，品德问题行为。④

---

① CHARLES C M. Building Classroom Discipline：From Models to Practice ［M］. New York：Longman，1989：4.

② 林宾山. 教学原理 ［M］. 台北：五南图书出版公司，1988：277.

③ 陈李绸. 个案研究 ［M］. 台北：心理出版社，1995：123 – 124.

④ 冯维，张美峰. 初中生问题行为整合性教育十项实验研究 ［J］. 中国特殊教育，2006（1）.

二、课堂问题行为产生的原因

课堂上学生的问题行为会妨碍教学活动的顺利进行，而教师们面对学生的问题行为，往往只指责学生不守规矩、调皮捣蛋，却很少进行自我反思。事实上，课堂上学生问题行为的产生是多种因素影响的结果，这些因素盘根错节、复杂多样，涉及教育学、心理学、社会学范畴，在此很难一一涉及，其中主要的因素如下。

（一）教师方面的因素

教师的教学方法、内容及教师的个性特征对课堂教学秩序有很大的影响。

1. 教师的教学方式

教师在课堂教学中所表现出来的安排教学内容、确定教学方法和设计教学进程等方面的能力，影响着课堂的管理。教学内容难度应适当，内容太难，学生会失去学习的信心和耐心，易产生问题行为；而内容太容易，也会使学生失去学习的兴趣，使他们注意力分散，出现问题行为。教学方法应灵活多变，单调的方法易使学生感到索然无味，厌倦课堂教学，进而出现违反课堂纪律的行为。有的教师只顾讲解教学内容，而不讲究教学方法和教学艺术，从而使本应该让学生感到轻松愉快的教学过程，却变成了令学生讨厌的枯燥无味的活动，在这种教学情境下，学生似乎是被排斥在教学之外的观众，教师一人在唱独角戏，学生既然不能积极投身于教育教学活动中，就产生课堂问题行为。此外，如果教师课堂上，表现得无能、迟钝、笨拙，而且在一段时间里只限制在一个问题的教学上，那么，学生就可能置课堂教学于脑后，而捣乱起来。总之，如果教师备课不充分，课堂教学中缺乏组织能力，表达能力差，都可能促使学生产生行为问题。

2. 教师的个性特征

古德（Good，美国）和布罗费（Brophy，美国，1990）认为要维持良好的课堂教学秩序，首要的因素是教师必须能为学生所喜爱。因此，教师应具备能让人喜爱的一些个性特征，比如，真诚、友善、快乐、情绪稳定等。其次，教师在课堂上具有权威的角色，其必须具备某些权威人物应有的能让人信服的个性，比如，自信、冷静地面对问题、不慌乱、主动倾听而不预设立场、遇事不退缩、失败不怪罪他人或情绪化等。此外，教师还应像父母一样，能接纳学生，无条件地关怀学生，对学生抱有积极的期望，为人师表①。反之，如果教师在课堂教学中，不具备以上的个性特征或较少具备以上的个性特征，就会使学生对教师产生畏惧、鄙视等感受，从而引发问题行为。

3. 教师的课堂管理的策略

课堂上教师的教学进程应流畅，在从一个活动到另一个活动时，如果缺乏顺利"过渡"的环节，会使学生难以参与课堂教学的过程，从而影响教学任务的完成。也就是说，如果在课堂教学过程中，教师缺乏应有的教学环节的"过渡能力"，不能进行交叉活动（同时处理两项以上活动）的话，也可能使学生产生问题行为。

库宁（Kounin，美国，1970）在研究中曾发现，善于维持课堂秩序的教师在课堂教学中，并非只是能较有效地处理学生的问题行为，而是更能引导学生专心于课堂活动。而这些善于维持课堂秩序的教师具有以下特征或管理策略。②

（1）机警。教师能随时随地掌握课堂情况，知道每一个学生在做

---

① GOOD T，BROPHY J E. Educational Psychology：A realistic approach ［M］. New York：Longman，1990.

② KOUNIN J. Discipline and group management in classrooms ［M］. New York：Holt，Rinehart and Winston，1970.

什么，能眼观六路、耳听八方，能迅速而精确地处理各种事情，不会等到事件扩大再处理，也不会波及无辜。

（2）能一心两用。能一边进行教学，一边处理个别学生的不当行为。如在带领学生朗读课文的同时，以眼神警告或移步走近跃跃欲试的学生，使其回复专注学习。

（3）教学顺畅且能激励学生。教学前已有充分准备，教学时节奏明快，讲解清晰，既不拖泥带水，也不啰嗦，能激励学生，吸引其注意力。

（4）作业富有变化且具挑战性。能安排多样化的作业，且难易适中，足以引起学生的兴趣。

（二）学生方面的因素

课堂造成学生出现问题行为的因素很多，主要有以下几个方面。

1. 寻求注意

目前，我国大多数学生都是独生子女，在家庭中都是父母的宝贝，几乎都已习惯于得到完善的关怀、注意和照顾。因此，当他们刚进入学校团体时，也希望获得教师的注意和赞赏。为此，他们会尽力展示自己，表现出教师期望的行为来，从而争取自己在团体中的地位。但当这种表现机会被剥夺或失去时，即每次上课被老师叫起来回答问题或课堂上协助老师的学生都不是他时，或是老师本来常提问他、但在几次出错之后老师就再也不找他时，会使他转而以其他较不合宜的方式来"获得注意"。

当学生有"获得注意"的意图时，开始时，多表现为乖巧可爱，以能为社会所接受的行为来寻求自己的地位。他们伶牙俐齿、多才多艺、名列前茅，各方面发展都十分优秀，是父母及老师都引以为傲的好学生。但由于他们所表现出的上述行为的目的不是为了学习或与人合作，而只是为了炫耀自己，提高自己的地位，使自己获得更多的特别的注意与赞许，一旦他们发现自己在某方面不如别人，以往的表现不再能获得注意或不再被赞赏时，他们便会表现出其他的问题行为，比如，以"骚扰他人""惹人讨厌""到处惹事"以及"消沉沮丧"等"破坏"的方式，来获得注意，或以"消极反应"的方式，如"懒散"或故意把事情弄得荒唐不合理、一塌糊涂等，获得教师的注意，以便教师能经常提醒他，对他特别照顾，以及为他整理散乱的东西。

以寻求注意为目的的学生是无法忍受被教师忽略与忽视的，课堂上为了得到教师额外的注意，他们情愿忍受教师的处罚或轻视，也不愿被忽视。面对这样的学生，老师常会不停地责骂、挑剔、哄骗、苦口婆心地劝诫，或给予特别地照顾。而教师这样的表现，无形中又会强化这些学生的错误的目的与行为。

2. 争取权力

课堂上，如果教师没有认识到学生表现出问题行为是在"寻求注意"，而采取不适当的方式去处理，如指责、批评、压抑、体罚等，则会使学生形成这样一种错误的概念——"如果你不让我做我想做的事，就表示你不喜欢我"。为了要肯定他个人的价值，他会认为唯有当自己可以主宰事情，拥有控制权，可发号施令时，才显得重要，而听从别人的话会显得无能与缺乏地位。因此，他会以主动或被动的方式来与老师争取权力。常见的主动形式是"反叛"，表现的方法有争取、辩驳、说谎、发脾气、暴跳如雷、抗拒要求、公开违抗或挑衅、阻碍别人行动、不做分内的事等。至于"被动"形式则表现为"冥顽不灵"，表现出更偷懒，完全不做事，以强烈的被动来表示不服从。有时教师会运用权威来强制学生就范，在当时学生也许无力反抗，只有暂时顺从教师的要求，但心中却常感愤愤不平，随时准备"反击"。因此，课堂上教师以权威来压制学生的行为，只能得到暂时的胜利，但却会破坏彼此的关系与感情，而学生的问题行为也不会获得改善。

3. 报复

课堂上，如果学生在权力争夺战中失败了，他就不会再去争取那场战争的胜利，开始转而寻求报复。以报复为手段的学生是因为他们感觉到被人伤害了，而深觉沮丧懊恼，既然别人可以伤害他，他只有以牙还牙的方式对别人还以颜色，如此才能在人群中争得一席之地。于是他们对老师不再尊重，对教师的谆谆教诲也嗤之以鼻，心中所想的只是伤害与报复，以抓、咬、踢去伤害同学，以迫害教师的所有物为间接的攻击。他们心中错误地认定：能够反击伤害自己的人才算了不起，只有表现残暴与惹人厌烦才能得到较多的关注。

4. 压力与挫折感

学生在课堂上、学校内甚至在家庭中，常常会面临一些无法抗拒的压力，例如，学习任务繁重、同学之间的竞争激烈、考试、家庭关系紧张等等所带来的压力。当这些压力累积到一定程度，极容易导致课堂上的问题行为。

同时，学生父母、教师、学生本人的要求越多，期望值越高，学习任务越重，同学之间的比较越频繁，压力越大，越是当学生面临失败时，由此产生的挫折感就越大。而学生内心的挫折感，会使他觉得失去地位，不被关心、注意，于是他就想有所突破，但又缺乏自信，认为自己不可能表现得更好，以便让教师与父母刮目相看，只有以讨厌的方式来提高自己的地位，达到目的，最终导致问题行为的出现。

5. 学生的性别差异

20 世纪 60 年代早期以来，通过研究发现，在课堂问题行为和教师对这类行为的预测中，始终存在性别差异。一般的观点认为，男生比女生好动，具有攻击性，比较好吵闹、难驾驭，而且他们也的确如此。因此，要求男生安静不随便走动，较为困难。因此，在课堂上，男孩受到的惩罚次数，较之女孩要多得多（而且方式较严厉），体罚的标准也各不相同（女学生经常不在体罚之列，而男学生却经常受到体罚）。课堂问题行为的性别差异，是学校教育的一种传统观念，需要引起重视并予以破除。

6. 学生的年龄特点

学生的年龄不同，课堂问题行为的表现方式和程度也有所不同，相应的课堂管理的策略也不同。布罗费（Brophy）和埃佛森（Evertson，1978）将学生依年级高低划分为四个阶段，分别指出了每个阶段学生的特点和相应的管理技巧。[①]

幼儿园和小学低年级：儿童初入学，开始学习学生角色和基本技能。他们大多把成人视为权威，愿意听大人的话，从取悦老师中获得满足，得不到老师注意或喜欢就闷闷不乐。他们需要老师的指示、鼓励、安抚、协助和注意。虽然课堂教学秩序不易维持，但严重的问题行为尚不多见。

小学中年级：这个阶段的儿童已学会学生角色，但大多数仍停留在成人取向，颇为听话，他们已习惯学校的纪律和例行事务。因此，课堂秩序比低年级容易维持，而严重的行为也还少见，教师已不需像低年级一样耗费许多时间去维持课堂秩序，可以将注意力集中于教学过程中。

小学高年级和初中阶段：这一阶段，越来越多的学生从取悦教师转向取悦同学。他们开始讨厌权威式的老师，有少数学生的行为问题严重，越来越难管教。课堂管理再度成为教师一项吃力的工作。与第一阶段相比，教师的主要问题在于如何激发学生做出他们早已了解的良好行为，而不是像低年级一样，告诉学生做什么及如何做。

高中阶段：因为大部分不认真学习的学生已不再就学，而且学生也已较成熟，较能自治。因此，老师可专注于教学活动，不需要耗费很多

---

① BROPHY J, EVERTSON C. Context variabiles in teaching [J]. Educational Psychologist, 1978（12）：310－316.

时间来维持课堂秩序。团体的管教已较无必要，个别的、非正式的接触学生比较能解决问题。

除此之外，学生的生理特点（如精力过剩或身体虚弱、视听力不良）、学业成就欠佳、个性脾气及人际关系不佳、个性特点（如情绪不稳定、缺乏自信和安全感等）都可能使学生出现问题行为。

7. 学生的性格差异

从心理学的角度看，性格有外向型和内向型之分。大多数人的性格既不是极端外向也不是极端内向，他们往往处于这两种极端之间，然而终究有一种在他们的性格中占据主导地位。性格外向的人倾向于与人开放式交往，乐于自我表现，喜欢尝试全新的生活经验，追求刺激和能够令人兴奋的事物，在充满各种活动、富于外界刺激的环境里，表现最为突出。性格内向的人倾向于自我的内在心态，总是依恋宁静祥和的环境，因为在这种环境里活动项目相对较为集中，数量也是相对有限的。

外向型性格的学生往往喜欢人际交往活动繁多的环境，能够忍受强烈的噪音和捣乱行为，而且不会因为这些干扰而影响学习。如果身在一堂秩序井然、结构清晰的课上，教师坚持要求教学时保持绝对安静，他们在持续一定时间之后必然会感到厌倦无聊。而内向型性格的学生则与之截然相反，干扰不断、充满全新体验的课堂学习环境虽然显得十分有生气，但性格内向的学生认为这样的环境会扰乱思维，损害学习效果，他们往往倾心于能够保证个人学习，以及能够让他们全神贯注地思考自己事情的课堂。

不同性格类型的学生乃至每一个学生个体偏爱的课堂学习环境都可能各不相同，而课堂教学中教师只能提供一种符合部分学生要求的课堂环境，这样就根本无法满足学生独特的个性心理需要。因此，在某些课堂中，外向型学生势必觉得不够刺激，感到厌倦，而有的学生可能感到课堂中干扰因素过多，令自己心烦意乱。外向型的学生会因课堂学习环境宁静安详而感到苦闷，原因可能是没有适应现有的课堂学习环境导致情绪失落及渴望在学习过程中有多样的变化却未得到教师重视，一旦超越了他们的忍耐限度，就会突然爆发，直至做出些捣乱或挑衅的举动。而极端内向型学生显然会因活跃异常、交际频繁的课堂对他造成过分的刺激，使他应对乏力，因此也可能突然间大发脾气或是趋于自闭。

8. 认知能力发展失衡

课堂问题行为的产生总是和学生的学习密切联系在一起的，而学生学习状况的优劣与其认知发展水平密切相关，因此认知能力发展问题成为课堂问题行为产生的原因之一。

例如，皮亚杰认为，到了 11—15 岁，青少年的思维能力超出了感知具体事物，表现出能进行抽象的形式推理，进入了形式运算思维阶段。在少年期的思维中，抽象逻辑思维虽然开始占优势，可是在很大程度上，还属于经验型，他们的逻辑思维还需要感性经验的直接支持。如果教师的教学不能适应这种变化，在学生需要更加生动、形象的例子、材料或操作活动来理解某一个问题时，教师却想当然地以晦涩、抽象的讲授代之；在学生已经开始有能力理解那些抽象概念，需要通过独立思考进一步提升思维品质时，教师却一味地灌输，让整个课堂变得索然无味，那么这时课堂问题行为的产生自然在所难免。

另外，班级当中学生认知水平的参差不齐，往往会让教师在教学中顾此失彼，而处在两个极端水平的学生则最容易成为问题行为的"源头"。一些学生可能早已进入形式运算思维阶段，能够独立思考和解决问题，一般的课堂教学要求往往无法满足其需要。于是，他们可能总喜欢在教师提问时未经允许就抢先说出答案，在课堂作业完成后用剩余时间"关心"其他同学，在课堂中对教师的讲授不予理睬，自行制订出一种学习方法或计划，甚至在课堂上公然指出教师的失误，让教师陷入难堪的境地。如果这时教师将其种种行为看做学生的公然挑衅，压制甚至责罚学生，必然导致双方矛盾升级，产生更多的问题行为。而另一些学生则始终停留在具体运算阶段，对每一个知识点都需要反复讲解和练习才能够接受。由于班级授课不可能完全满足其需要，因此课堂中难免遭受挫折。在一再受挫后，学生不但会产生对课堂和教师的不安全感和对学习的焦虑，降低自我评价，也会对自己的能力产生怀疑。在课堂教学中，这些处于学习焦虑状态的学生会将自己的失败归咎于学习本身、教师或学校等外在因素，或对学习要求加以抱怨、指责、拖沓甚至拒绝学习；或压抑自己的学习倾向、回避教师的提问和种种活动，采取比较消极的态度或采取捣乱、破坏课堂纪律、与教师作对的方式来保护自尊。遭受挫折的学生，易产生紧张、焦虑、惧怕甚至愤怒等情绪反应，在一定条件下这些情绪反应就可能演变为课堂问题行为。

（三）环境方面的因素

课堂教学活动大多在教室中进行，教室环境可能直接影响学生的行为，也可能透过对教师行为的影响间接作用于学生，因此也是决定课堂秩序的重要因素。

首先，班级学生人数的多少对于课堂教学秩序的维持会有一定的影响。班级人数少，学生有较多的参与课堂活动的机会，有问题也能较快地获得老师的协助，较不会产生无所事事的情形，老师也较容易了解及掌握学生。反之，班级学生人数太多，会增强学生不满意的程度及侵扰行为，导致注意力降低。

其次，班级座位的安排也很重要。传统的行列式的安排，使得学生全部面向老师，较易专注听讲，老师也容易照应全班学生。圆圈式的排列方式方便全班讨论，而分组讨论可采用小组成员聚合一起的方式，圆圈式或小组聚合式方便学生互动讨论，但也导致课堂秩序较难维持，移动座位时更易带来混乱，必须特别督导。

不少教师在安排座位时，喜欢将成绩优秀的学生置于教室中间靠前面的位置，而将成绩较差学生放在两旁或后面的位置，有些眼不见为净的心理。这种安排方式会使成绩好的学生越来越好，成绩差的学生越来越差，对于课堂秩序也有不利影响。因为坐在教室中间靠前面位置的学生与教师有较多的目光接触，连带会产生较多的互动和较专注的学习，而两旁及后面位置上的学生对于接收教师信息，不论视觉或听觉都较不利，易导致坐于此处的学生不那么积极地参与课堂学习活动，不是静静地坐着，就是与邻座同学交头接耳，或径自做些自己的事情。

此外，教室的空间大小、照明、通风、温度等，也都会对课堂秩序产生影响。人多拥挤、光线昏暗、通风不良或温度太高等，都容易使学生因烦躁或倦怠而分心，进而出现问题行为。

其他一些易造成学生分心而导致课堂秩序问题的因素还包括教室外面嘈杂，噪音太大，课程表安排不当，或时间上临近中午及放学时间等。

第三节　课堂问题行为的有效处理：原则与方法

课堂管理是教师采取必要的方法和步骤建立及维持良好的课堂教学秩序，使教师可以有效地进行教学，学生能顺利愉快地进行学习，并在知识、品德和身体等方面获得健全发展。课堂问题行为处理的原则和方法、技巧必须以此为基础。

一、课堂问题行为的处理原则

教师处理课堂问题行为的原则是指教师处理课堂问题行为必须遵循的基本要求。课堂问题行为处理的原则有很多，但不论什么原则都必须遵守两个最高原则，第一是不能伤害每一个学生，课堂上教师的所有做法必须顾及学生的自尊及人格；第二是必须顾及整个班级团体的利益，亦即须能形成并维护一定的秩序或气氛。而要贯彻课堂管理的这两个最基本的原则，必须具备两个先决条件：第一是教师必须真心喜爱学生；

第二是老师必须认真教学。

1. 正确认识课堂问题行为，关注学生个性差异，建立良好师生关系

正确认识课堂问题行为是进行有效矫治的前提条件，没有正确的认识，就不可能进行有效的矫正。教师要明确问题行为对课堂秩序和教学活动的消极影响，但又不要过分夸大问题行为的严重性，不宜把有问题行为的学生与品德败坏的学生等同起来。实际上，课堂问题行为是普遍存在的，即使是优秀学生也仍然会产生问题行为。因此，作为教师对课堂问题行为不宜持消极态度，更不能对有问题行为的学生的未来做出草率的结论和悲观的预言。教师的正确态度应是：对有课堂问题行为的学生要热爱、尊重、信任、宽容、体谅和帮助，而不是忙于责难、批评和歧视，教师给学生的应该永远是希望。

同一班级的学生整体发展水平虽然大致相同，但他们的性格类型、气质、能力和知识基础都存在明显的差异，这就要求教师在教学时要充分考虑这一点，做到"一把钥匙开一把锁"，比如，在学习目标确定上，不必整齐划一，要"因人定量"；在教学管理方式上，采取不同的态度，对动作迟缓的学生要经常给予帮助，不要挫伤他们参与活动的积极性，对内向的学生，不要使他们处于压力之下，给他们以安静和独处的机会，逐步帮助他们摆脱孤独、融于集体，对于过分激动、难以自控的学生，要注意意志力的培养训练，在教学形式上，可以适当调整班级原有结构，多采取小组学习的方式，使感到学习太难或太容易的学生都不会觉得被排斥在外，从而减少乃至避免产生厌烦、不安、急躁、发怒等课堂问题行为。

师生关系是教师和学生在教育教学过程中结成的相互关系，是人与人之间的关系在教育领域中的反映。师生之间建立一种平等、友好、融洽、和谐的关系，能激发学生的学习兴趣，提高课堂教学效率，减少课堂问题行为，有助于学生良好品德和良好性格的形成，有助于培养出一代具有创造性的、人格健全的学生。

当学生产生课堂问题行为时，正是影响师生关系好坏的关键时刻，教师如果注意运用恰当的批评艺术，就能赢得学生的信任，使师生关系更加密切。因此，在批评学生的时候，要考虑到学生的合理愿望，维护他们的自我尊严。或迂回地指出学生的错误，或批评前先赞扬学生，鼓励学生，使学生产生改正自己错误的信心等。相信在运用恰当的批评方式之后，会使学生接纳教师，建立融洽的师生关系。

2. 预先建立课堂常规，明确学生的行为标准

对待课堂问题行为，教师应注意，与其处理在后，不如预防在前。有效的课堂管理，应事先制定课堂常规，确定学生在课堂上的行为标准。让每位学生确切明了什么样的行为是好的，什么样的行为是错误的，以及什么行为可以被接受，什么行为是不能被接受的。如本书第1章所述，师生可通过共同讨论的方式，明确课堂常规，并将此作为师生共同遵守的准则。建立课堂常规，优先教导学生形成良好的行为，遵守良好的纪律，可以使问题行为没有出现的机会，防止许多不必要的纪律问题。

3. 处理学生外在的问题行为

课堂问题行为处理的前提条件是，应把重点放在学生的外在行为上，学生的行为，只有表现出来，才能判断其是对是错，该奖励还是该处罚，可接受或不可接受。教师千万不可仅凭主观猜测或模糊笼统的感觉，就"教育"学生。对于课堂上有问题行为的学生，应根据其表现出来的外在的问题行为，对照事先建立的课堂常规，有的放矢地进行处理，不要连带其他同学一起惩罚。

4. 激励学生良好的课堂行为，避免强化问题行为

行为主义心理学者认为个体的行为被行为后果所决定，行为带来愉快的结果，这个行为以后会再出现；反之，如带来痛苦的结果，这个行

为会消失。因此，在学生表现良好行为时，教师应适时给予愉快的增强，切忌在学生出现不当行为时误给增强。如当学生在课堂上一有良好的表现，如专心做作业、积极听讲、为同学服务等，教师应该立刻予以表扬，以使这类良好的行为得以增强。然而，有些教师却正好增强了学生不好的行为而不自知，例如，在学生秩序不好时，教师就讲笑话、提早下课、顾左右而言他，其原意是凭借转换活动来吸引学生的注意力，但结果却是增强了学生吵闹的行为。此外，教师也要注意不应使学生的问题行为得到强化，对于破坏性不大、不具危险性的调皮捣蛋行为，可以不予理会，久而久之，这类问题行为便会自然消失，否则，教师的批评、指责、体罚只能使这些行为更加强化，使这些行为不断出现，造成教师管理上的困难。例如，成绩不好的学生，经常受到教师的冷落，上课时，就会做鬼脸，逗得同学们哈哈大笑，以引起教师的注意。如果老师批评他，他本人会洋洋自得，认为目的已经达成。因此，教师处理这类问题行为时，应特别留意，要了解学生出现问题行为的目的，不要一味地批评、惩罚学生，使其恶作剧行为在不知不觉中受到强化，获得不应有的"鼓励"，引起不良的后果。

5. 尽量避免对有问题行为学生的惩罚

课堂管理中，教师应极力避免惩罚学生不良的行为。不是在实在不得已的情况下，不要使用惩罚。目前除了教育行政部门一再申明禁止体罚外，一般心理学家、教育学家也都反对采用惩罚的管理方式，尤其是报复性或泄愤性的惩罚。因为，惩罚会摧毁师生间应有的和谐关系，妨碍情感的交流；惩罚只是暂时抑制问题行为，无法根本消除问题行为；惩罚是将注意力集中在不好的行为上，没有指出适当的替代行为；惩罚导致不愉快的情绪，会使受罚者感到恐惧、焦虑、紧张，因而讨厌老师及所教学科，甚至害怕上学；惩罚中的体罚示范攻击行为，受罚者会加以模仿；惩罚造成学生的恐惧心理，有碍其创造力和潜能的发展。

6. 体现一致性、公平性和个别差异性

教师对于不同学生所表现出来的相同行为，或同一学生在不同时空里所表现出来的相同行为，无论是好的行为或问题行为，在处理时，应考虑处理方式的一致性和公平性，避免学生误以为教师偏心或喜怒无常，影响师生关系。当不同学生表现相同的问题行为时，公平性和个别差异性实际上必须结合起来考虑，既不要让学生觉得委屈，也不要让学生觉得教师偏心，这是教师在处理时必须留意的主要原则。

7. 寻找课堂问题行为的成因

有效的处理课堂问题行为，应该先找出造成学生问题行为的原因。根据本章第一节的叙述，学生在课堂上出现问题行为是由许多因素造成的。不同学生虽然表现出相同的问题行为，却可能由不同原因所造成；反之，不同学生受不同因素的刺激，也可能表现出相同的不良行为；同一学生在不同时空受相同因素的刺激，也可能产生不同的不良行为。学生出现问题行为的不同原因，要求教师在处理问题行为时应该运用不同的方法，对症下药。

二、课堂问题行为的处理方法

课堂问题行为的处理，应考虑到行为的种类、行为人的动机，以及对整个班级的影响等因素。问题行为处理的方法或技巧的运用，应能矫正学生的问题行为，使其建立新的行为准则，以实现课堂管理的目的。

课堂上，教师在面对学生的行为问题时，处理的方法有许多种，但是，在学生出现问题行为之后，教师应考虑许多因素，首先教师需要清醒地估计自己处理学生某种行为的能力和可能出现的复杂情形。利奇和雷布尔德

（Leach and Raybould）认为，教师在这时至少要考虑以下八个要点。①

- 程度：这种行为对其他学生活动的干扰达到何种程度？
- 持续时间：这种行为插曲延续多久？
- 频率：这种行为多长时间发生一次？
- 背景情况：行为发生的原因是否清楚？在当时情况下这种行为是否合情理？
- 联系：行为问题的发生是否与其他特定行为有关联？
- 普遍性：这种问题行为是否在很多情况下出现？
- 正常性：这种问题行为是否偏离该学生同龄人的标准？
- 对其他人的影响：这种行为是怎样干扰他人的？

考虑了以上八点后，教师就能决定采取什么样的方法和措施解决学生的问题行为。

课堂上教师处理学生问题行为的方法很多。本章将侧重介绍由斯莱文（R. E. Slavin，1997）提出的四步反应计划。

课堂管理的四步反应计划以最少干预原理为理论基础。斯莱文认为，当正常课堂行为受到干扰时，应该采用能够发生作用的干预方式中最简单的、干扰性最小的一种来纠正违规行为。如果干扰性最小的干预没有发生作用，教师可以升级到干扰性更强的方法，主要目的是采取有效的行为处理问题行为，同时要避免对教学产生不必要的干扰。干预的结果应该是尽可能使教与学的活动继续下去，而问题行为也得到控制。

如何运用最小干预原理？当发现学生开始对上课失去兴趣或者开始走神的时候，教师首先可以提供"情境帮助"，以帮助学生处理情况，继续学习；如果学生不久又走神了，教师可以选择"温和反应"，将学生注意力唤回到学习活动上来；如果温和的反应仍无效，教师可以采用

---

① 中央教育科学研究所比较教育研究室. 简明国际教育百科全书·教学（上册）[M]. 北京：教育科学出版社，1997：13.

"中等反应"；如果以上反应方式都不能奏效，教师才能采取"强烈反应"。以下我们将简要讨论最小干预原理的运用（见下表）。

运用最小干预原理处理违规行为的四步反应计划①

教师的反应	提供的情境帮助	采取温和反应	采取中等反应	采取强烈反应
目的	帮助学生应付教学情境，使之专心于学习活动	采取非惩罚性的行为将学生唤回到学习活动	剥夺奖励以减少违规行为	加大剥夺奖励以减少违规行为
干预行为举例	移走引起分心的事物	非言语反应	逻辑推论	过度纠正
	提供常规支持	漠视行为	行为矫正技术	身体结果
	强化恰当行为	运用暗示干预	剥夺奖励	
	提高学生的兴趣	接近控制	暂停	
	提供线索	接触控制		
	帮助学生克服障碍	给学生写纸条		
	再次指导行为	言语反应		
	调整教学	强化其他学生		
	非惩罚性的暂停	在课堂上叫学生回答问题		
	调整课堂环境	运用幽默		
		运用积极的措辞		
		提醒学生纪律		
		给学生提供机会		
		问"你应该做什么？"		
		给予语言谴责		
		运用不同的强化		
教师控制的程度	低 ←——————————————→ 高			

---

① BURDEN P R, BYRD D M. Methods for Effective Teaching [M]. the United States of America：Allyn & Bacon, 1999：201.

（一）情境帮助

要与分心的学生沟通，教师应该先提供情境帮助——即设计用来帮助学生应付教学情境，使他们继续学习，或者在问题恶化之前将注意力重新集中于学习任务的行为。这样在违规行为升级或波及其他学生之前就及早使之终止。情境帮助是处理分心行为（off-task behavior）的起始点。

1. 移走引起分心的事物

学生有时会带一些容易引起分心的东西到学校来，比如，钥匙或杂志等。当教师看到这些东西影响了学生的学习时，教师可以直接走过去没收这些东西，并且安静地告诉学生这些东西在下课后才能归还。教师要温和但坚决，不啰嗦。告诉学生这些东西会保管在合适的地方直到放学。

2. 提供常规支持

在课堂上，如果学生知道教师下一步的计划会使他们感到安心，他们想知道地点、时间、原因以及在各个时间与谁在一起。教师可宣布或张贴日常时间表在教室里。如果可能的话，时间表的变化要事先通知学生。即使是某一节课上，学生在开始的时候，也很想知道这节课有什么安排。明了时间安排，会使学生产生一种安全感和方向感。进教室和离开教室、分发试卷和材料、参与小组活动时的常规都有助于这种安全感的产生。

3. 强化恰当行为

遵守规则和教师指导的学生应得到表扬，这可以向那些分心的学生传递这样的信息，即什么样的行为才是恰当的行为。在恰当行为得到强化的同时，也提醒了分心的学生。这种方法在小学经常用，对初中生和高中生来说则显得有些幼稚。

4. 提高学生的兴趣

在上课的过程中，学生的兴趣可能会降低。教师应该在学生表现出失去兴趣或厌烦的时候，提高他们的学习兴趣，提供帮助，教师可以宣布已完成了多少任务、宣布已完成部分做得很好，然后和学生讨论下一步的学习任务，这些行为可以帮助学生将注意力回到学习任务上来。在个别学习或小组学习中常常需要提高兴趣。例如，当一个学生在小组学习中表现出分心时，教师可以过去问他这一组正在做什么，也可以问关于这组进展情况的问题。在试图提高学生兴趣的时候要采取实质性的、支持性的态度。

5. 提供线索

有时教师会要求全班学生做同一件事，例如准备材料或放学后全班大扫除，这时教师就应该提供线索。线索就是该做某种预定行为的暗示。例如，教师可以把关教室门作为开始上课，希望每个学生准备好所有材料的线索，或者用打铃来表示开始大扫除。

在这些情况下，教师可以选择一种恰当的线索，并向学生解释其含义。持续使用同一种线索常常会产生快速反应，教师是在传递一种行为上的期望，鼓励建设性的行为。

6. 帮助学生克服障碍

教师的这种行为是用于帮助学生克服困难，继续学习。困难帮助可以是鼓励的话语、针对具体任务提供援助、提供其他可利用的材料或设备等。例如，在做课堂作业的时候，学生要画一些图形，这时教师发现有位学生在为线条画不直而烦恼，就可以递给他一把尺子。用这样的方法，教师就可以在学生放弃作业或分心之前给予其帮助。

7. 再次指导行为

当学生表现出对学习失去兴趣时，教师可以问他们一个问题，解决一个难题或者读一段课本，以唤回他们的注意力。如果学生的反应恰当，则表明他们是专心的，应该给予强化。值得注意的是，如果学生是专心的，教师就不要通过说他们"已经能回答问题了"之类的话来嘲笑他们。只要简单地问一个内容性的问题，学生就会意识到教师是在试图将他们的注意力唤回到课堂上来。重新将学生的行为引回到课堂上来，就是阻止了他们分心。

8. 调整教学

教学有时并不像教师所希望得那样好，学生可能会因为各种原因而失去兴趣。当学生开始做白日梦、递纸条、打哈欠、伸懒腰或离开座位的时候，教学就应该做出一些调整。这种调整可以是活动的变化，比如，做学生喜欢参与并需要他们参与的小组讨论、游戏等，选择不同类型的活动，而不是总用已证明不成功的单一活动。当教师及时地调整教学时，就能将学生的注意力集中于课堂，维持好纪律。

9. 非惩罚性的暂停

那些受挫的、激动的或者疲劳的学生可能会放弃学习和分心。教师发现这些情况后，可以给予学生非惩罚性的暂停，即让学生离开教学情境一段时间，使之安静下来，重新整理思绪，然后以一种新的视角再回到学习任务上来。这种暂停并不是一种惩罚性反应或者是对其分心的处罚。

在有必要暂停的时候，教师可以让学生帮忙去拿杯水，或者让他去做与教学活动无关的其他事。教师要警惕学生的受挫和激动表现，快速地作出反应。

有时专门安排一个小房间用于学生的暂停是很有用的。房间的墙角可以放一张课桌，并用一个文件柜将课桌挡去一部分。学生可以到这个半私人的地方来努力安静下来，准备继续上课。教师认为有必要的时候就可以建议学生到这里来。教师应允许那些到这里来进行非惩罚性暂停的学生自己决定什么时候回到课堂上去。

10. 调整课堂环境

课堂环境也可能会引起学生的分心行为。课桌、讲台、教学用具以及教室里的其他东西都可能导致无效的师生交流，或者限制教学区域的观察。此外，教师和学生的行为都会影响他们的行为。

一旦违规行为发生，教师就要隔离这个学生或者对情境做出某种改变。教师在日常工作中应注意考察这些干扰及其引发因素。对教室安排的调整包括移动讲台、学生的课桌或者储物区域。

（二）温和反应

在教师建立了一整套纪律和程序，提供了支持性的教学环境，给予情境帮助以唤回其注意力之后，学生还可能会发生违规行为。在这样的情况下，教师应该采取温和反应纠正学生的行为。温和反应指的是处理违规行为，同时指导恰当行为的非惩罚性方法，可分为非言语反应和言语反应。

1. 非言语行为

非言语反应包括有意漠视、暗示干预、接近控制、接触控制。这些方法是用来增强纪律和教师控制的。

有学者研究了 523 种分心（off-task）行为，发现 40% 的行为可以通过非言语行为得到纠正。其中，5% 的行为可以通过漠视纠正，14% 的行为可以通过暗示干预纠正，有 12% 和 9% 的行为可以分别通过接近控制和接触控制得以纠正。非言语方法对纠正多种分心行为都取得了显著的成功。如果这些方法还不能奏效，教师可以采取控制性更强的方法，如言语干预等。

（1）漠视。有时，有意漠视轻微的违规行为是弱化这种行为的最好方法。这种方法基于"消除"强化原理，即如果漠视某种行为，不给予其强化，这种行为将逐渐减少，最终消失。这里所指的轻微的违规行为包括用铅笔敲打、身体摆动、摇手、掉落书本、不举手就回答问题、打断教师讲话等等。那些试图引起教师或同学注意的行为肯定都是要消除或者漠视的对象。

漠视最好是只用于控制那些对教或学造成轻微干扰的行为，而且应该与表扬恰当行为相结合。对于那些会因教师不控制而得到强化的行为，比如，侵犯行为、暴力行为，则不适用漠视。如果在一段合理的有意漠视期之后问题行为还在继续，教师应该加强指示。

漠视该行为有一些弊端，一是学生可能会以为教师没有注意到所发生的情况，从而继续做出该行为。而当教师漠视学生的这种行为，没有给予其所期待的关注的时候，其他的同学却可能会给他这种关注，这样，学生就可能在教师漠视该行为之后继续这种行为。但是，如果有意漠视产生效果的话，学生最后会停止这种行为。对某些行为来说，漠视见效太慢，而对侵犯性的或敌对性的行为采取漠视则是危险的。

（2）暗示干预。暗示干预是一种向分心的学生传递其行为不恰当的非言语暗示。这种暗示必须指向学生，它让学生明白自己的行为是不恰当的，该回到学习任务上来了。

非言语暗示干预包括与正在写纸条的学生的目光交流、摆手或手指点明不要做不恰当行为、举起手来制止学生的喧哗。这些行为应该以一种有效的方式进行。如果分心行为还在继续，教师应采取下一级别的干预。

（3）接近控制。接近控制是教师身体靠近分心的学生，以帮助他将注意力收回到学习上。当学生沉醉于不恰当行为，在教师暗示之后仍不能集中注意力时，采取接近控制有时会奏效。例如，一个学生在上课时看课外书籍或者写纸条，他在做这一切时并没有用眼睛看着教师，因此，暗示对其是无用的。而如果教师上课时在教室里走动，接近学生的课桌，学生就会注意到教师的出现，并放下与上课无关的书籍，而教师不用费一句口舌。

有一些接近控制技术比较巧妙，比如，朝有不恰当行为的学生走去，而另一些方法则更为直接，比如，站在该学生的课桌旁。如果学生对教师的接近控制没有反应，教师应该采取更为直接的干预方式。

（4）接触控制。教师可以把手放在学生的肩上让其安静，或者抓住学生的手将其送回座位，这些就是接触控制的例子，即用于让学生继续学习的温和的、非侵犯性的身体接触。它表示教师不欣赏学生的行为。接触控制可以指导学生重新回到恰当行为，例如，将学生带回到属于他的座位。在决定是否和怎样运用接触控制时，教师应考虑行为的环境和学生的性格特征。愤怒的或显然很烦乱的学生有时不愿意让人碰他，有的在任何时候都不愿让人碰。接触的被接受程度取决于使用的地点和持续时间的长短。通常接触背、手、手臂或肩是可以被接受的，而接触脸、脖子、大腿、胸等更为私人一点的部位则难以让人接受。短暂的接触是可接受的，接触的时间越长，则越令人难以接受，学生可能会把这种接触当成一种威胁。

（5）给学生写纸条。另一种较为隐蔽的帮助有违规行为的学生的方法是通过个人间的纸条。有时教师在课上、课前或者课后都没有机会与学生谈他的问题行为，这时可以在开始第二天的上课之前写一张简短的纸条给学生。这就给教师提供了一个机会，教师可以描述该学生的问题，教师对此问题的看法，该行为对学生本人和其他同学可能造成的后果，以及教师纠正该行为的建议。一旦学生克服了这种问题，教师可以再给他写张纸条以强化和鼓励其转变。

2. 言语反应

除了非言语的温和反应可能会奏效，言语反应也可以用做对违规行为的非惩罚性的、温和的反应。它们的目的都是用有限的干预将学生的注意力重新集中于学习。

（1）强化同伴。当学生因恰当行为而受到强化后，其他的学生很可能也会模仿那种行为。当学生的问题行为较轻微时，教师可以强化坐在该学生附近的其他学生，比如，表扬他学习认真，从而将全班学生的注意力集中于恰当行为，而不是问题行为，这样也会使违规的学生改正。同时，教师在运用强化同伴的方法的时候，不要特别注意有问题行为的那个学生。这种方法在小学更为有效，因为年纪小的学生更愿意获得教师的喜爱。

（2）在课堂上叫学生回答问题。教师通过在课堂上提到学生的姓名也可以使之重新集中注意力。例如，"现在我举个例子，假设××有3个多边形……"。教师还可以让学生回答问题来提醒其注意。通过这种方式可以提醒学生，教师已经知晓了一切，从而在没有提到问题行为的情况下，就将学生的注意力唤了回来。

需要注意的是，要考虑到学生的自尊。如果教师只是在学生有问题行为的时候才叫他的名字，他们就会觉得教师是在等着抓他们的问题行为，这样学生会对教师产生怨恨，被点燃逆火。

（3）运用幽默。对情况的幽默反应，或者自我解嘲能够缓解可能造成问题行为的压力。它能够消减矛盾，促进问题的解决。但是，教师应注意幽默并不是讽刺。讽刺是为了取笑学生，这种语言将会打击学生，给他们痛苦；而幽默则是为了轻松气氛，然后学生反思自己的行为，再回到学习上来。

（4）传递"我……"的信息（I-message）。即教师口头提示恰当行为，而不是给学生直接的命令。这种口头处理问题行为的技术是教师针对违规学生的陈述。

"我……"信息的传递有三个步骤：第一，对问题行为的简单描述；第二，问题行为对教师和其他学生所产生的影响的描述；第三，教师对这种影响的感觉的描述。例如，教师可以说："你在测验的时候敲桌子，产生许多噪音，我认为这可能会使其他的同学分心。"

"我……"的信息是为了帮助学生认识到他的行为对其他同学造成的结果，以及教师对该行为的真实感觉，这将促进学生责任感的形成。

（5）运用积极的语句。当不恰当行为发生的时候，教师使用积极的措辞可以突出恰当行为的积极结果。通常的结构是"当你做……（某种恰当的行为），那么你就能做……（某种积极的结果）"。例如，学生离开座位时，教师可以说，"××，回到座位上去，要发你的作业本了"。

通过运用积极的语句，教师只需陈述积极结果就可以指导学生重新做出恰当行为，长此以往，学生会形成恰当行为将导致积极结果的观念。

（6）提醒学生纪律。每个班都需要有一套管理学生行为的纪律，并有一套对破坏纪律者的处理措施。学生看到纪律上所规定的问题行为应承担的后果，实际上就会提醒自己重新集中注意力，因为他们不想经历这些后果。例如，当一个学生在用手指戳其他同学时，教师可以说，"××，课堂常规上写明了学生必须控制自己的手脚"。如果不恰当行为还在继续，教师必须进行处罚，否则这种提醒就失去了价值，因为学生会认为处罚并不会施行。

（7）给学生提供机会。有的学生会对自己的问题行为产生防卫感。因此，教师应给予学生机会去解决问题，让他们觉得自己不会退缩，能解决问题。教师给学生提供的所有机会都应有助于问题的解决。

（8）给予语言谴责。一种直接制止违规学生的方法是要求或指导他们该做什么，有时又称为终止命令或谴责，用以减少不恰当行为。言语谴责对一些温和和中等程度的行为问题较为有效，但对严重的违反纪律行为效果就差一些。

直接的建议包括有礼貌地要求学生停止问题行为，继续学习。教师可以说，"××，请你放下铅笔盒，继续做课堂练习"。这种直接的建议会使学生觉得自己有权决定继续学习，并按照教师的要求去做，由此培养了他们的责任感。

　　另外教师还可以选择运用直接命令，由教师担负起责任，直接指导学生的行为。例如："××，不要与你的朋友说话，继续做实验"。如果学生拒绝教师的建议或命令，教师必须准备对其进行适当的处罚。

　　在对减少课堂问题行为所起的效果上，温和的、只针对违规学生的谴责比大声的谴责更有效（Kerr 和 Nelson，1997）。温和的、个人间的谴责不会引起全班学生对违规学生的注意，减少了对抗性情绪反应发生的可能性。

　　（9）运用不同的强化。不同的强化是一种弱化行为的积极的方法，持续地给予学生强化，但要根据行为的性质安排不同的频率。有三类干预可以作为不同的强化（Evans et al.，1989）：第一类，低频率行为的不同强化，用以使学生的不恰当行为处于或低于一定的水平而给予的强化。第二类，其他行为的不同强化，用以使学生在某一时间里完全消失特定问题行为而提供的强化。第三类，矛盾的不同强化，用以减少不恰当行为，同时保证做出恰当的行为。

3. 中等反应

　　在情境帮助和温和的非言语及言语反应之后，学生可能继续其违规行为。这时教师可以采用中等反应以纠正问题。

　　中等反应是通过移走学生所期待的奖励，以减少其不恰当行为发生的带有惩罚性的处理问题行为的方法，包括逻辑推论和行为纠正技术。适用中等反应的学生行为的问题严重性要大于轻微的问题行为，因此，如果教师与校长、其他教师或者学校咨询人员探讨这些具体的问题，将对问题的解决很有帮助。学校要随时与家长取得联系，告知其孩子的行为，求得其协助。

自然结果

　　德雷克斯（Dreikurs）认为教师可以适用自然的或逻辑的推论，以帮助有问题行为的学生做出恰当行为，恢复秩序（第 5 章将详细阐述）。

　　德雷克斯建议让学生去体验其问题行为所产生的结果。自然结果即是让学生去面对由其行为所造成的不可预料的影响。例如，如果有一个学生总对其他同学说难听的话，那么这个学生肯定朋友很少；再如，如果某个学生没有完成家庭作业，那么他就会得到一个低分。这些就称为自然结果，因为，它们的发生与行为直接相关，但又没有受到外界的影响和干预，也就是说，自然结果并不是教师或其他人安排好的或者强加的，是自然发生的。

　　通过让学生体验其行为的自然结果，使他们得到了一个真实的学习经历。当然，为了学生的安全，教师不应该在教室里让自然结果发生。例如，当某个学生在物理或化学实验室等可能发生伤害的场所做出不顾后果的行为的时候，教师应该及时干预。

　　自然结果指的是教师所做的与问题行为有直接的、逻辑的关系的活动安排。例如，如果有学生把试卷扔在地上，他必须把它捡起来；如果有学生不举手就发言，教师就漠视他的行为，请举手的同学回答；如果有学生在课桌上乱写乱画，教师就要求他把桌子擦干净。学生一般会对逻辑结果做出友好反应，因为他们并不会认为这些结果很讨厌或者不公平。

　　教师也可以告诉学生，在行为发生之后什么样的结果才是对的。例如，"××，你把课桌弄乱了，下课后要把它清理好"。另外，教师可以让学生来选择，告诉学生不恰当行为必须改正，如果没有得到改正，就会出现某种结果。例如，教师可以说，"××，你可以选择是不要干扰附近的同学，还是换一个座位"。这样学生往往会停止不恰当行为。这种方法非常有效，因为学生会觉得自己对解决问题有自主权，问题很快就得以解决，当然如果学生继续问题行为，教师必须实行已告知学生的结果。

　　每一学年的开始，教师都应该针对每一条班级纪律设计一到两个逻辑结果，然后告知学生们。逻辑的、合理的结果是教师预先设计好的，教师不应该在问题行为发生的时候才仓促地做出思考。

由于教师制定的纪律多种多样，因此所选择的逻辑结果应该范围宽泛一些。除了以下所论述的逻辑结果，在接下来的行为矫正技术中也会详细论述若干。

（1）剥夺机会。作为课堂活动的一个常规部分，教师会给学生一些特殊的机会，如带他们去图书馆、使用计算机、使用特殊的设备或者玩游戏、任命为辅助管理者，等等。如果问题行为与所提供的机会类型有关，逻辑结果就是剥夺这些机会。例如，如果有学生乱动了一些特殊设备，该学生就将失去使用这种设备的机会。

（2）改变座位安排。有的学生可能会与周围的同学说话，招惹他们，或者互相干扰；而有时问题的产生是因为周围的某个同学；有时学生坐的位置容易产生相互影响。这时，如果发生了不恰当的相互影响，逻辑结果就是重新安排座位。

（3）写下对问题的反思。让学生反思问题情境常常能帮助其认识到行为与结果之间的逻辑联系。教师可以在暂停的时候让学生提供对某些问题的书面回答。

这些问题包括：是什么问题？本人对问题的产生起到了什么作用？应该对我怎样处置？我下次该做什么以避免问题？另外还有让学生描述遭到破坏的纪律，为什么学生会选择问题行为，谁会因问题行为而受到干扰，下次该选择什么样的更为恰当的行为，下次这个学生再发生问题行为时将得到什么样的处置。

对这些问题或者类似问题的书面回答，能帮助学生更为客观地看待自己的行为，提高其自控力。教师可以选择让学生签上姓名和日期，以备日后参考。如果教师之后要与学生家长联系，这种书面回答也很有用。

（4）暂停。有时学生的讲话或干扰会影响教学进度，这时可以将学生排除在群体之外，称为暂停。将学生排除在群体之外是对其干扰群体的逻辑结果。教师可以在教室里划分出一个暂停区域，如角落里的课桌等。通常来说，暂停的持续时间不应该超过 10 分钟。

（5）留置。留置指的是在通常可以自由走动或做其他事情的时候，让违规的学生留下来，剥夺他的自由时间以及与其他同学交往的机会。留置也包括让学生放学后留校。

留置可以作为对学生浪费教学时间的行为的逻辑结果。例如，教师可能让学生完成因不恰当行为而在上课时没有完成的试卷，这样学生将会看到，在课堂上浪费的时间必须在之后占用自己的时间来弥补。

教师一定要让学生明白留置的原因，留置要与过错相当，时间不可过长，放学后 20～30 分钟比较合理。教师应与学生协商，制订计划，以帮助他以后不再被留置，并提高其自控力。

如果学生因留校而错过学校班车，结果被堵在回家的路上，或者学生的家长让其放学后立即回家，留校就变得不合理了。教师在准备使用留置时应该考虑这些及其他有关因素。

（6）联系家长。如果学生经常重复出现问题行为，教师有必要与其家长或监护人取得联系。如果先前的所有努力都不能有效地制止问题行为，就应该寻求更高的权威。教师可以通过便条或者信件告知家长该学生的问题，寻求他们的参与和支持。教师也可以打电话给家长，如果情况很严重，可以与家长面谈。

（7）会见校长。对于重复的问题行为或者严重的问题行为（如打架），可以送该学生去办公室见校长。校长会与学生交谈，以其法定权威去影响学生做出恰当行为。有的学校在送学生去见校长时，有一套特殊的程序。当行为问题到了这样的程度，其他的人，包括学校咨询人员或心理专家、家长要相互协商，共同帮助该学生。

行为矫正技术

行为矫正技术也可以作为一种惩罚有问题行为的学生的中等反应。教师在学生出现问题行为后，使其重新集中注意力，恢复课堂秩序的方法主要有两种，即剥夺机会和暂停。行为矫正技术的目的是减少不恰当行为。运用这些方法的时候，教师应该给予学生积极的强化，以巩固他们的恰当行为。

（1）失去机会。失去机会或者称为反应代价，是指因作出问题行为而失去的积极强化（Evans et al.，1989）。失去的可以是某种活动，如机会、部分休息时间，或者是奖品。反应代价以失去机会的方式向学生反馈什么是他们不应该做的，其间传递的信息很明确，即不恰当行为会让其付出代价。

当然，要撤销强化，教师必须保证强化是在问题行为发生的第一地点，强化刺激移动就会变成惩罚。将反应代价与奖励相结合能够帮助学生了解到恰当行为将得到奖励，而不恰当行为则不能。

代价原则上应该与所犯的错误有逻辑关联。例如，经常破坏某种设备的学生将在一段时间里不能使用该设备；不能与同学友好相处的学生将不得不独自工作。反应代价在工业领域里运用较为普遍，做出恰当行为就可得到工分，而不恰当行为则要扣掉工分。要有效地运用这种方法，教师应该只限于将之用于高度破坏性的行为。

在运用反应代价时应该遵循以下原则（Evans et al.，1989）。应该明确解释导致给予强化或者撤销强化的行为；必须保持对问题行为的强化刺激与惩罚之间的平衡，不使学生失去所有可用的强化；惩罚应该保持合理性，不可太重，也不可太轻；强化恰当行为与反应代价相结合；如果学生立即恢复工作，可以继续给予强化。

（2）暂停。暂停是使学生离开吸引人的情境，剥夺受到关注或得到奖励的机会，目的是减少不恰当行为。在运月暂停技术的时候，教师必须保持教室里的一些积极因素，而暂停区则几乎没有这些积极因素，这样暂停区才是令人不快的地方，而教室则是令人向往的地方。

这种中等惩罚特别适用于减少小学生的破坏性行为，但也有可能用于初中和高中学生。暂停并不是适用于所有破坏性行为的管理，最好是针对那些需要得到别人反应的行为，如侵犯、敌对等。相反，不适用于那些自我激励的破坏性和干扰行为，如身体摇摆、做白日梦等。

运用暂停的时候要注意：第一，选择安全的、没有强化的同时又易于评价和监督的地点作为暂停区域；第二，在学生表现好的时候向他们解释这一程序；第三，将暂停的时间限制在2~5分钟内。

4. 严厉反应

有时用积极刺激作为对问题行为的处分不起作用，需要一种更深层的干预手段作为惩罚性处分，也就是运用对问题行为的严厉反应。严厉反应是一种通过增加令人厌恶的刺激以达到减少不恰当行为发生，恢复纪律的处理问题行为的惩罚性的方法。常见的形式有过度纠正和身体结果。

过度纠正是指让学生对其问题行为负责，通过实践正确的行为方式，从而学会恰当的行为。过度纠正适用的问题行为是"故意的、经常的、严重的、非常恼人的"行为。过度纠正有两种类型：还原性过度纠正和积极实践过度纠正。还原性过度纠正要求学生将环境恢复到比破坏前还要好的状态。例如，在教室里乱扔纸屑的学生将被要求捡起地上所有的纸屑，虽然这些纸屑并不全是他（她）扔的。积极实践过度纠正要求有不恰当行为的学生去积极地实践与不恰当行为相反的行为。积极实践过度纠正可用于那些在座位上摇摆、争吵、讲话，或者其他明显有配对行为的不恰当行为，把积极实践作为这些行为的代替物。

这两类过度纠正都有助于减少问题行为，但也可能产生问题。要求学生做超出实际破坏度的纠正可能会令其他的学生、家长、学校领导产生误会。因此，教师有必要在过度纠正中保留表扬，使有问题行为的学生纠正错误行为以得到表扬。

身体结果指的是以身体约束和运动作为对违规学生的惩罚，如做仰卧起坐。更为严重的是身体结果、是体罚，指的是通过造成身体痛苦或不适来纠正行为的惩罚方式，拳打、脚踢、掐捏等都是体罚。体罚的弊端是很多的，如，不恰当行为可能只是被暂时压制了，恰当行为也可能只是被迫如此；常常可能导致其他负面行为，如逃学（逃离惩罚者）、回避（撒谎、偷窃、欺骗）、焦虑、恐惧、紧张、压力、退缩、缺乏自我意识、反抗、敌对等，学生还可能会受到身体上的伤害；体罚也可能被当作是对学生的侵犯行为。鉴于以上弊端，教师原则上不应该使用体罚。

实际上，我国早已对禁止体罚学生、保护学生权益作出了明文规定。例如，在1993年颁布的《中华人民共和国教师法》第八章第三十七条中明文规定：对"体罚学生，经教育不改的"教师，"由所在学校、其他教育机构或者教育行政部门给予行政处分或者解聘"。在1995年颁布的《中华人民共和国教育法》第六章第四十二条中规定：受教育者有权"对学校、教师侵犯其人身权、财产权等合法权益提出申诉或者依法提起诉讼"。就国外来说，美国20%的州已经禁止学校体罚学生，其他一些州也正在准备出台这样的规定，一些州的某些地区还废除了允许体罚的规定。美国教师联合会、国家教育协会、特殊儿童委员会、美国心理学会、全国家长教师协会、国家精神健康协会，以及其他的许多组织也都公开申明反对体罚学生。

第四节　课堂问题行为的有效处理：策略与模式

课堂问题行为多种多样，形成问题行为的原因也复杂多变，因此，处理课堂问题的方法也是多样化的。本书所阐述的课堂问题行为的处理策略、模式，是处理问题行为的一般策略和模式，教师们可参考这些策略和模式，在具体的教学情境中，根据实际情况，有针对性地处理课堂问题行为。

一、课堂问题行为处理的策略

课堂问题行为的管理是有效性教学的重要部分，管理策略得当，将大大提高教学效能。以下列举在有效性教学中最具代表性的几种课堂问题行为管理策略，包括行为矫正策略、四步反应计划等，这些策略往往强调学生问题行为的改变。除了有针对具体问题行为的管理策略，在有效性教学中还就非针对某一具体问题行为的一般意义上的课堂管理设计了策略，称之为一般课堂管理策略。

（一）一般课堂管理策略

一般课堂管理策略认为课堂行为管理的出发点在于教学设计，如果教师能精心设计并执行教学活动，就可以预防问题行为的发生，并解决实际出现的问题。因此，有效的行为管理来源于高质量的教学活动。该策略的实行以对教学过程的把握为基础。此处概括主要策略如下。

1. 教师选择适当的教学内容，并具备一定的教学能力

教师可以精心选择适当的、能满足一定学习任务的课程，以免使学生感到厌烦。比如，增加活动的多样性，利用学生兴趣来推动学生学习；为学生确立适当的学习目标，确保学生都有成功的机会并适时给予学生帮助。库宁（Kounin，美国）认为有效课堂管理的关键是教师准备和执行教学的能力。这种能力表现为教师能否实行有效的流程管理，也就是教师能否使学生顺利地从一个活动转向下一个活动，并保持活动中的热情。如果教师没有做好充分的准备，教育要么就时断时续，要么就节奏缓慢，要么是准备不足使学生匆忙进入活动，要么是在一个主题或活动中耗费太多时间，使学生不知所措或觉得厌倦。教师具有较高的控制课堂活动方向和节奏的能力是防止学生开小差的关键。

2. 建立课堂常规，并给予明确的指令

课堂常规是教师首次接触一个班级时，对一些典型日常活动的进行程序所做的说明。教师对活动程序进行清楚的解释可以避免学生产生误解，减少问题行为发生的潜在可能。

3. 创建良好课堂环境

良好课堂环境的建设主要涉及良好班风、学风的培养和教室环境的布置与管理。

良好的班风一旦形成，其作用表现为它会对班级的每一个成员具有教育作用，它能引导学生形成正确的是非观念，它会潜移默化地影响每一个学生，使个别行为偏差的学生在良好班风的感染下向着好的方面转化，遵守由集体促成的纪律；它还对学生具有约束作用，一旦有人想破坏，会受到集体其他成员的谴责。班风的重要内容是学风，良好的学风会促进课堂教学质量的提高。可见，培养良好的班风、学风，对消除课堂问题行为会产生积极作用。

教室是教师和学生共同活动的主要场所，也是学校进行教学的主要场所，教学实践和心理学证明，整齐、清洁、幽雅、宁静的教室，使人心情舒畅，精神振奋；而肮脏、呆板、杂乱的教室使人倦怠、厌烦。富于变化和切合学生特点的教室布置和座位安排，有助于陶冶性情，更好开展教学工作，提高课堂教学效率。要科学、合理地安排或调整学生的座次，必须打破按高矮次序或学习成绩排位的简单方式，综合考虑学生的生理特点、个性特长、学习习惯、行为特征、同伴关系等多种因素，做到优劣搭配、合理组织，以长补短、以优补劣，互相促进，根据学生个性和学习目标的不同而选择适当的座位排列形式。

教育模式表明了教师积极或消极的教学行为对学生课堂行为的影响，也给教师提供了一些有效预防课堂问题行为的措施，有助于增强教师对课堂问题行为的责任感。但是，教育模式对于严重的问题行为只重于避免，而没有表明怎样处理；只强调了教师在管理中的重要作用，而没有考虑学生对自身行为的责任，忽略了影响行为的多种因素。

（二）行为矫正策略

行为矫正策略建立在行为注意原则上。它认为"行为是学来的，学习意味着行为的改变，行为又受情境的影响和行动结果的支配"，因此运用行为矫正原则的关键在于掌握和运用已被证明影响人类行为学习的四个基本要素即正强化、惩罚、中止和负强化。教师的任务就在于积极运用强化手段，鼓励学生表现出更多的可接受行为，并减少未获强化的行为出现的频率。也就是说，行为矫正可以是非正规的方式，即教师仅仅是等学生自发地表现出预期行为之后再给予强化，也可以形成一个更具建设性的体系，即通过系统地运用明确的奖励来引发预期行为。行为矫正方法对教师处理持续出现的课堂问题行为大有裨益。

行为矫正的一般步骤如下。[①]

1. 准确地识别问题行为和恰当行为

教师应清楚地确定哪些是问题行为，哪些是恰当行为，并且要详细到能对行为发生的频率进行测量。比如，教师说"这个学生使我不得不常常中断上课"，这样的描述是不确切的，应该是"这个学生离开他的座位，既造成自己不能做作业，也影响了其他同学"。也就是说，教师描述的重点应针对学生的问题行为，甚至表明学生离开座位的次数。从另一个角度看，这种描述也反映了教师所要求的行为是要学生坐在座位上学习，或者明显减少这种擅自离座的行为。

2. 收集关于这种不当行为发生频率的具体情况

一旦问题行为被识别出来，就要收集这位学生的情况，以便于设计、实施矫正计划。比如，教师可以以两、三节课时间里学生未经教师许可离开座位的次数为样本，得出平均数，用以推出每节课离开座位的平均数。

---

① 阿姆斯特朗，萨维奇. 中学教师实用教学技能［M］：高佩，等，编译. 北京：中国劳动出版社，1991：379－382.

3. 制订和实施具体的活动计划

在这一步骤，教师要确定行为矫正的具体方法，目前国外较为常用的方法有模仿、塑造、代币制、签订行为合约、自我控制、强化不相容反应等。方案一经制订，就可以开始实施。应该注意在实施过程中，行为矫正并非万能的，其目的是减少问题行为的发生次数，增加恰当行为的次数，因此如果学生的问题行为并没有完全消失，这也是正常的。只要学生问题行为的发生率有明显的较少，就能大大减轻教师的负担了。

4. 收集关于问题行为和恰当行为在比例上已发生变化的证据

在计划实施过程中，教师要做好记录。一般来说，可以用与收集基本情况同样的方法来收集变化信息，以用于与基本情况的比较。经过比较，如果发现学生的问题行为发生率有明显减少，矫正活动就算达到目的了；如果问题行为发生率没有减少，教师就必须再尝试用其他方法。

行为矫正模式简单易行，一方面教师能通过一定的矫正程序实现个人对学生的控制愿望，另一方面是所有的学生都可遵循同样的行为标准，易于教师管理。行为矫正提供的大量强化程序，对学生行为改变具有重要意义，能使行为改变迅速发生，而且当学生获得奖励时，也会有成就感。但是，行为矫正只关注行为本身，忽略了行为背后的原因，它过于依赖强化，因此当强化停止之后，学生往往不再达到理想的行为水平。同样在这个过程中，主要表现的是教师个人的控制意愿，学生很少有机会表达情绪或对自己行为发展做出选择。

二、有效课堂问题行为处理的一般模式

凡事预则立，不预则废，学生问题行为的处理也是如此。教师要面对的是有 40～50 位学生的学生集体，应有计划、有步骤地进行课堂教

学，处理问题行为，才能达到教学的目标。问题行为处理的一般模式
如下。[①]

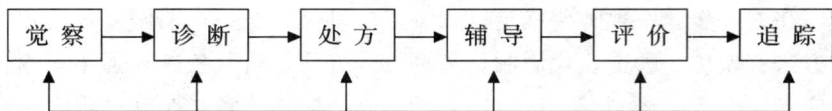

| 觉 察 | → | 诊 断 | → | 处 方 | → | 辅 导 | → | 评 价 | → | 追 踪 |

图中包含六个部分，处理时依据箭头方向顺序前进，下面的箭头是
反馈的路径，用以根据实际情况检查或改进。

1. 觉察

觉察隐蔽的、已然的问题行为是处理的第一步，如果教师根本不能
觉察问题行为的存在，以后的处理步骤就不需要了。因此，教师必须具
备"法眼"，发挥敏锐的知觉去捕捉可能的问题，加以处理辅导。

2. 诊断

发现问题后，立即运用有效的方法，如访问、谈话、测验……深入
了解问题行为根源之所在，以作进一步的处理。

3. 处方

处方就是依据诊断的结果，找出可能有效的处理问题行为的方法，
作为辅导的依据。

4. 辅导

选好辅导方法后，即制定辅导步骤，选好可运用的资源，开始进行
辅导。

5. 评价

辅导处理的成效，应随时加以评价，如发现效果欠佳，应根据反馈

---

① 吴清山，等. 班级经营 [M]. 台北：心理出版社，1993：377.

的意见，检查觉察有无偏失，诊断是否正确，处方是否合适，辅导历程是否得宜，直到完成辅导的目标为止。

6. 追踪

不良行为的消除和良好行为的建立，常非易事，因此，宜再作追踪，适时提醒，直到不良行为完全消失，良好行为表现稳定为止。

三、课堂问题行为有效处理应注意事项

课堂问题行为的处理是一个复杂的过程，其中涉及多种可变因素，教师在处理时，除了要遵循一定的原则，选择恰当的方法之外，有些问题是教师必须了解并注意的。

1. 教师应避免下列误解：
- 以为学生越安静，学习效率越好。
- 以为教师的权威是建立在学生对教师的服从上的。
- 以为学生的行为即代表学生的品性。

2. 教师应该了解，学生就是学生，不是小大人，不可用成人的行为标准来要求儿童。

3. 教师应该认清真正的问题行为之所在。

4. 教师应确认，处理的对象是学生所表现的行为，而不是学生本身，老师只是不喜欢他的行为，不是不喜欢他这个人。

5. 教师应教导学生知道如何表达他的情绪，尤其要避免压抑，以促进其身心健康。

6. 教师处理问题行为时，固然是以学生的"行为"为对象，但行为常常只是问题的表现，教师务必先了解症结所在，才能作有效的处理。

7. 教师在处理问题行为时，应当维护当事人的心理反应，以不伤其自尊为宜，尤其忌讳处理不够周全，原有问题尚未解决，又产

生了新的问题。

8. 注意方法运用，如发现原先使用的方法，经一段时间仍无效果，则应适时转换方法，以免浪费时间，错失辅导的良机。

资料来源：吴清山，等. 班级经营. 台北：心理出版社，1993：378.

教师的有些课堂管理策略是不恰当的或者是不成功的。教师应该避免以下这样的活动。

1. 严厉的、羞辱性的谴责。

2. 威胁。

3. 唠叨。持续的、无必要的责骂学生只会使学生厌烦，并会引起其他学生的怨恨，教师可能会认为这种责骂只是小小的谴责，但从学生的角度来看，他们会把它当成唠叨。

4. 强迫道歉。强迫学生并非出于本意的道歉实际上是强迫学生撒谎，这不能解决问题。

5. 讽刺的话。当教师把嘲笑、奚落学生当作一种惩罚的方法的时候，就会使学生产生怨恨，降低学生的自尊心，事实上同时也降低了教师在学生眼中的尊敬地位。

6. 集体惩罚。集体惩罚指的是因为个别学生的问题行为而惩罚全班或一部分学生。群体压力有助于改变个别学生的行为。集体惩罚难以有效的实施，其产生的负面效应很可能会大于正面作用。它强迫学生在教师与某一同学之间做出选择。如果采用集体惩罚的话，许多学生会团结起来愤怒地挑战教师，拒绝谴责自己的同学。即使学生服从教师，也会产生不健康的态度。

7. 布置额外作业。如果教师把布置额外作业作为一种惩罚的话，他就在暗示学习是不愉快的事，学生会将学校生活与惩罚联系起来，而这并不是教师想传递的信息。

8. 罚抄写。有的教师在学生作出问题行为后让学生抄写整本字典、课本，或者让学生大量地重复写"我再也不这样做了"之类的话。不幸的是，这种方法会导致学生的敌对情绪，并且在暗示学生，写作是一件不好的事。实际上，这种方法与学生所做过的事并没有逻辑上的联系。

9. 体罚。体罚是一种给学生造成身体上的痛苦，以惩罚他的问题行为的策略。确切的研究表明体罚所产生的弊远大于利。教师不应该采取体罚。许多地方都制定了政策禁止使用体罚，或者制定了特殊条例限制使用体罚。

10. 体力劳动或操练。有的教师采用俯卧撑或其他的身体动作作为惩罚。但是，教师并不熟悉学生的体力，这样做学生可能会受伤。有的教师考虑到学生的安全，让学生在体育课上做额外的运动作为对问题行为的反应，而这可能会使学生对体育运动失去兴趣。

11. 悬置。悬置会使学生耽误上课时间，从而在学习上落后。况且，那些被悬置的学生可能会为不用去学校而高兴，他们并不把悬置当做惩罚。

四、两种常用的问题行为的辅导技术

课堂问题行为的处理过程也是一个辅导过程，即纠正学生不良行为，建立新的行为标准的过程。教师处理学生的问题行为只是一种手段，目的是要帮助学生形成良好的行为习惯。而学生良好的行为习惯的形成是一个长期的过程，需要教师全力以赴地工作。以下将介绍两种常用的问题行为的辅导技术，供教师们参考。

（一）行为契约（behavior contract）[①]

行为契约与美国的社会有着不解之缘。"统治者的权利来源于被统治者的赞同"的社会契约论观点和"主权在民"的思想，推动了社会民主化的进程。如今，社会契约的思想依然风光犹在，已不局限于规范

---

① 周小宋，李美华. 美国课堂管理中的新方法：行为契约［J］. 比较教育研究，2004（5）：76.

政府的行为的政治领域，它已渗透到社会生活的方方面面，扩展到经济、法律、保险、教育等诸多领域。行为契约进学校、进课堂，则成为美国课堂管理流派——行为主义控制派的一种行为矫正方法。

课堂行为契约或表现合同（performance contract）是一份具体的、书面的协定，它规定了其中一方或多方在特定的课堂情境中需要做出的确切行为方式以及具体的奖励和惩罚。行为契约可以用于想要提高或降低期望的或非期望的靶行为水平的个人。行为契约也可以用于集体，当用于集体时，则称为集体契约。因此，行为契约是一种应用强化与惩罚相偶联、帮助个体或集体管理行为的方法。从课堂行为契约（偶联契约）的定义可以看出，课堂行为契约是由达成契约的双方或多方来签订的，其中一方或多方同意在行为中采取一定程度的靶行为，契约还规定了该行为出现或没有出现将得到的偶联结果。

1. 课堂行为契约的形式

行为契约可以进行多元分类。美国学者米尔腾伯格（R. G. Miltenberger）在《行为矫正的原理与方法》（Behavior Modification：principles and procedures）一书中，根据签约方的多少，把行为契约分为两种类型：单方契约和双方契约。事实上，还有一种行为契约形式叫集体契约（collective or group contract）。

单方契约，即单方面契约，是签约人与签约管理人之间的一项协议，签约人确定要矫正的靶行为，契约管理人负责实施契约中规定的偶联。在课堂管理中，签约人一般是学生，签约管理人是科任教师、班级顾问或心理咨询工作者。单方契约常用于个体想要增加的期待性行为。笔者将国外的例子中国化，以帮助理解。下面的例一即为单方契约。

例一：

行为契约

　　我，张小勇，同意在英语课认真完成老师布置的课堂练习，并保证不在课堂上哼歌，影响其他同学学习。履行合同的时间是从这周的星期一开始到下一周的星期五结束。是否哼歌由同桌监督，如果有同学反映我不做作业，老师调查属实，就算违纪。我英语课堂作业做完之后，再交由班主任兼外语教师检查。如果我没遵守纪律，继续哼歌，或者没有及时做好作业交给老师，老师将从我的歌碟中选一张送给学校"校园之声"播音室。

学生：张小勇 　（签名）

班主任：陈晓洁 　（签名）

签约时间 2003 年 4 月 14 日星期一

　　单方契约只要求学生一方做出承诺。在单方契约中，契约监督管理者不能从契约偶联中获利。如教师不能把歌碟据为己有，自己收藏，而应当送给学校的播音室，在"校园之声"的广播中播放。

　　在单方契约中，如果契约管理者是其家长或朋友，则要实施计划偶联时，会遭遇恳求或责怪，朋友或家人不可能对其实施惩罚。因此，对个体来说，最适合充当契约管理者的应该是一位在行为矫正受过教育的人，他与签约者没有私人关系。如果有私人关系，就必须令契约管理者坚持契约中的条款，以取代私人关系。

　　另一种契约类型是双方契约。它规定了双方将要履行的行为方式，其目的是每一方都想改变对方的一种靶行为。与单方契约不同，在双方契约中，双方都要确定需要改变的相互期待的靶行为。

　　双方契约又可分为交换式双方契约和平行式双方契约。在交换式契约中，双方确定要执行的特定靶行为，其中一方行为的改变充当另一方行为改变的强化物。双方的靶行为都是对方所期待的（见例二）。雅各布森（Jacobson）等人称这种情况为交换物，意指把一件事情作为对另一事情的回报。无独有偶，英国的托尼·布什也在其著作中提到一种教育管理模式——交换模式（Exchange theory）。交换理论把社会行为看做是一种商品交换。"这种商品交换不仅包括有形的物质交换，而且还包括赞同、威信等无形的物质交换。一方面，人们给予别人多少就想从别人那里获得多少；另一方面，从别人那里得到较多好处的人还处在要给别人同样多的回报的压力之中，从而达到了平衡"。然而，在交换双方契约中，如果一方没有执行契约中确定的行为，就可能导致另一方不执行其靶行为，从而导致整个契约的失败。如例二中，教师上课时，发现垃圾滞留在墙角，这是很常见的事情。很有可能是珊珊失约，没有擦窗户抹桌凳，从而导致媛媛也不倒垃圾。

例二：

行为契约

契约日期：2003 年 5 月 18 日至 2003 年 5 月 23 日有效

下一周是我俩（珊珊和媛媛）打扫教室。我俩决定分工合作。

我，珊珊，同意完成下列任务：

1. 在媛媛洒水前，先把凳子放在课桌上，以便扫地。媛媛扫好地后，我把凳子放回课桌下，负责抹好课桌、凳子和黑板。

2. 负责擦教室左边的窗户。

作为回报，我，媛媛，同意完成下面的任务：

1. 我负责提水、洒水、扫地、倒垃圾。

2. 负责擦教室右边的窗户。

下次再打扫教室时，可互换工作任务。

　　　　　　　　　签名：珊珊　签名：媛媛

　　　　　　　　证明人：莉莉（卫生委员）

　　　　　　签约 2003 年 5 月 15 日星期四

平行式双方契约则可以避免这种情况发生。平行式双方契约是为每个人的靶行为之间没有偶联，因此，如果一方没有履行靶行为，也不会

影响到另一个人的靶行为（见例三）。

例三：

行为契约

日期：2003 年 5 月 25 日至 2003 年 5 月 31 日

对于即将到来的这一周，我，晓晓，同意完成下列任务：

1. 掌握好虚拟语气的英语语法结构（与过去事实相反、现在事实相反、将来事实相反）。

2. 做好复习题上这一部分的练习。

如果完成任务，可以在周末晚上与洋洋一起去电影院看一场电影。

对于即将到来的这一周，我，洋洋，同意完成下列任务：

1. 掌握好英语语法名词性从句（主语从句、表语从句、宾语从句、同位语从句）的句子结构和连接词。

2. 做好复习题上这一部分的练习。

如果完成任务，可以在周末晚上与晓晓一起去电影院看一场电影。

签名：晓晓　洋洋

2003 年 5 月 23 日星期五

集体契约即整个集体由于全体成员的表现较好而受到奖励。集体契约应使整个集体向往的活动成为单个学生的强化。集体契约有利于发挥学生的主动性，采用基本的、科学的行为干预方法来解决问题（见例四）。

例四：

行为契约

未来四周是我班的学生实验。我们全班同学一致同意：1. 进入实验室时，保持安静、不喧哗。2. 听从实验老师的安排、指导，注意实验安全。3. 爱护实验设施，保持实验室清洁、卫生。4. 实验结束后，将仪器设备摆放整齐，方能离开。

若全班遵守合同，该班可获纪律流动红旗一面。

教师签名：

全体学生签名：

本合同从签订之日起一个月内有效。

签约时间：　　　年　　月　　日

根据合同制定人在契约中的核心地位和作用，还可将课堂行为契约分为教师控制的契约、学生控制的行为契约和师生共同控制的行为契约。第一种契约形式中，所要完成任务的量、奖励的量由教师来控制，向学生呈交合同、发放奖励物等事项由教师亲自完成。学生控制的行为契约由学生自己来决定任务与奖励的量。由于此种契约要求学生有充分的自我控制能力，因而这是一种较高层次上的合同形式。在民主型课堂里，最为常见的是师生共同控制的契约形式。它体现了广泛的民主和集中，由师生共同决定任务的分配量、强化量和强化的性质。它是"教师控制的行为契约"向"学生控制的行为契约"转化的必经环节。

2. 课堂行为契约的起草、签订和修改

一般来说，一份行为契约由五个基本部分组成，它们构成课堂行为契约的基本要素。

（1）确定靶行为。明确陈述合同当事人（即教师与学生）彼此的责任，并对责任的完成情况做出详细要求。它规定了要做或不要做什么、要多做什么或少做什么的具体条款。责任的陈述避免求全责备、严厉苛刻。可能的话，要选择一个中间人（教师、咨询人、班级同学均可）。中间人要常与学生保持联系并且得到学生的信赖。还要具体确定合同完成后所能得到的"特权"或奖励的种类和数量。靶行为必须规定在客观可操作的范围内。靶行为可以是非期待行为的减少，也可以是期待行为的增加，或两者兼而有之。对靶行为的要求不能太低，也不能太高。靶行为的变化，会改善学生的课堂生活质量。

（2）规定测量靶行为的方法。规定靶行为出现的客观依据。靶行为应当是易于观察的事物，它可以是固定的行为产物，也可以是协议各方能直接观察的行为文件。只有靶行为易于观察可以测量时，偶联才能正确地实施。

（3）明确规定合同执行的起始与终结时间。靶行为本身与时间有关，时间限制可以使人处在一种应激状态，即对某种意外的环境刺激所做出的适应性反应。课堂行为契约一定要抓住问题行为学生或学习无能学生的教育契机，这样可以通过表现合同来调动学生的积极性和创造力。

（4）确定强化和惩罚的偶联。要具体确定合同完成后所能得到的"特权"或奖励的种类和数量。合同中要明确适当有效的惩罚，但要尽可能把惩罚限制在最小范围内，强化或惩罚的偶联要清楚地写在契约中，无论强化还是惩罚都有正性和负性之分。例一列出了行为契约可能出现的4种偶联类型。制定合同时，签约各方先要考虑是否同意一定程度的靶行为，并进一步考虑是否同意与靶行为相偶联的强化或惩罚。

（5）确定由谁来实施这项偶联。契约管理者是负责实施这项偶联的。在教师与学生的单方契约中，契约的管理者可以是教师，在学生与学生的双方契约中，契约的管理者可以是教师，也可以是中间人学生。契约管理者可以决定签约各方会面的时间。

契约的起草与商定特别重要，但有时又很困难。教师应该与学生商定一项双方都能接受的契约，如果教师能预见某事可能导致师生或同学关系紧张，在造成矛盾与冲突之前就签订契约，效果可能更佳。教师要让冲突的学生双方都能看到，如果他们签订契约，他们将会从各自的行为改变中获益；只要他们共同参与制订契约，效果可能更佳。教师要让冲突的学生都能看到，如果他们签订契约，他们将会从各自的行为改变中获益；只要他们共同参与制订契约，积极改变自己的行为，冲突和不满意的状况就能得到改善。起草合同时，还要注意语言的陈述问题，通常是采用积极的、建设性的陈述。合同产生的形式是多种多样的。或者两人商定，或者以学生小组讨论产生；有的合同来自所有感兴趣的人参加的正式会议；有的合同是根据学生的愿望，采取非正规的形式拟订。

签订合同时，还要注意重新修订合同的可能性。最好规定合同再度协商的附加条款，如"本合同先试用一星期，可再次协商"。合同的灵活性可以考虑到一些不确定的因素。当下列情况发生时，要考虑修改合同：任务不明确、具体；任务不具有教育性，引发大多数学生的反对和同事的责难，需对其完善；奖惩不科学、不适当，标准过高或过低；靶行为无法观察测量，合同的时间规定难以履行或过分刻板；忽略了合同的结构或某些细节；没有学生心目中的权威任务做中间人。修订合同的方法也多，可以减少合同的内容，简化合同的任务，或者增加合同内容，加重合同任务的难度，或者重新确立奖励标准。修订后的合同要让学生感到自己在新的合同中接受了新的任务，处于一种新的地位，可能取得更大的成绩。

（二）序列式课堂问题行为矫正法① （Four social correction procedures for the classroom）

处理、辅导课堂的问题行为，可以运用的方法很多，有时单独使用就能产生效果；有时则可能需要选取数种方法交互运用，这时教师就应考虑如何依据学生问题行为矫正的情况，妥善安排处理方法的使用顺序。下面介绍的序列式课堂问题行为矫正法可以在教师使用多种处理方法时参考。

1. 不予理会法 （The Ignore-Reward Procedure）

（1）当某些不当行为相当温和以不至于影响或伤及他人时，不予理会法的效果显著。

（2）不予理会法，在运作上可分成六个步骤，但实施时，究竟进

---

① MEDLAND M, VITALE M. Management of Classrooms ［M］. New York：CBS College Publishing，1984：112 - 119.

行到第几个步骤，则依学生行为改变的情形来决定。

① 对学生不适当的行为表现，不予理会。

② 对另一位表现合适的学生，给予公开的奖励，让第一位学生看到什么样的合适行为会受到奖励。

③ 如果第一位学生的不当行为消失，而开始表现合适的行为，即予以奖励。

④ 如果第一位学生仍然无动于衷，教师可再重复第一步和第二步。

⑤ 第一位学生在教师重复步骤（1）和（2）后，如果未能表现合宜行为，接下来就可以运用警告方法。

⑥ 接着，可再设定某一预期的行为，回到步骤（3）和（4）来进行。

2. **警告法**

（1）当学生不当行为干扰课堂学习或行为虽然破坏性不大、可是一再持续发生时，即可使用警告法来处理。

（2）实施步骤。

① 行为开始出现时，即予警告。

② 如果学生立刻改过，表现合适行为，教师立即予以奖励。

③ 经过警告，学生仍然没有表现合适的行为，则继续使用强度稍高的隔离法来矫正。

3. **隔离法**

（1）学生不当的行为，威胁到其他同学上课的安宁，危及他人继续上课时，例如，攻击同学、投掷东西等，就可使用隔离法。

（2）实施步骤。

① 严肃告诉学生，他所表现的行为是让人无法接受的。

② 将该学生隔离开一段时间。

③ 隔离的时间一到，询问该生是否已调整好心绪，要回到课堂上

继续学习。

　　④ 如果该生回答是肯定的，就让该生回来，过一会儿，该生的表现如果良好，即予奖励。

　　⑤ 如果该生不回答，或回答尚未调整好心绪，则继续予以隔离一段时间，再回到步骤（3）去执行。

　　当然，有些学生乐得接受隔离，教师运用时务必慎重。

　　4. 交付处理（The Referral Procedure）

　　隔离无效，即将学生交给学校其他部门来处置。

　　总之，课堂问题行为的处理技巧很多，教师在实际运作上，应当根据教育观念、教育爱心以及辅导处理原则，因人、因事、因时、因地制宜，选择有效的处理技巧和策略，协助学生消除、制止不良行为的发生，塑造积极正面的班级气氛，使之有利于学生的学习和成长。

5

良好课堂情境的创建：
有效课堂管理的保障

　　课堂教学活动总是在一定的情境中发生和发展的。这一情境提供了丰富的教学资源，师生处在这一情境中，都希望能在有秩序、安全、和谐的气氛下，愉快地生活。脱离了具体的课堂教学情境，也就不可能有事实上的课堂教学过程。

第一节　课堂教学情境：功能与原则

案例：

一次课堂突发事件的处理与反思①

从教二十余年，最难忘我由乡下调入县城任教时的第一节数学课。当教学过程进行到课堂练习时，一位学生笔直地坐着，笔和本都在课桌上摆着，并以挑战的目光注视着我。我走到他面前问道："你为什么不做练习？"该生用非常生硬的口气答道："我没有笔，也没有纸，怎么做练习？"全班同学都回过头来，目不转睛地看着我。那些目光中有洋洋得意，有嘲讽，也有忧虑和担心，这不是故意刁难老师吗？应该怎么处理？是训斥一顿，还是置之不理？当时理智告诫我，既不能轻易发火，又必须立即巧妙处理。否则，不仅会造成第一节课的失败，还会影响自己为人师表的形象。片刻沉默之后，我转身回到办公室（恰好在教室隔壁），取来自己的笔和纸放到这个学生的桌上郑重地说："请同学们继续做练习"。下课后，这位学生尾随我来到办公室，将我送他的笔和纸放到办公桌上说："老师，对不起，我们几个同学想看看您到底哪里与众不同，请不要生我们的气。"这时，又有几名学生走进办公室。

通过这件事，我深深地认识到，作为一名教师，在受到学生顶撞和刁难时，切不可丧失理智，大发雷霆之怒。那样不仅会使自己难堪，还可能使学生的心灵受到伤害。如果处理得当，就架设了一座师生沟通思想和联络感情的桥梁。此时，教师就能怀着一颗对学生炽热的爱心，积极主动地、有针对性地开展工作。学生也会信赖和尊重老师，乐于接受老师的教诲，并不断自觉地增强自我教育和自我约束的能力。

---

① 耿贵. 一次课堂突发事件的处理与反思［OL］.［2006 - 08 - 07］. http：//www. ep - china. net/content/teacher/a/20060807090603. htm.

一、课堂教学情境

课堂教学情境是指影响课堂教学活动的多种外部条件的综合。教学过程中，各种教学设备和设施、教学规章制度、校风、班风等都属于课堂教学情境。课堂教学情境以其所特有的功能对教学活动和学生的发展产生广泛的影响。班级上课制是我国最主要的教学组织形式。教室是师生共同进行教学活动的主要场所，这一场所里的丰富的教学资源、和谐的气氛、良好的人际关系都是教育的主要因素。

课堂教学情境的重要意义就在于它既影响教学活动的过程，也影响教学活动的结果。在实际教学中，不管我们是否意识到，教学目标的建立和达成，教学方法的选择和运用，教学手段的确定和教学组织形式的安排，课堂信息的交流和师生课堂的交往形式等，都直接或间接地受到各种情境因素的影响。

课堂教学情境对教学活动及个体发展所产生的一切影响，都是通过自身的功能表现出来的。课堂教学情境的功能就是课堂教学情境在教学活动中所能发挥的作用和能力。课堂教学情境的功能具体有以下几方面。

（一）陶冶功能

教学情境的陶冶功能，主要是指良好的课堂教学情境可以从各个方面给师生特别是学生以潜移默化的影响，通过熏陶、感化而养成他们一定的思想品德和行为习惯。课堂教学情境是一种微观的社会环境，对学生来说是具体生动的，因而在学生的品德形成和行为培养方面具有不可替代的作用。课堂教学情境的作用不是强行灌输，而是寓教育于美好的情境中，通过多种情境因素的综合作用，产生"随风潜入夜，润物细无声"的教育效果。

（二）发展功能

课堂教学情境的发展功能是指良好的课堂教学情境能有效地促进学生智力、体质和审美能力的发展。首先，良好的课堂教学情境，不仅能保障和有利于课堂上学生学习行为的产生，而且还能提高学习行为的智能水平。如整洁、美观、舒适的学习场所，能使人愉快、安宁，提高用脑效率。而良好的课堂教学情境还可以对各种信息进行必要的选择和控制，为教学活动提供一个较为理想的信息环境等。其次，良好的课堂教学情境包括良好的卫生环境、适宜的设备环境、积极的情感环境和合理的活动安排，这些都能有效地保证学生的身体和心理的健康发展。再次，良好的课堂教学情境，如教室的布置、师生的仪表等都能激发学生的美感，培养学生正确的审美观点和表现美、创造美的能力。

（三）激励功能

课堂教学情境的激励功能是指良好的课堂教学情境能促使学生在学习中产生内在的动机，以激发其学习的积极性。在一个积极和谐的课堂教学情境中，各种情境因素都可以成为激发学生学习的动因。此功能使学生在学习中经常保持进步的动力。

（四）约束功能

课堂教学情境的约束功能是指良好的课堂教学情境能对人的行为产生一定的约束力量，使人在特定的时间内只能选择特定的行为方式。

二、课堂教学情境的构成要素

课堂教学活动所涉及的情境要素是复杂多样的。从一定程度上可以说，涉及课堂教学的一切因素，包括物质的、精神的，有形的、无形的，直接的、间接的，都可以称为课堂教学情境。课堂教学情境可分为物理环境和心理环境。物理环境包括各种教学设备和设施，这是课堂教学存在的物质基础；心理环境包括教师和学生所构成的一种教学气氛、校风、班风、课堂教学活动中人与人之间的各种关系及相互影响。这些都是课堂教学活动正常开展的必要条件。

（一）各种物理因素，教学设施

空气、温度、光线、声音、颜色等都是教学环境的物理因素。这些因素的不同状况可以引起教师和学生生理上的不同感受，同时也使师生在心理上产生不同的情绪，形成不同的情感。例如，教室内空气新鲜流畅能使人大脑清醒、心情舒畅，从而提高教学效率。而教室内空气浑浊，则会造成师生大脑供氧不足，使人昏昏沉沉、恶心等，从而降低教学效率。再如教室环境中的光线，要求亮度适宜，分布均匀，避免直线光或强烈的日光照射。否则，光线太强会使人烦躁，光线太暗则不能引起大脑足够的兴奋，这些都会影响课堂教学效果或学生的视力。

教学涉及面广设施从大的方面讲，包括校园、运动场、教室、图书馆、礼堂、实验室、食堂、教师办公室、各种绿化设施等；从小的方面讲，课桌椅、实验仪器、图书资料、电教设备、体育器材等，都是教学活动所必需的基本设施。教学设施是构成学校物质环境的主要因素，是教学活动赖以进行的物质基础。

（二）班级规模

班级规模是教学环境的重要因素。经研究发现，班级规模不仅对学生的学习动力和学习成绩有影响，同时也对师生双方的课堂行为以及个别化教学的实施有很大影响。在规模较小的班级中，教师和学生的互动充分，会表现得更愉快和更活跃，较小规模的班级能更好适应学生不同的需要，教师有可能照顾到不同学生的不同特点，并针对这些特点实施有针对性的教学，教师和学生可以有较多的时间用于课堂信息的传递和交流，而只花很少的时间去维持课堂秩序。

（三）课堂教学常规

课堂教学常规是指教师教学、学生学习管理的制度和规范。课堂教学常规也是教学环境的重要方面，完善的课堂常规是实现教学目标、完成教学任务的重要保证。课堂教学常规使教师和学生对于自己的课堂行为能有章可循、有据可依，从而保证教和学过程中的质量控制。

（四）师生关系

师生关系直接影响学生对教师所教课程的兴趣，也影响学生的学习情绪和学习效率。只有建立良好的师生关系才能激发学生的学习动机、鼓励学生自治自律、尊重学生、维护学生的自信心、避免学生焦虑、减少学生的挫折感、平息师生的愤怒、制止师生的冲突等等，进而提高课堂教学的效率。良好的师生关系应具备下列五项特性：（1）坦白或明朗（彼此诚实无欺）；（2）关心（彼此都知道自己受对方所重视）；（3）独立性（一方不依赖另一方）；（4）个体性（一方允许另一方发展其独特的个性或创造力）；（5）彼此适应对方的需要（一方需要的满足不以牺牲另一方的需要为代价）。

由于课堂教学情境包括物理和心理环境两个部分，本章将从课堂情境的设计与课堂气氛的营造这两个方面阐述良好课堂教学情境的创建。

三、课堂教学情境设计的原则

（一）教育发展原则

教室是学生学习的主要场所，教师除了肩负教授各类学科知识外，更重要的是培养学生懂得做人做事的道理，在于使学生能够明事理、辨是非、知荣誉，履行善的身教、言教的责任。而潜移默化的环境教育功能，有赖于富有教育意义的教室布置。教室布置应减少传统性的口号、教条性的标语，代之以生动、活泼、生活化、亲和性的浅显语句。以

"启发""沟通"等富有人文气息的教育理念，代替传统"训练""灌输"的观念。同时，教室的布置还应实现理念上的突破，应一反过去"一劳永逸"的布置方式，趋向现代的不拘形式、富有弹性、动态化等，使班级教室呈现生动及富于变化的课堂教学情境，引起学生的好奇，吸引学生的注意及兴趣，引发学生学习动机。

学生是发展中的个体，不断地在成长发展，课堂教学情境的设计应能助长学生的发展。凡是教室布置应注意生动、独特与教育性，即具有发展的特征，以促使学生的创造性、个人品质获得更多的教育与发展，增进学生思考应变能力。由于教室布置提供有关的资源，可扩展学习的速度及深度，提高学习的效率，增进其为人处世的能力，因此教室布置的设计要遵循发展性的原则。

（二）实用安全原则

教室布置的主要目的在于促进师生的教学效果，充实师生的生活内容，以完成教学目标。完美的学习环境，不在于华丽的外表，而在于充实、活泼的内容，能使学生喜欢、吸收并加以利用。因此，教室布置不能只是装饰与点缀，应配合教学单元的需求，适时布置与教材有关的辅助教学资源，以发挥时效及达到实用。

教室中学生的安全，是一项重要的公共责任，因此，教室的布置在设计时，应考虑可用空间之大小及所列物品之安全性。如容易破损、具有毒性和危险性的物品，均应特别注明予以警告；若为悬挂物品应牢固，避免掉落伤人；因为学生好奇、好动心理，距离地面190厘米之内的墙面，切勿留置任何尖锐物。

同时教室的布置应经济，能以最少的经费投入发挥最大效能。教室布置由于要时常更换，所需材料和经费应考虑其经济性。原则上要利用废弃物或社区资源，由师生共同设计，达到经济又实用的效果。

（三）整体性原则

有人以为教室布置琳琅满目、五花八门、热闹缤纷为理想，其实，如此不但不美，反而令人眼花缭乱，不知应该注视什么。合理化的教室布置应根据教室的空间、教学的进度、教学的科目、教材的性质、单元活动的设计及学生的程度，就布置的材料及色系的选择，在静态和动态、主体和客体、平面和立体的关系上，整体配合规划设计，以求平衡和统一。无论是教室内外的墙壁、教师用的课桌、学生桌椅、清洁用具等，都要有整体的规划，以最好的空间安排和有效的使用和布置，使教室成为宽敞舒适的学习环境。特别是色彩的设计，更要能顾及教室内的空间、使用材料的统一调和。因为色彩本身具有引人注意的特性，过分的强调，令人感觉不协调，且不知所云。一般而言，在灰暗色调的背景下，眼睛对灯光的适应较困难，而鲜明的色调则造成灯光反射。静态布置应考虑以调和的色彩为主，动态的或属于感性的活动，则可考虑以对比的色彩来处理。因而在适度变化的原则下，教室宜采用怡人和令人振奋的颜色，以利于教学。

（四）独特性和创造性原则

每个班级都由班主任和一群学生组成。由于教师的人格特质、专长、个人风格与方法，及学生团体的价值观与兴趣的不同，因而形成课堂的特殊性。因此，教室的布置应按师生的喜好建立，以有别于其他班级，以表现各个班级的团体动向与师生互动的情境，增加学生对班级的向心力和归属感。

有创造性的教室，可以把学习环境变成一个鼓励学生积极用脑思考及赞美学生们成果的实验室。学生在学习过程中变得更积极、更快乐。学生人人有机会尝试自己的想法，若有满意的结果，则可发展学生的自信心。在创造的过程中，学生如果能真正地投入，教师不需要太多的指导，甚至可放手让班上的同学自己去发挥，教师可享受学生的发明创造，学生也产生浓厚的学习兴趣。创造力的培养，是现代教育的主要目标之一，教室布置的设计，即应提供学生有创造思考的天空。

（五）美观原则

教室布置的格局、造型、色彩和气氛，会影响学生的性格和学习情绪。不同的色彩，不同的造型，都会引起不同的心理反应。所以，教室布置的造型设计及色彩选择，应力求平衡协调，给人舒适、愉悦之感。例如，布置素材的种类和造型变化多，则色彩单纯和谐，切忌杂乱无章。

四、课堂气氛营造的原则

现代教育理念是把学生当作一个"人"，一个有感性、理性、美性、活活泼泼的人，而非吸收知识、储存知识的仓库；确认"教"是手段，"学"才是目的，教师的"教"是为了学生的"学"；教师不仅是教"教材"，更重要的是要教"学生"。教学生学习生活必备的条件、生存的意义与目的。学生是有个性的，他们不是小大人，不是成人的缩影，不能以成人的角度来决定课堂教学情境。教师要了解学生的个性，欣赏学生的个性，尊重学生的需要，由"因材施教"而达"人尽其才"。基于以上的教育理念，在课堂气氛的营造过程中，必须遵循以下原则。

- 营造以"学生需要"为基础的课堂气氛，尊重学生文化。
- 应该能保存固有的传统文化，如每日一词、每日一诗、传统书画、中国音乐介绍等，使学生接触传统文化，发挥中国文化传承的功能。
- 注重人格陶冶，注重师生间、学生间的互动，营造轻松活泼的课堂气氛，使教室成为学习的乐园。
- 使教师能潜心于教学研究，发挥教师的敬业精神，激发教师的潜力，增进其教学品质。

- 富有教育爱，以真诚与关怀建立良好的师生关系，协助学生解决学习上的困难，使教室成为充满爱心的园地。

- 制定合理的、适量的，具有启发性的、创造性的家庭作业，选择适当的考试时间，正确的评价观念，改革命题方式，多做形成性评价与学生自我评价等，提高课堂学习兴趣，增强学习效果。

- 应顾及低成就的学生，也注意个别学生的差异，使各类学生都能享受成功的满足感，因为提供学习成功的机会是促进学习的动力。

- 以循序渐进、生动活泼、注重启发思考的方式，灵活运用多种实验成功的教学方法（创造、思考、发现、欣赏、练习……）。

第二节　课堂教学情境的设计

环境具有潜移默化的功能，布置一个恰当的环境，有利于学生的学习，可以提高学生的学习兴趣，直接增进学习效果。

课堂教学情境的设计包括教学情境布置的内容，可以用于教学情境布置的资源和教学情境布置的策略。

一、教室的布置[①]

（一）结合教学的布置

按各科教学进度，配合新教学单元的重点，师生共同收集资料，以语文天地、大千世界、数学角等专栏方式或者为了强化再现已学过的单元重点，如生字难词、数学解题方法、社会和科学常识等，以增进教学

---

① 吴清山·班级经营［M］·台北：心理出版有限公司，1993：411.

效果。

（二）作品展示

将班级所有学生的作品展示在教室内，要求学生互相观摩以彼此激励。作品可包括作文、写字、美术、手工、作业本、心得感想（阅读、旅游、帮做家务等）等，轮流展示，并激励同学写短评，使展示作品动态化，以引起学生注意。

（三）公告栏

教师将学校要让学生明白的活动、规则或班级常规，公布在公告栏，使学生的学校生活有所依循。

（四）荣誉榜

为激发学生个人的荣誉感及集体凝聚力，将班级的荣誉或个人优良表现的锦标、奖状张挂于荣誉榜上。如优点大展示（自己或别人写出优点）、拾金不昧、助人事迹等。

（五）新闻焦点

关心国家大事，认识世界动态，可在报纸新闻专栏中挑选重要信息，用放大字体及彩笔书写张贴，提高学生对时事的注意。

（六）生活点滴

内容可以是师生共同议定的生活公约，以醒目彩字书写张贴，且在达到目标后更换（常见有许多学校，采用统一采购的生活公约和刻板条例，虽然经年累月张贴，然而对学生并不产生警示作用）。生活花絮可点缀班级气氛，如学生生活照，加上有趣的话，予以美化张贴。或将每周班级里的趣事，点点滴滴收集记录于有色卡纸张贴，可增进班级同学情谊。

（七）图书设置

班级应订阅报纸（日报、儿童书报），并设置图书角，激发学生课余阅读的兴趣，增加学生的见闻。图书来源一般是班级购买、机构赠送或家庭提供等。教师应巧妙设计，促使儿童阅读，而非只把图书当摆设，应使班级有浓郁的书香气息。

（八）益智角

如美言佳句、优美词语、动动脑、趣味问答、文字游戏等有趣及益智的问题，这样布置可以使全班同学积极思维，以训练学生灵活的创造思考能力，增进学习的情趣。

（九）器材类

教室有如家庭，需有许多实用器材，例如培养时间观念的时钟、维持环境整洁的清洁工具、下课消遣的娱乐器材（皮球、跳绳、象棋、跳棋等）、工具类（剪刀、钉子等）、电器类（收录音机等），这些使教室的学习环境如家一般温馨与方便。

二、教室外的环境布置

在日益狭窄的学校环境里，生活于其间的孩子们，势必要凭借美化校园、绿化校园，来改进校园景观、净化空气、减少噪音。而优雅的户外环境，既可以陶冶学生身心，又可以促进学生的视力保健。

（一）绿化走廊

配合校园绿化、美化活动，教室走廊可以适当摆放盆栽或花盆，以便于学生由做中学，亲身体验种植与照顾的责任。由于花草的成长，带来学生成功的喜悦，可以培养学生合作的态度，也更美化了校园。

（二）柔化走廊

学校教室的建筑多是坚实冰冷的水泥砖墙，在进门口处悬挂课程表及班级标示牌则稍觉柔软，然而不够吸引人的课程表、班级牌，学生往往视若无睹，并未发挥布置上的作用，若能在造型及色彩上加以设计，必能达到理想、实用且增进视觉舒适感的效果。常见走廊墙上张贴严肃的标语及不够生动的民族英雄事迹图，而且永无变化，也难以收到什么效果。若能配合儿童年龄的差异，以日常生活中儿童所熟悉的物品，如球拍等，加以造型设计，配以鲜暖色系的亲切语言，或以儿童作品加以装框，轮流悬挂，可吸引儿童的注意力，达到布置的效果。

总之，教室布置的内容、形式多种多样，教师配合学校的设备及学生的需要与班级特色，适当的选择，巧妙的设计，必会有利于教学，对儿童心灵的启发及潜在课程的效益也起巨大的作用。

三、课堂教学情境布置的资源与应用

（一）资源的类别

由于教学环境布置的内容包罗万象，配合内容的需要布置的资源也有各种不同的类别，分别说明如下。

1. 依资源的性质分类

- 生物类：包括种植的盆景植物或鲜花及饲养的小动物等，可配合教学需要，并且增加教室的生机。
- 实物类：彩球、彩带、时钟、球类、棋类、清洁工具、卫生用品、工具用品、电器等。
- 文字类：如报纸杂志与图书、学生作业、单元重点、生活点滴表达等，皆可归于文字类，文字类是布置教室使用相当广泛的

资料，借此可以充实学生的知识与刺激学生思考活动。

2. 依资源的功能分类

- 教学类：配合各科教学需要所提示的单元重点内容及学生的作业及图书等，可辅助教学及激励学习。
- 材料类：如制作用纸张、颜料、彩笔、图钉、碎布、磁铁、绒布板、棉线、胶带、彩球、彩带等。
- 器物类：清洁用具、电器、剪刀、时钟等。
- 娱乐用品：调剂学习生活、舒展身心的物品，如球类、跳绳、棋类、音乐欣赏用品等。
- 装饰类：目的在赏心悦目，如盆景、插花、手工作品、插图等。

3. 依资源的形态分类

（1）平面与立体。许多教室布置仍停留在平面资料的张贴，如单调的生活公约条文、不加装饰的文字资料，这不易引起学生的注意。若要使教室生活化、生动化，应对教室进行立体装饰。如摆设或悬挂实物类，平面图表或文字资料都可立体设计，变化造型，让学生发挥创意。

（2）静态与动态。教室布置如果都是静态的平面展示，则过于平淡乏味，可采用立体的展现或可变换位置的动态情境，让布置能和学生产生互动，效果要好得多。如平面展示另附备注说明，提示儿童阅读欣赏并发表心得看法，即可透过布置引起学生不同反应，真正达到布置的效果。

（3）硬件与软件。凡教室的空间及所使用的材料，都可归之为硬件资源形态，它可装饰、美化学习环境。而软件资源形态则指教室气氛，如硬件布置及色彩配置所引发的气氛感觉，教室环境中师生间、同学间的教室行为所产生的心灵感动等，如有系统的交替使用"注意""称赞""奖赏"及学生座位的调整，可使学生的学习行为得到预期的改变。所以，教师依据情境需要而以"变"的开放心胸、接纳的态度，虚心地把学生的意见并入每日的教学方案，可激起学生的学习兴趣及参与感。

总而言之，无论资源的类别如何，以多种多样的变化方式，有平面、有立体、有悬挂、有动态，配合良好的课堂气氛，才是理想的教学情境。

（二）资源的来源

布置教室资源的来源有多种方式。

1. 收集

教室布置需要许多资源，有的用作教学，有的用作欣赏，有的用作启发智力或娱乐，有的则是一般工具，种目繁多，有属图文类，有非图文类。师生于布置前共同审慎地做出整体性的设计，然后把全班学生分组，并指导其就所分配的内容进行收集工作。

2. 自制

有些布置资源可购买材料或废物利用，由师生共同制作，一方面提供学生做中学的机会，另一方面可更配合教学实际的需要，不至于浪费，但是这样做比较费时间和精力。然而在教育的意义和效果上，绝对是最佳的。

3. 购置

有些教室布置资源比较精致，不易自制或制作费时费力，可以购买。但应计算班费能否承担，以不浪费为原则。

4. 捐赠

像报纸杂志、图书或其他器材等，其来源方式还可由教师捐赠，或由学生提供或借用，有的是学校分期购置的，也可由社区人士、家长或生产机构赠送。而教师必须依据资源内容，配合学生程度与教学需要，精心选择利用，避免使教室空间拥挤，妨碍了学生的活动。

（三）资源的应用原则

教室布置资源来自于各种渠道，因此，适用与否尚需经过一番考虑，在应用资源方面教师最应注意以下事项。

1．具有教育意义

并非所有取得之资源都具有教育价值，毫无选择的堆置反而会增加麻烦。尤其学生所收集的物品，更需要经过教师的检验，因为学生的经验与认知程度有限，有时缺乏取舍能力。

2．具有安全感

有些资源对学生的安全颇具威胁，因此，对已取得的资源，应认定其安全程度，非使用不可者，需加安全措施或标示其危险性，以维护学生在学校中学习生活的安全。

3．具有实用性

目前我国中小学班级人数较多，比较拥挤，学生在教室的活动空间有限，因此收集或捐赠的资源，必须强调其实用性，要求资源必须能辅助教学，而且是学生最需要的，方能达到布置的功效。

四、课堂教学情境布置的策略

课堂教学情境的设计与布置及布置资源的利用是否理想，评价的标准是对学生正规课程的学习有无密切关系，对学生人格陶冶的潜在性影响有无深度的威力，而且能否发挥教室情境教育的功效。因此，教学情境布置需讲求一定的策略。

（一）课堂教学情境布置的原则

1. 师生共同参与

教室是师生双方共同活动的场所，教室的布置应由师生共同设计制作，年级越高的学生参与的比例要越高。教室布置最好以学生为主，教师站在辅导的立场，学生透过设计、资料收集、张贴布置可以体验尝试失败经验，最后有成功的满足感与喜悦心情，感受爱与隶属，产生自信心，更达到学生从做中学和珍惜布置成果的目的。

2. 多元的教育功能

要培养适应多元化社会生活的人，则必须采用多元化的教育方式，即除知识学习外，同时要强调技能训练与情意陶冶。多元的教室功能，学生可得到教师的启发、制度的规范及情调的熏陶，使得学生获得智、德、体、美各育均衡的发展。教室情境布置的多元化教育功能是像家一般温馨，如社会一般资源丰富，又提供教师教学及学生学习有力的辅助功效，可以一改过去单调乏味及内容固定的布置方式，使教室成为师生互动的共做、共学、共赏的生动教室。

3. 有生命感的布置

教室布置，不应是静态的，而是动态的、可经常更换的，是有生命、有成长、有延续、有反馈的。例如，学生的作品展示出来，可以让同学写出或发表看了之后的感想，再张贴在这件作品的旁边，让其他同学观摩。或从布置的材料中（新闻焦点、剪辑），设计一些问题并作征答活动，或写阅读感想、意见，张贴于同一栏里。如此的布置可使师生间、同学间有所互动，从而产生生生不息的生命感，学生不只是旁观者，而是主人。同时，还可以培养出给予别人建设性的批评与建议的能力，也使学生从中学习给人衷心的赞美，而得以培养正确的判断能力。

（二）课堂教学情境布置的策略

课堂教学情境布置可以使教室成为最适合教学与学生学习生活的环境，以便达成教学的目标。因此，如何进行情境布置才能合乎教学与学习需要，必须讲求策略。具体言之，可有下列方法。

1. 教室内空间的合理规划与运用

教师可依据教学情境设计原则，将教室情境合理规划，配合适当的布置内容，布置教室。教室空间前后两面黑板之外，还有上下及左右墙面，天花板、墙角、窗户与窗户之间的墙壁及走廊等都可利用。教师应将这些可利用的空间加以规划，使每种布置内容都占有一席之地。为了使整个教室布置美观实用，所以，要规定每个主题的栏位，加以造型设计与色彩整合。确定栏位之后，随时更换或补充内容。至于情境气氛，除教师的教学方法的选用外，要注意学生座位的安排方式，因为学生的座位安排对学生学业成就、参与感及学习态度有很大影响。有研究发现，变动教室桌椅的摆放方式，学生的行为就会有改变。坐在视野良好位置的学生，进行教学活动时，较主动活跃。喜欢坐在前面的学生通常较具依赖性，特别用功；而坐在后面的学生，较具叛逆性，成就动机较低。此外，还有研究发现，喜欢坐在前面的学生，对学校、对自己的能力，持有非常积极的态度；喜欢坐在后面的同学则不然。而坐在前面及中央的学生，有较高的学业成就感与参与感。基于此，传统教室学生座位的"排排坐"的方式，有必要依据科目、教学方法的不同加以调整。

2. 配合学生智力发展

低年级可以采用大面积设计，以具体简单的图案为主，避免过于抽象与繁复。所谓远看一幅画，近看有内容，并以鲜艳色彩配合之，小朋友更易被吸引。中、高年级则逐渐转"图为主、字为辅"为"字为主，图为辅"，以采取增进阅读能力及关心别人与自己的布置方式。

3. 分工合作，强调班级的团结

教学情境内的布置，要绝对避免教师一人独揽或由少数表现较好的学生承担。应注意养成班级学生都能主动关心自己学习与生活环境的情操。可以用分工合作的方式，让每一个学生都有机会，且有一份责任，参与单元学习需要的情境布置。也可适时反映出学生的学习成效，表达他们因有自己的参与而喜欢自己的班级。

第三节　良好的课堂气氛的营造

课堂活动是教师和学生及教学情境相互作用的过程。课堂活动的效果不仅取决于教师如何教，学生如何学，而且取决于一定的教学情境。课堂气氛即其中之一。

一、课堂气氛的意义

班级授课制是现代学校教学的最主要的组织形式，课堂教学又是班级授课制的最主要的形式之一。课堂教学中所涉及的因素很多，且这些因素错综复杂，教师、学生、目标、课程、教学方法、班级结构以及彼此间的互动关系等，都会影响课堂气氛，一个班级可以说就是一个团体。学生学习、生活在这个团体，彼此之间不可避免地要相互影响，也不可避免地会受到团体的影响，这种相互影响塑造了个人的态度、期望、价值及角色行为，也进一步影响了学生在课堂中的各种学习活动。由于成员间的相互影响，久而久之，自然就形成了一种独特的气氛，影响着每一个成员的思想、观念和行为方式。这种课堂上各个成员的共同心理特质或倾向，就称为"课堂气氛"。这种由教师以及教与学的社会心理和物理环境互动所产生的"课堂气氛"，可分成下列十五个种类：学生间的团结或亲密、多样的兴趣及活动、课堂常规、学习的进度、物质环境、学生间冲突与紧张的关系、课堂教学目标、教师的偏爱、学习困难、学生表现冷漠、学生间有派系、学生对活动满意、班级组织散乱以及彼此竞争。

一般来说，课堂气氛可能是温暖或严肃的，悦纳或敌意的，热忱或冷淡的，轻松或紧张的，团结或散漫的，愉快或痛苦的，和谐或冲突的，等等。就心理学上来说，有的人从民主、专制或放任的角度，有的人从以教师为中心或以学生为中心以及开放或封闭的等方面研究课堂气氛。无论哪种研究都表明，课堂气氛愉快与否对学生的学业成绩有所影响，课堂气氛愉快学生会有较好的学业成绩，反之则较差。创造并维持一个良好的课堂气氛，并以此促进师生间良好的关系，从而建立学生积极的自我观念，是师生共同的职责。

在通常情况下，课堂气氛可分为积极的、消极的和对抗的三种类型。积极的课堂气氛是安静与活跃、热烈与深沉、宽松与严谨的有机统一。消极的课堂气氛通常以紧张拘谨、心不在焉、反应迟钝等为基本特征。而对抗的课堂气氛则是失控的气氛，学生过度兴奋、各行其是、随便插嘴、故意捣乱。

积极的课堂气氛不但有助于知识的学习，而且也会促进学生的社会化进展。因为课堂气氛会通过教师和学生的语言、表情或动作而暗示他人。

二、师生关系与课堂气氛

（一）教师期望与学生的学习成就

美国学者罗森塔尔和雅格布森在"课堂中教师的期望效应"的研究中，认为教师期望具有"自我应验的预言效果"。为了验证教师期望是否具有自我应验的预言效果，罗森塔尔和雅格布森于1968年将小学六个年级的学生分为实验组和控制组，在学期之初对他们实施一种普通能力测验，并且告诉实验组的教师：他们班级的学生未来具有优异发展的可能，控制组的教师则没有给予任何实验结果反馈。在学期结束时，实验者再对受试者实施相同的实验，结果发现实验组的测验成绩比控制组有显著的增加，尤其是一、二年级的学生。根据此研究结果，两位学者均承认：教师期望具有其自我应验的预言效果。亦即教师的期望产生后，可引发教师一连串和其期望相符合的情感、态度与行为，最后导致教师原来的期望成为事实。

根据波希尔（Persell）的研究发现：学生的特质、社会背景、测验分数、动作快慢、容貌、行为、性别以及过去的成绩，都会影响教师对一个学生的期待；教师本身的心向和偏见，也往往会形成他对学生的期望。此外，社会规范、老教师对新教师的影响和学校能力及分班、分组等因素，都是影响教师期望的重要因素。

克拉克（Clark）和贝克（Becker）指出，教师对学生的期望常能影响学生的学业成就表现。教师基于先入为主的观念，常按其对学生期待水准的高低衡量施教教材内容、教学方法、讲解技术，以及投入精神与时间的多寡，学生学习质量因之也会有高有低。其次，从学生立场而定，教师期望影响学生自我认定，例如，学生成就动机的高低常依教师的态度而定，"快班""慢班"之分，不同的教师期望，会造成学生的受益有高低之别。[①]

教师是学生在校学习活动的指导者、行为表现的主要评审人，学生想了解自己功课的好坏、排名高低、行为对错……主要来自教师对他的反应。无疑地，教师是学生心目中的重要人物，教师期望的高低当然会影响学生的各种学习。

美国学者古德（Good）、库博（Cooper）以及布拉凯（Blakey）的研究发现，在教室中高成就生比中、低成就生有更多的反应机会。此

---

① 吴清山，等.班级经营［M］.台北：心理出版有限公司，1993：442.

外，他们还归纳出以下十一种教学行为会因期望不同而有所差异。①

- 对低成就学生等待较少的时间。
- 在失败的情境中，不支持低成就学生。
- 强化了低成就学生不适当的行为。
- 对低成就学生的批语较对高成就学生的批语更多。
- 对低成就学生的赞赏较对高成就学生的赞赏为少。
- 对低成就学生的反应未给予回馈。
- 对低成就学生较少注意。
- 较少让低成就学生起来回答问题。
- 在中小学情境中，与高低成就学生有不同的交互作用形态。
- 离低成就学生的座位较远。
- 对低成就学生的要求较少。

罗森塔尔根据多项研究，认为产生"皮格马利翁效应"的影响因素包括：气氛、反馈、输入和输出。在情绪方面，高期望的学生比低期望学生得到教师更多的微笑、点头、倾身、目光的友善的支持；在情意反馈方面，高期望的学生比低期望的学生得到更多的称赞，反应恰当时得到较多的赞美，问题答错时所得的批评较少；在语言输入方面，高期望的学生比低期望的学生得到更多学习新教材与难度较高教材的机会；在语言输出方面，高期望学生比低期望学生有更多回答问题以及和教师沟通的机会。

美国学者普罗特（Proctor）的研究亦发现，教师与低期望学生有不良的师生互动现象，其表现情形如下。②

---

① GOOD T L, COOPER M, BLAKEYS S L. Classroom Interaction as Function of Teacher Expertions〔J〕Journal of Educational psychology, 1972（3）：415－421.

② PROTOR C P. Teacher Expectations：A Model for School Improvement〔J〕. The Elementary School Journal, 1984（4）：67.

1. 教学输入（质与量）

- 课堂教学情境中较不注意低期望学生。
- 忽略低期望学生的意见。
- 较少让低期望学生回答。
- 低期望学生有问题时，教师等待的时间较少。
- 在失败的情境中，不支持（如鼓励或提示）低期望学生。
- 对低期望学生提供较少的课程讲述。
- 常打断低期望学生的行为表现。
- 与低期望学生较常进行与课业无关的活动。
- 花较多时间与低期望学生做控制导向的常规接触。
- 对低期望学生的工作及要求较少。
- 接受低期望学生的不佳行为表现。
- 提供低期望学生较少学习新教材的机会。
- 很少赋予低期望学生责任。
- 很少利用低期望学生的想法和观念。

2. 人际沟通方面

教师常常将低期望学生的座位排得离教师较远，较少提供低期望学生积极的情意沟通（微笑、眼光接触、有礼、兴趣、温暖、个人接触等）。

3. 教学反馈（量与质）

- 对低期望学生较少表现出酬赏导向的行为。
- 较常批评低期望学生的不正确反应。
- 很少奖赏低期望学生的良好表现。

- 奖赏低期望学生的无关紧要的反应。
- 对低期望学生提供较少的反馈。
- 对低期望学生提供较不正确或不详细的反馈。

　　学生自从入学后，与教师的接触日益增加，教师对儿童的期望透过师生交互作用与教师行为来传达，对儿童的人格、自我概念、成就动机以及学业成就，有着不容忽视的影响力量。为避免期望太高造成儿童过多的压力与挫折，以及期望过低助长其怠惰与消沉，教师对班上学生应有合宜的期望水准，以激发其学习动机与努力的热忱。如此，方能有一和谐而且人人乐观进取的课堂气氛。

（二）教师领导方式与学习成就

　　课堂上，教师的领导在本质上是一种师生的交互作用，以达成学生身心健全发展及有效学习为目的、从而实现教育目标的一种行为。即教师的领导方式是教师用来行使权力与发扬其领导作用的行为方式。教师会使学生的学习产生不同的结果，不同的领导方式，往往造成不同的课堂气氛及不同的学习成就。美国心理学家勒温（K. Lewin）曾在 1939 年将教师的领导方式分为集权型、民主型和放任型三种类型。后来，美国密执安大学的李克特（R. Likert）又将集权型分为强硬集权型和仁慈集权型。四种不同的领导方式会使学生产生不同的行为反应（见下表），从而形成不同的课堂气氛。①

---

① 皮连生. 学与教的心理学［M］. 上海：华东师范大学出版社，1997：224.

领导的类型、特征及学生的反应

领导类型	领导特征	学生对这类领导的典型反应
强硬专断型	1. 对学生时时严加监视。 2. 要求即刻无条件接受一切命令——严厉的纪律。 3. 认为表扬可能会宠坏学生，所以很少给予学生表扬。 4. 认为没有教师的监督，学生就不可能自觉学习。	1. 屈服，但一开始就厌恶和不喜欢这种领导。 2. 推卸责任是常见的事情。 3. 学生容易激怒，不愿意合作，而且可能会在背后伤人。 4. 教师一离开课堂，学习就明显松懈。
仁慈专断型	1. 不认为自己是一个专断独行的人。 2. 表扬学生并关心学生。 3. 他的专断的症结在于他的自信。他的口头禅是："我喜欢这样做"或"你能给我这样做吗？" 4. 以我为班级一切工作的标准。	1. 大部分学生喜欢他，但看穿他这套方法的学生可能会恨他。 2. 在各方面都依赖教师——学生没有多大的创造性。 3. 屈从、并缺乏个人的发展。 4. 班级工作的量可能是多的，而质也可能是好的。
放任自流型	1. 在和学生打交道中，几乎没有什么信心，或认为学生爱怎样就怎样。 2. 很难作出决定。 3. 没有明确的目标。 4. 既不鼓励学生，也不反对学生；既不参加学生的活动，也不提供方法或帮助。	1. 不仅品德差，而且学习也差。 2. 学生中有许多"推卸责任""寻找替罪羊""容易激怒"的行为。 3. 没有合作。 4. 谁也不知道应该做些什么。

续表

领导类型	领导特征	学生对这类领导的典型反应
民主的教师	1. 和集体共同制订计划和做出决定。 2. 在不损害集体的情况下，很乐意给个别学生以帮助、指导。 3. 尽可能鼓励集体的活动。 4. 给予客观的表扬与批评。	1. 学生喜欢学习。喜欢同别人尤其喜欢同教师一道工作。 2. 学生工作的质和量都很高。 3. 学生互相鼓励，而且独自承担某些责任。 4. 不论教师在不在课堂，需要引起动机的问题很少。

三、营造良好的课堂气氛的原则与策略

（一）原则

良好课堂气氛的营造与维持是师生双方共同的责任。下面分别加以说明。[①]

1. 教师的职责与态度

- 积极的指导为主，消极的管理为辅。
- 培养良好的品行为先，奖惩及管理为后。
- 对学生友善而有幽默感。
- 民主式的领导以及和学生和谐沟通。
- 减少造成不良行为的校内及校外影响因素。
- 有积极正确的人生观，常给学生适时的鼓励。
- 支持与参与学生的正常活动。

---

① 林宝山．教学原理［M］．台北：五南图书出版公司，1988：243.

- 能以他律为始、自律为终的目的与态度，对学生循循善诱。
- 了解学生并给予学生适度的期望。
- 能针对认知、情意与动作技能等不同学习领域，实施不同的教导方式。

2. 学生的职责与态度

- 有积极、热忱的学习态度。
- 了解教师的期望并努力完成。
- 对班级有高度的隶属感与荣誉感。
- 能为自己的行为负责任。
- 自信且信任别人。
- 遵守校规及班规。
- 能持民主、开放与坦诚的态度与教师进行沟通。
- 同学之间彼此鼓励与支持。
- 愿意听从教师的指导及同学的规诫。
- 能自重同时也尊重他人。

（二）营造良好课堂气氛的策略

课堂气氛往往是影响师生教与学的最大因素。事实上，课堂气氛属于隐性课程，而隐性课程的诸多因素要比正式课程更能影响学生的发展。下面提出营造课堂气氛的策略，供教师进行课堂教学以及提高学生学习效果时参考。

1. 建立正确的教师价值观

教育为有意义的行为与人格塑造历程，也可以说是价值创造的历程。价值表现于选择性的行动，同时指导行动的选择，所以，价值体系虽为概念性的构设，却在行动中完成。价值有指导个人行动、维持人格整合的作用。正确的教师价值观是不容忽视的。作为教师应该具有现代的教育观、学生观和教育质量观，具有适宜的管理理念，在此价值观指导下，密切与学生的联系，能够对自己的行为负责，并引导学生自我发展。至于如何建立这种价值观，可由下列三方面着手。

- 培养师范生巩固的专业思想。
- 加强人文陶冶等普通教育的内容。
- 选择具有教育专业素质的老师，辅导师范生的教学实习，以树立优良教师的典范及正确的价值观。
- 建立正确的教师期望及灵活性的教学领导方式。

2. 人性化教育目标的强化

我国基础教育以往只注重知识教学，而忽略人格陶冶；只强调成人价值的导向，而忽视对学习者的尊重；只提供成套的他人知识，却不具有创造性。为使教育成为人性化发展的场所，教师必须正视人性化的教育目标。人性化的教育导向，不仅目标正确，而且可以营造良好的课堂气氛。其方法如下。

- 强调以儿童为本位的教育目标。
- 重视人性教育。
- 实施能改善行为目标的教学。

3. 重视隐性课程

目前我国的课程研究，已经有了很大的发展，课程概念的界定已较宽泛，尤其对正式课程以外的隐性课程已予以更多的关注。隐性课程强调学习环境的重要性，关注良好的师生关系，对课堂气氛的提升有很大的帮助。可从下列三方面建设隐性课程。

- 加强情感与态度教育。
- 改善学校环境。
- 减少认知课程的灌输，重视人格、动作技能教育。

教学是一种科学，更是一种艺术。如何透过教学来完成教人成"人"的神圣使命，是每一位教师都要关注的任务。

6

理解与沟通：课堂管理中师生
冲突的有效解决策略

　　大多数教师在开始他们的职业生涯时，都充满希望，都认为能从教学工作中体验到成功与喜悦。但是真实的教学活动常常使教师们发现学校生活充满对立，教师和学生在课堂上时常会发生冲突。而一旦教师和学生之间出现冲突，会使教师产生挫折感，他们会思考，为什么教学工作并不像他们所预期地那样愉快呢？为什么学生总是不断地制造麻烦？为什么我教育学生时常常会引起学生的反感？所有这些问题都使教师迫切地想了解，什么是师生冲突？师生冲突的实质是什么？如何有效地解决师生间的冲突？

第一节　师生冲突：课堂管理不可回避的问题

案例一：

都是"笑声"惹的祸①

B 校是一所位于苏南农村的初级中学，近几年学校之间的竞争压力越来越大，学校将学生的分数看得很重，因为这关系到学校的声誉和教师的福利收入。

赵某是 B 校的一位女教师，教初二政治。B 校的这届初二年级的学生特别调皮，尤其是她所任教的那个班。赵老师已怀孕三四个月，走起路来有点滑稽。

一天，赵老师新配了一副眼镜，一进教室，学生觉得老师改变了形象，便笑了起来。赵老师还以为自己的穿着打扮有点问题，于是有意识地扶了扶眼镜，看了一下自己衣服的纽扣是否整齐，于是又引起不少学生的哄笑。赵老师只好板着脸对学生说："不要再笑了!"不少同学停了下来，但是仍有一位男同学笑个不停。赵老师只好再次板着脸提醒道："不要再笑了，再笑要惩罚了!"教室里安静了一会儿。但是过了不久，那位男同学又忍不住了，趴在桌子上又笑了起来，于是整个班级同学跟着大笑起来。赵老师气得脸色都发白了，对那位男同学说道："叫你们别笑了，你还笑，你存心在捣乱，你给我出去!"一边说一边走到那位男同学身边，在他头上敲了几下，同时伸手要将他拉出课堂。"我不出去，凭什么你不让我上课，别人也笑的!"那位男同学反驳道。"你还有理？叫你出去你就得出去!"赵老师愤怒地说道。在推推拉拉之间，赵老师将那位男同学的外衣给撕坏了，那位学生一急，抬起一脚，刚好踢在赵老师的小腹上，赵老师哭着冲出了教室。赵老师的丈夫

---

① 王延东. 都是"笑声"惹的祸［N］. 中国教育报，2005 - 03 - 01（6）

是学校食堂的承包老板，见赵老师哭着冲进来，了解是被学生踢在要害部位，于是怒气冲天，来到教室，把那位学生打得瘫痪在地。

下午的时候，那位男同学的父母亲来到了校长室，同时递上医院的检查结果——内脏受伤。学校刚好在申报市级文明学校，这项工作已经准备了两年，所有的材料都做好，镇政府也很支持，投入了不少经费，目的就是要评上市级的文明单位，只等下个月材料验收通过便成了，但是在这节骨眼上偏偏发生这样的事情，校长实在是始料未及。更为糟糕的是，赵老师被踢了一脚，不幸流产了。赵老师想动用法律手段来告那位学生，但是咨询了一下律师才知这类事件法律上也没有明确的涉及，那位学生还是未成年人，且自己动手在先，打官司觉得自己也有点不对，不打官司又觉得感情上说不过去，真是进退两难。

那位学生的家长得知赵老师流产后，很是过意不去。但是后来听说是赵老师先动手打了自己孩子，并要将他拉出教室的情况，于是不依不饶地将这件事情上告到市教育局。结果，B校文明单位的评比当然是搁浅了，赵老师因为打人在先，被调离到另外的一所离家较远的学校任教，接着市教育局发文，通报批评了B校的正校长及分管校长。因为没有评上文明单位，原本镇政府承诺的评上后给每位教师加发三百元奖金也泡汤了。

B校校长越想越委屈，私下埋怨道："好端端的事情给搅得一塌糊涂，都是'笑声'惹的祸！"

原因："蝴蝶效应"导致恶性循环。这是发生在笔者周围的一个真实案例。但是，从过程和结果来看简直是"蝴蝶效应"的一个翻版。

1979年12月，洛伦兹在华盛顿的美国科学促进会的一次讲演中提出：一只蝴蝶在巴西扇动翅膀，有可能会在美国的得克萨斯引起一场龙卷风。"蝴蝶效应"反映了混沌运动的一个重要特征：系统的长期行为对初始条件的敏感依赖性。混沌理论认为在混沌系统中，初始条件的十分微小的变化经过不断放大，对其未来状态会造成极其巨大的差别。

英国有一首民谣将"蝴蝶效应"说得很形象，"丢失一个钉子，坏了一只蹄铁；坏了一只蹄铁，折了一匹战马；折了一匹战马，伤了一位骑士；伤了一位骑士，输了一场战斗；输了一场战斗，亡了一个帝国"。

在案例中，每一个人都在做他看起来是很合理的事情，在一个相对封闭的区间段里，他们每一个人的做法都是有一定的道理，但是将其连接起来看，却得到了一个极其荒谬的结果。看似一些极微小的事情，经过能量的逐级放大，最终导致不可逆转的巨大损害。我们很难想象，"换了一副新的眼镜——学生哄笑——师生矛盾冲突——赵老师流产——学生被打——学校文明单位撤评——教师奖金落空"之间的一系列恶性循环。

课堂教学活动是在教师与学生之间展开的，是师生之间的共同活动，是为了实现教育目的由教师指导学生学习的活动。教与学是两种截然不同的过程。教是由内而外的，而学是由外而内的。要使"教——学"过程有效，师生双方间必须存在一种特殊的关系，换言之，教师与学生之间必须有一种"联系"的桥梁。这样才能在教学活动中，师生之间彼此影响，形成交互作用，并在交互活动中沟通、教育与接受教育。因此，教学活动最基本、最具体的表现在于师生之间的接触，师生之间的关系在教学活动中就显示出极其重要的作用。不管教师教什么课程（任何学科、任何技艺、任何价值或信念），要想使教学有效，师生关系的性质是一大关键。只要教师知道如何去与学生建立一种关系，以使彼此能够尊重对方的需要，则历史、数学、语文、化学、物理等一切学科都能使学生产生兴趣与兴奋。反之，假设教师所构建的师生关系使得学生觉得自己被压制、被怀疑、被误解、被羞辱或被贬抑，则即使是球类运动、图画雕刻等内容，学生对之也无兴趣而不愿意学习。

一、师生冲突的实质

毫无疑问，在由教师与学生团体所构成的课堂教学体系中，教师是领导者。但对于教师的"领导"性质，应有进一步的分析。教师的领导角色是建立在一种专业的领导关系中的。师生之间只有维持专业的领导关系，才能促进教学效率的提高。所谓"专业领导"，是指教师对其角色的选择及其行为表现应以专业知识作为依据。现代社会，教学的专业化日趋明显，而专业化最主要的理念是教师在课堂教学中不以个人判断作为领导学生团体的依据，而是在课堂教学中以专业判断作为领导学生的依据。只有将教师的专业知识转化为教师的专业特质、人格特征，并在角色行为中表现，才能有效地实现教学的目的。此外，师生之间的专业领导关系的第二个特征是，教学应注重教学目的的实现。教师与学生维持某种关系，本身并非目的，教育学生才是目的。也即在教学工作中，课堂管理必须为实现教学目的服务。

教师应重视师生之间的专业领导关系，在课堂教学中，一方面要注意学生知识、能力的发展，另一方面要注意学生知识、能力发展的方向，做到"启发而不流于放任，引导而不流于灌输"。

在人际关系中，冲突是无可避免的，师生关系也不例外。大多数教师进行课堂教学的目的自然在"教"而不在"管"。多数新教师都希望有一个秩序井然、学生认真求学的课堂，自己不必花时间去管理学生。因为，他们认为只要自己的教学生动，能吸引学生且具有启发性，则不会有管理的问题存在。至于有经验的教师，多数人虽然明知自己在课堂教学中必须管理学生，但有时对此却觉得心有余而力不足，而且厌烦课堂管理工作。他们同样只要"教"而不要"管"。作为教师，他们只要看见学生能好好学习便心满意足了。

但是，毫无疑问，有时在课堂教学中，学生行为不堪接受，他们为教师及其他同学制造了一些问题。大多数教师都认为这些课堂问题行为最令人伤脑筋。他们不能置课堂教学中的纪律问题于不顾。因此，当学生从事某种不可接受的行为，其"需要"过于强烈，因而不能或不愿接受教师的教育、不能或不愿改变自己的行为的时候，或学生与教师之间的关系过于恶劣、以至于学生根本没有想到要帮助教师满足其需要的时候，师生之间往往就会面临冲突。在大多数课堂教学过程中，教师和学生都免不了发生"需要"的冲突。而大多数教师对于师生冲突都太熟悉了，他们耗费了很多宝贵的教学时间去加以解决，而通常效果却很差。

　　每个人都有其不同于任何其他人的经历，有自己独特的情感、理解和背景，因此，人与人之间出现不一致或冲突是不可避免的。无论什么样的关系，也无论交往的双方关系有多么深刻，情感有多么融洽，都可能出现冲突。

> 　　所谓冲突，一般是指活动的参与者之间反对或阻止对方意图的比较自觉的行动。它是教学活动中的一个基本的互动形态。在人际关系中，"冲突"是指在一方的行为妨碍了他方需求的满足或双方的价值观念不协调的情况下，发生于两人（或两人以上）之间的"交战"或"互撞"。
>
> 　　冲突是一切人际交往的一部分，教师与学生的冲突是不可避免的，而且可能时常发生。

二、师生之间的冲突是如何形成的

　　冲突并不仅仅属于教师和学生任何一方，它涉及双方的需要，所以我们说冲突问题是属于师生双方的。

　　课堂教学中，学生相互讲话、看课外书、嬉戏等，行为妨碍了教师本身正常的教学需要的满足，干扰了教学的正常进行，必然会引起教师的烦乱、焦躁、愤怒，为了继续教学，教师必须解决这些问题。于是，教师可能严厉地批评学生，而这又使学生产生痛苦、自卑等心理感受，学生为了维护自己的形象，就会抗拒教师的影响。这样，师生之间的冲突就产生了。

不管冲突是师生之间小小的不同意见还是师生之间较大的争论，原因都是一样的，即都是因为教师和学生一方或双方心里想，"你所做的（或是所不要做的）使我不能满足我的需要"。如一个强烈需要观看其他两个班足球比赛的男学生会站在教室前的走廊上看球赛，却不及时进入教室。如果教师批评他，他的态度也许就是："我知道你不高兴，我也想到你会不高兴，但目前观看比赛对我来说更重要"。

三、师生冲突的类型

在课堂教学中，师生之间的冲突就其后果而言并非完全相同，而是有着程度上的差异。依据其程度，可以将课堂教学中师生之间的冲突分为一般性的行为冲突和对抗性的行为冲突。一般性的行为冲突是指师生在课堂教学中有对立或对抗性行为的发生，但其表现不严重，激烈程度不高，是在教师的可控范围之内，对课堂教学秩序影响不大。从学生方面来说，其表现是以消极的方式应对教师合理的教育教学要求。例如，不遵守课堂纪律，做小动作，搞恶作剧，上课讲话，不专心听课，等等。而课堂教学中的对抗性行为冲突是指教师和学生之间激烈的对抗性行为，其表现较严重，烈度较高，在这个行为过程中，教师对学生的可控性大大降低，甚至也对自己的行为失控，而学生也以激烈的情绪抵制教师的行为，师生均以非理智的态度和行为来表示对对方的敌意，甚至会出现过激行为如辱骂、殴打，等等。

课堂教学中师生的一般性行为冲突和对抗性行为冲突之间并没有绝对的界限和不可逾越的鸿沟。师生的一般性行为冲突往往是对抗性行为冲突的根源。通常情况下，如果教师处理稍微不当，一般性的行为冲突就转化为对抗性的行为冲突，这种转化在很大程度上取决于教师，取决于教师的教育艺术或教育机智。①

四、冲突的二重性

在课堂教学中，师生一般性的行为冲突可被教师所控制，对课堂教学的影响不是很大。但是，师生之间的对抗性行为冲突却有很大的影响。

（一）它具有很大的危害性

1. 课堂教学中的师生冲突会严重影响课堂教学的顺利进行

冲突一旦发生教师必定要花费一定的时间去处理，这样课堂教学的时间和秩序就被打乱，从而不能完成教学任务。甚至整个课堂教学将会陷入难以控制的混乱之中。

2. 课堂教学中的师生冲突影响师生的身心健康

冲突使师生之间产生对立情绪，如果教师不能恰当处理，这种对立情绪作为非智力因素，久而久之必然会伤及师生的身心，影响其健康。

3. 引发社会问题和法律问题

课堂教学中的师生冲突是属于课堂中的事情，但是如果不能恰当处理，可能会因为教师的失误而造成对学生的伤害，这将会受到行政处理，甚至刑事法律制裁。这对教师和学生都将造成终生的遗憾。那么，师生之间的冲突就是完全有害的吗？根据辩证唯物主义原理，冲突就是矛盾，矛盾则是一种对立的统一。

---

① 张金芳，刘秀英. 课堂教学中的师生冲突刍议［J］. 龙岩师专学报，2004（2）：126.

（二）师生冲突具有二重性，它也具有正面的、积极的作用

1. 师生冲突有助于建立和谐的师生关系

课堂教学中的师生冲突使得学生有机会展现真实的自我，一改平时他们不敢说、不能说的局面，师生冲突发生时，他们会失控地把自己内心的不满和想法全盘托出。这对教师来说，可以真正地了解学生，从而采取合适的办法，实现师生真正的交往，增强师生关系的和谐融洽。

2. 缓解压力

冲突能够及时地把师生双方内心的压抑和不满释放出来，从而缓解内心的压力，有利于师生的身心健康。

3. 有助于培养学生的独立意识

我国教育目的明确规定要培养具有独立个性、全面发展的劳动者。人本主义教育家马斯洛认为：对学生或孩子独裁、专制、过度保护等都是危险的，会使孩子失去发展个性的能力。他主张进行教学时，必须让学生亲自体验，在体验中发现自我，在体验中学会容忍和宽容别人，形成自己独特的个性。因此，过度控制、压抑学生是不能形成其独立个性的，应该允许学生有不同的观点、分歧和对立的存在，即冲突的存在。因为学生在冲突中，可以增强主体意识、独立意识，从而有利于学生独立个性的形成。①

第二节　权威与专制：师生冲突的根源

毫无例外，教师们在解决课堂上师生之间的冲突时，首先想到的是

---

① 张金芳，刘秀英. 课堂教学中的师生冲突刍议 [J]. 龙岩师专学报，2004（2）：126 －127.

使用类似于"胜""败"这样的字眼，如"我绝不会让学生占上风的！""今天的学生已经不像我们当时那样敬重教师的权威了。""他们又胜利了"。

有些教师在课堂教学中，严格要求学生遵守纪律。他们不喜欢学生在课堂教学中出现教师不能接受的行为，如果学生出现不可接受的行为或过失、缺点，他们会严加整顿，他们认为，学生缺乏自我教育的能力，教师必须从外部对学生进行控制。有一位老师说，"我第一天到学校，校长便把我们这些新教师召集起来作了一场报告，题目是'如何管理班级、课堂'，那很简单，他说我们只要开头几周采取强硬的、假以颜色的手段，等到学生知道了谁是班级、课堂的主宰，我们就可以放松一点。"但事实上，情况恰恰相反，在课堂教学中，教师过分地指责学生，给予学生否定的评价，往往不能促进反而会阻碍学生的转变。许多学生会对教师敬而远之，另一些学生则可能不服气，故意一再从事那些他们明知会让教师生气、头疼的行为，看教师的反应。而教师恼怒的、批评的反应显然会使教学过程中断，教师实际上是自己无意中干扰了教学活动，减少了教师"教"与学生"学"的时间。

教师采用"胜——败"的方式来解决师生之间的冲突，他们会觉得自己把师生关系看成是一场战争、一种竞争、一种对抗。无怪乎学生也会视教师为当然的敌人，他们会用尽手段以抵抗教师的独裁。因此，当冲突发生时，多数教师总想用自己能胜或至少不败的方式去解决。这显然意味着学生必败或至少不胜。

解决师生之间冲突的权威模式，是以"专制"的方式处理师生之间的冲突，教师需要凭借他的权力以学生的"败"为代价而求"胜"，结果是教师胜利，学生失败。在这种情形下，教师与学生发生冲突时，双方势必视其为一场角斗，一场求胜的战争，一场"权力斗争"。教师对于冲突具有自己所预想的解决方法，并以教师的权力胁迫学生接受教师的处理方法。

一、权威是什么？

如果你问教师"你认为在课堂上谁最有权威？"那么几乎所有的教师会回答"是教师"。如果你再问"你需要用你的权威来控制课堂上的学生吗？"教师们也会做出十分肯定的答复，"那当然，否则你怎么维持课堂纪律和课堂秩序？"教师有权威、必须运用其权威，这一观念根植于社会上父母抚育儿女的方式，并在学校中已是根深蒂固。很多父母都认为有必要用权威来指挥、控制、惩戒孩子，同样他们也愿意把自己的权威交给自己孩子的老师，因为他们相信就像自己需要权威一样，凡是管教他们孩子的人也都需要权威。

父母与教师认为以权威来对付孩子理所当然，但究竟什么是"权威"，不少父母和老师甚至于不能准确解释这一名词。

关于"权威"有四种解释：（1）权力，威势；（2）使人信从的力量和威望；（3）统治，威慑；（4）在某种范围里最有地位的人或事物[①]。概括起来"权威"有两层截然不同的含义。

> 1."权威"是指有专门知识的、使人信服的人。
>
> 这种权威以专门学识、知识与经验为基础。在孩子们的眼睛里，所有的大人都有这一种权威，大人们似乎都很聪明，都有准确的判断力、无穷尽的知识，以及能知未来的能力。但成人的这种权威是被孩子们所"赋予"的。随着孩子渐渐长大，他会发现成人"偶像"的弱点，原来这些无所不能的大人并不真正拥有无限的智慧，也常有判断失误的时候。当孩子们最初发现自己的父母也会有错误时，他们会十分失望。通常父母越是希望孩子"赋予"他们以不应有的权威，日后孩子的失望也越大。

---

① 汉语大词典（第四卷）[M]，上海：汉语大词典出版社，1989：1363.

2．"权威"指权力和有权力发号施令的人或团体

德国的社会学家、政治学家韦伯认为：权力是"把一个人的意志强加于其他人的行为之上的能力"①。而美国经济学家加尔布雷斯进一步研究了权力的类型和权力的运作方式的问题，他认为，权力包括应得权力（Condign power）、补偿权力（Compensatory power）和调控权力（Conditioned power）。应得权力是通过将某种选择强加于个人或团体的意愿之上的能力来赢得他人的服从。补偿权力则是通过给予正面的奖赏，给予服从的个人以某些价值来赢得服从的。它们两者的区别在于，应得权力通过实际的或预定的惩罚赢得服从，补偿权力通过实际的或预定的奖赏、恩惠而赢得服从。调控权力是通过改变信念来运作的。说服、教育或那些似乎自然、适当和正确的社会准则，都能使个人服从于他人的意志。②

二、教师的权威

（一）教师的权威是学生"赋予"的

涂尔干（E. Durkheim，1853—1917）在《教育学与社会学》一书中指出，"教育的本质是一种权威方面的事，论及教师为社会道德权威的代表人，凌驾于个人之上。如同牧师是神旨的解释者，教师则为国家与时代伟大道德观念的解释者。……教师有如催眠者，学生则处于被动的接受催眠一般，内心空白如纸，一切观念根据催眠者暗示而形成，教师对学生的影响力量是绝对的"③。与学生相比，教师受过专门的训练，

① BENDIX, WEBER. An Intellectual Portrait［M］. Garden City, N. Y.：Doubleday, 1960：294-300. 韦伯在其他地方谈到权力时认为，权力是一个人或更多的人"在共同活动中压倒其他参与者的意志而实现自己的意志"的能力。

② 加尔布雷斯著，刘北成，译. 权力的剖析［M］. 台北：国立中央图书馆，1992：8-9.

③ 林清江. 教育社会学［M］. 台北：台湾书店，1981：287.

有一定的专门知识和较丰富的社会经验。教师在某些知识与经验方面具有权威。

但是教师的这些权威是学生所"赋予"的。在学生眼里，尤其是小学生的眼里，教师充满了智慧，具有丰富的知识、卓越的判断力，教师是权威。但是，孩子们往往"赋予"教师以太多的不切实际的权威。这种"赋予"为教师的言行增添了分量与重要性。许多教师也是如此，他们希望并鼓励孩子们"赋予"老师以不切实际的权威，鼓励他们把老师的意见当作事实来接受，并让自己被这种想当然的大人智慧所支配。在正常的情况下，随着学生逐渐长大、成熟，教师的这种不实际的权威会逐渐消减。一旦学生发现智慧未必是年龄的函数，而老师拥有的一种专门学识也并不意味着他无所不能时，他们便会对这些教师感到失望。

教师应了解这种被学生"赋予"的权威对学生有何影响，同时，他们也必须小心避免让自己的权威逾越一定的界限。教师应鼓励学生根据教师的实际学识而承认教师的权威，这才是名副其实的权威。而真正奠基于真才实学的权威是不会随时间而递减的，有时甚至反而会随时间而增加。运用这种权威来影响学生，应是教学的一部分。

（二）教师的权力

在学校中，在课堂上，教师不仅具有应得权力、补偿权力，而且具有调控权力。也就是说，教师有施予学生痛苦（惩罚）的权力，教师有权用某些肉体或情感上的痛苦来威胁学生，使之为了避免痛苦而放弃自己的意志和爱好，遵从教师的指令；教师也有分配学生所需要的某些东西（如奖励）的权力，即教师有权通过提供给学生以相当有利或令人愉快的奖赏，使学生为了得到这些奖赏而放弃对自己的意愿的追求，服从教师的意愿；教师也有一定的调控能力，即有权通过影响学生的信仰，使学生心甘情愿地服从教师的权威，例如学生从孩提时代就由学校获悉：必须尊重父母和老师的权威；必须服从学校的规章，等等。教师有了手中的这些权力，在课堂上、在学校中，就可以不断地使用它们来教育学生。

三、教师使用权威的理由

很少有教师思考"为什么我是权威？为什么我要使用权威？"因为对于教师来说，有许多理由可以使他们心安理得地使用权威。

（一）教师是文化的传递者

教师是成人社会的代表，有义务向学生传递人类文明、社会准则与价值观念，并用成人社会的标准衡量学生、教育学生。这是一种很普遍的看法。但教师很少能认识到，一个有权力的教师，靠威压绝不能教育与说服学生。作为"价值的传递者"的教师，如果施用权力，实际上就是削弱了自己的影响力。

（二）学生是未成年人，缺乏经验和智慧

教师们普遍认为与学生相比，自己的学识、经验都更丰富，在课堂教学中应居于权威地位。他们认为，"我们既然能做教师，说明我们比学生更有智慧。"其他类似的说法还有："学生不够成熟""这是为他们好"。其实在这些理由的背后，揭示的是这样一种假设：学生不如教师，教师因而有权控制学生的行为。

（三）学生们希望有人约束他们的行为

多数成年人都坚信，孩子们"希望"大人运用权威来限制他们，并告知他们，他们的行为应遵守什么样的规则，如逾越什么样的界限是错误的、不可接受的。只有这样，他们才能在进行行为选择时，避免从事不为大人所接纳的行为，这是孩子社会化的一个过程。而如果成人不对孩子加以限制或约束，他们就会无所适从，会感到不安或压抑。但学

生们往往只希望了解教师制定的规则，但不希望教师不经学生参与而独断专行地片面设定规则、使用权威。

与其说学生希望教师对他们的行为制定约束的规则，不如说学生更希望并需要教师告诉他们教师对他们行为的感受，这样他们才能调整自己可能不被教师所接受的行为。学生不希望教师使用（或恐吓使用）权威来限制或调整其行为。学生愿意自己为自己的行为设限。学生也像成人一样，宁愿以自己的"权威"来约束自己的行为。

四、教师权威的来源

德国社会学者韦伯（Weber）将权威的来源分为三种类型：（1）传统的权威（traditional authority），即在长期的传统因素影响下而形成的权威；（2）感召的权威（charismatic authority），即由个人魅力所获得的权威；（3）法理的权威（legal – rational authority），具体可分为两类，一类是官方的权威或法定的权威，另一类是专业的或理性的权威。[①]

事实上，目前我国教师多少兼具这三种权威来源。因为，首先，教师一向代表社会文化传统的继承者、传递者，由于我国历来具有尊师重道的观念，教师的身份或地位自然为社会大众与学生所尊崇。其次，教师也常具备某些人格特征，能感化学生，对学生产生潜移默化的影响，进而影响学生的人格。再次，近代教育制度的发展，对教师提出了一定的要求，要求教师必须接受专业训练，取得法定资格，然后才能担任教职。而一旦教师取得了教师资格，就获得了法定的权威。

在传统社会，教师代表社会权威，对学生具有绝对的影响力量。但是在现代社会，在网络时代，科学技术迅猛发展，学生获得知识的途径不断扩大，教师的地位是否能真正代表其权威，似乎不无商榷余地。现代教师已经不能再有"因为我是老师，所以你们必须乖乖听我的话"

---

① 张义兵．论网络时代教师权威的转型［J］．教育研究，2000（9）：67.

的观念。教师要想获得权威，必须依靠其专业的知识、技能与人格的影响力。

在传统学校教育体系中，教学常被视为是一种制度化的领导过程。教师权威来自于制度，而非个人的影响力。现代学校教育体系中，教师传统的权威已经不值得倚赖，师生之间应该维持新的、专业的领导关系。专业领导有两个特征：第一，教师对其角色的选择及其行为表现，应以专业知识为其根据。第二，重视教学的目的。即现代教育过程中，教师应以其专门的知识与技能、专业的精神与方法，从实际的教学表现中，获得教师的权威。换言之，教师的权威来源于其在教学、教育过程中所表现出来的知识、技能、社会性、人格情操等方面的特征，这些特征会使教师成为一位真正值得学生信赖的专业工作者，而不应再以"学生偶像"自居；这种"教师偶像"只能让学生表面服从，而内心却潜藏着反抗的意识。

五、教师运用权力时的限制

毫无疑问，在现代社会里，行使权力、使一些人服从另一些人的意志，是不可避免的，否则将一事无成。而教师以权力（权威）作为管理学生的手段，也有一定的效果。事实上几个世纪以来人们也一直在使用这种手段。我们不否认教师在教育过程中使用权力，但教师们在使用权力时，应认识到教师权力的使用是要有限制的，不能一味地、无度地使用权力。

（一）教师权力的运用是有限度的

教师在课堂上要运用权力有一个前提条件，那就是学生对教师的依赖，即学生需要教师运用权力来控制自己的行为。通常年龄越小的学生对教师的依赖性越大，而他们对教师所采取的奖励措施的反应也越大。但随着学生渐渐长大，自我意识不断发展，他们对教师的依赖性逐渐减少，教师也就逐渐失去了其奖励的权力。所以初、高中的教师常常抱怨奖励措施对年龄较大的学生不如对年龄较小的学生那么有效。

同样教师在学生年龄逐渐增大后，也会渐渐失去惩罚的权力。对于年龄小的学生，大多数教师都喜欢借助于惩罚来管理课堂。他们通过不满足学生的需要，或以种种方式对学生身心造成痛苦与不安、体罚、训斥、额外的作业、成绩不及格、嘲笑、羞辱、罚站，以及其他上百种教师用以惩罚学生的手段，让学生出于恐惧而顺从教师的要求。

一般说来，惩罚的方法很有效，多少能使学生顺从。但一旦学生对教师伤害他的能力不再恐惧时，教师的权力也随之消减了。但矛盾的是，大多数教师都希望自己班级的学生独立、自律，可是一旦在他（她）的班级中有了具有这种品质的学生，教师们会发现自己的权力对这些学生不起作用了。

对于小学低年级的学生，教师有着无数奖励和惩罚的手段，而孩子们从自己的活动中只能获得极少的"奖励"。而初、高中学生则可以从自己的各种活动（运动、交友、旅行等）中使自己获得许多"奖励"（满足自己的大部分需要），而相对的，教师的奖励对他来说已不再重要，教师的奖惩措施对他们的作用就不大了。这时候教师就会责怪他们"反叛"、"不尊重权威"、"反抗大人的权威"，如此等等。而事实上是，教师之所以对初、高中的学生感到难以驾驭，主要原因是后者已变得较具独立性。如果教师想继续试图凭借权力去控制他们，他们自然就会采取抗拒、反叛乃至报复的行为了。

（二）教师过分使用权力对学生的负面影响

当教师滥用权力时，会遭到学生的反抗，学生们会采取下列行为。

1. 反抗教师

当学生的需要得不到满足，自由受到威胁时，他们会加以抵抗或反叛，即故意反其道而行之。学生不论年龄大小，大多想尽办法蔑视并反抗教师只凭借权力去约束他们行为的意图。有一位学生就曾说过这样的话，"我就不想像我的父母和老师要求的那样在学校里好好学习，取得好成绩，做个好学生。如果我这样做了，就好像他们是对的，他们赢了。我才不让他们有这样的感觉呢。所以我就不好好读书"。

2. 撒谎、逃避

撒谎是学生对抗教师权力的一个极普遍的方法。他们清楚，对那些喜爱使用权力的人讲实话很不安全。为了逃避责任，逃避惩罚，什么话都可以讲，唯独不能讲实话。有许多学生，你不直接盘问他，他什么都不说，等到你盘问他，他就只说能使教师转移责任与惩罚的话。

3. 归罪于他人、揭发

要对付一个经常施行惩罚的老师，学生采取的一个常用的方法便是归罪于他人。道理很简单："如果我能使别的学生显得坏，比较起来我就会显得好些（至少不是最坏的）。"因此，所有的教师对这些话都很熟悉：

"是他先踢我的。"
"李力推我。"
"老师，他们乱丢东西。"

而如果教师经常用奖励来激励学生的好的行为，就会引起学生之间的竞争，使学生经常通过揭发别人的过失来使自己得到奖励：

"我比他先做好的。"
"华静和崔露露老是写字条递来递去。"

4. 期望胜利、痛恨失败

课堂上、学校中如果充满奖惩的气氛，会使学生自小就知道"胜利"的价值，而对于"失败"则有强烈的"逃避"反应。

教师每日凭借赞赏、成绩记录、赋予学生特权、微笑等来操纵孩子。但问题在于并非每个儿童都能获得奖励；能够出类拔萃的毕竟是少数。这样，对于能力一般或能力较低的孩子来说，他们会经常直接或间接的得到提醒：他们有缺陷、无能；他们智商不高；他们是失败者。这些孩子得不到尊重。过分重视奖惩的课堂气氛，对于不能赢得奖励的学生，其危害比能赢得奖励的人更大。[①]

5. 顺从、假装

大多数教师都希望学生能顺从、屈服于他们的决定与约束。而有些学生在教师的权力威压之下，与其说是屈服，不如说变成"消极的进攻"：他们表面上顺从，内心却不服。学生发明的策略之一是表面上讨好教师，装聋作哑，只讲老师喜欢听的话，微笑、点头、赞同、恭维、假装仰慕，等等，希望凭这些表现使教师感到满意，得到教师授予的特权与奖励。学生们逐渐变得精于此道，虽然他们自己深知这些"把戏"背后的"伪装"，但只要教师不知道就可以了。

6. 缺乏创新精神

教师的权力与权威助长了学生的顺应能力，但对其创造能力的发展是有害的。即使是最有才能的学生，在专断的教师的课堂上也会很快学会顺应，以压抑自己的创造冲动。只有在自由、民主的氛围下，只有在重视"差异"而不强求唯一标准的环境中，学生们的创造力才能得以发展。应付以权力控制学生的老师的原则很简单："为了得到奖励避免惩罚，我在班级不发一言，遵守规定，不做我不需要做的事，以免发生

---

① 汤麦斯·哥顿. 教师效能训练［M］. 欧申谈，译. 台北：教育资料文摘杂志社，1980：152.

过失。我绝对不做逾越规定的事"。①

（三）教师过度运用权力对教师本身的影响

首先，课堂上用于"教与学"的时间越来越少。教师在课堂上过度使用权力训斥学生或停止课堂活动，会降低教师正面引导的作用，会使学生认为教师就是密切注意并等待学生问题的出现，这会激起学生的对抗。这也势必使教师认为必须获得并运用更多的权力才能维持、控制课堂和学生。他们会以双倍的努力、时间来实行专制的规则与约束。

其次，运用权力可能损害教师的"影响力"。教师的权力并不能真正影响学生，仅仅能强迫他们奉命行事；并不能做到真正地说服和教育的作用。因此，常常在教师的权威与权力撤离（例如，教师离开课堂）之后，学生又恢复了以往的行为。

再次，在课堂上教师依靠权力来控制学生，会使教师与学生关系紧张，师生之间不能建立起亲切、愉悦、友善、和谐的关系。孩子们会厌恶，甚至于憎恨教师。而以权力控制学生的教师，也可能会产生"内疚"的心理。"我比你更难受"，这不仅是教师为自己施用权力做辩护，而且说明了他的真实感受（内疚）。

当教师在课堂上过度使用权威激起了学生反抗时，师生之间的冲突就开始了。教师在了解了由于过度使用权力带来的后果之后，在处理师生冲突时，应注意恰当地使用权力，不要总想着要在冲突中取胜，控制学生，而应合理地运用权威，和学生一起共同心平气和地采取一个彼此都能接受的解决问题之道。

---

① 汤麦斯·哥顿. 教师效能训练 ［M］. 欧申谈，译. 台北：教育资料文摘杂志社，1980：154.

第三节　沟通：有效解决师生冲突的重要方式

解决师生之间冲突的有效方式是使冲突双方心平气和地共同寻求一条彼此都能接受的解决途径，即双方都无失败可言。这种方式很简单，但它能成功地协调冲突双方的争议，发挥了冲突双方的创造力，使他们能针对独特的问题情境去寻找独特而有创意的解决方法，这种方式我们可以称之为"沟通"的方式。

在"沟通"的方式中，教师与学生将师生之间的冲突看成是一个需要加以解决的问题，而冲突双方都致力于问题的解决，努力寻求解决问题的途径。"沟通"的方式与权威方式相比，具有明显优势。在这种方式中，冲突被认为是师生活动中正常、自然的事，教师将冲突视为师生关系的加强，而非师生关系的破坏，因此他们愿意正视问题，积极地处理问题。于是，随着冲突的解决，原本敌对的师生双方，彼此都能受到尊重，并接受对方。

一、运用"沟通"方式处理师生冲突的必要条件

首先，教师在使用"沟通"的方式处理师生冲突时，应能认真听取学生的意见，鼓励学生说明自身的需要，使学生觉得自己的需要有可能被教师了解并接受，这样他们才会进入与教师沟通的过程。

其次，教师应清晰而坦白地说出自己的需要。如果在师生冲突时，学生听到的只是指责、讽刺、批评的语言，他们势必对"沟通"的方式产生恐惧心理。他们对教师的行为和语言的反应是："我已经'失败'了，何必再去解决问题呢？"

再次，教师应该让学生相信，教师是在尝试一种与以前截然不同的方式来解决师生之间的冲突。教师必须在学生面前表明，"我不愿意使

用我的'权力'压制你们，我也不愿意任你们违反纪律，我愿意尊重你们的需要，但我也必须顾及我自己的需要，让我们一起尝试另一种途径去寻找彼此都能接受的、能满足彼此需要的解决办法"。

二、运用"沟通"方式解决师生冲突的六步骤

第一个步骤：确定问题

师生冲突时，教师明确地告诉学生自己的需要和对学生制造的问题的感受，然后提出希望和学生一起共同解决问题，可以这样问学生"我们目前有什么问题？""我们可以改变点什么，以使我们的教学工作能顺利进行？""我们需要什么规则？"认真听取学生对这一问题的看法和他们的需要，并将教师的需要和学生的需要一起记录下来，直到人人都能明确自己的需要。

第二个步骤：提出各种解决问题的方案

在师生确定了问题之后，师生双方都可以提出解决问题的方案，教师或学生将师生所提供的方案记录下来，对这些方案教师和学生不做任何评价。在这一步骤中，教师要鼓励学生积极参与，但不能勉强，也不要指定发言，或规定人人都要发言。不必要求学生对自己的建议说明理由。

第三个步骤：评价师生所提出的解决方法

教师和学生说明自己提出这一解决方法的理由，删去师生认为不适当的解决方法。

第四个步骤：决定方法

师生在共同的探讨之后，一起决定采取什么方法来解决问题，并将这一方法记录在纸上，写成协议书的形式，教师和学生一起签名，以表明大家理解并支持条约上的规定。

第五个步骤：规定如何执行此方法

教师和学生一起讨论解决问题的方案的"执行标准"，明确何人何

时应做何事，并将教师与学生执行的情况记录下来。

第六个步骤：评价结果

在教师与学生共同决定执行解决问题的方案之后，师生应随时检验方案的执行效果，并针对在执行中出现的问题，及时调整方案。

我们从一位教师运用"沟通"的方式解决师生之间问题的实例中进一步分析运用"沟通"方式的步骤。

教师：我有一个问题是你们可以帮忙解决的。在我的课堂上，讲话的人太多，我总觉得不得不批评你们，我不喜欢这样，可是当你们讲话的时候，我不得不重复我的要求，或者将讲过的内容又重新讲一遍。我知道你们有时似乎也有讲话的需要。让我们大家一起来想一想，要怎么样做才能同时既满足我的需要又满足你们的需要。我提出了一些建议，你们也尽可能把你们想到的方法提出来。我把这些解决方法写在黑板上，暂时先列出来不做评价，然后我们来讨论，把其中你们和我认为不合适的方法删掉。

（接着大家纷纷提出各种解决办法，而教师一一将它们写在黑板上：1. 重新排座位；2. 惩罚；3. 随时想讲话就讲；4. 每天规定一定的交谈时间；5. 当别人不再讲话时才讲话；6. 绝对不许讲话；7. 一次只教半个班级，另半个班级的人可以讲话；8. 低声耳语；9. 只许口头讨论时讲话。）

教师：现在让我们删去我们真正不喜欢的建议。我要删去第3、9项，因为我不喜欢它们。

（几个学生建议删去第2、6、7项。）

教师：现在我们考虑剩余的这几项建议。第1项"重新排座位"，大家看法如何？

一学生：你以前试过，却没有效。

（稍经讨论，大家都同意删掉第1项。）

教师："每天有一定的交谈时间"，这一项如何？

（无人反对。）

教师："低声耳语"呢？这个建议你们认为如何？

（无人反对。）

教师：那么我们剩下的就是第4、5、8项了。还有谁想增加点什么吗？没有？好，那么我们要把这些建议写在纸上，大家都要在上面签名。这就是我们的契约，是教师和学生都签名的协议书。我们双方都要尽力遵守这些约定，我们都要尽量不违背它们。

在这次简短的解决问题的过程中，这一教师解决问题的方法，有值得借鉴和值得进一步改进之处：

（1）她通过对自己"需要"的陈述，提出了"问题"，同时表达了自己在学生出现问题时的感受。

（2）她应该更进一步探索学生为什么"需要"讲话，例如她可以这样问，"我想更了解你们时常讲话的原因，告诉我，你们为什么上课时要讲话？"

（3）她应该向学生说明自己删去第3、9项解决方法的理由。

（4）整个解决问题的过程在第四个步骤"决定方法"停止了。教师应通过类似的话促使学生进入第五个步骤"规定如何执行此方法""好，下面我们考虑一下，我们如何执行这些条约呢？我们应该做些什么？由谁来做？如何才能使我们的决定见效？"

（5）教师还可以进一步推动学生进入第六个步骤"评价效果"。她可以说："我们什么时间再讨论，同时检验我们执行条约的结果呢？"

三、运用"沟通"方式的优势

运用"沟通"的方式处理师生之间的冲突，与运用"专制""纵容"的方式相比，有一些明显优势：

（一）师生之间没有愤怒与不平

用"沟通"方式化解师生之间的冲突，没有人是"胜利"者，也没有人是"失败"者，当然，由失败所带来的愤怒与不平也就不存在。当师生之间彼此的不同意见最终能以一种双方都能接受的方式解决的时候，双方的关系会随之加强。大多数人都希望自己与他人的需要能同时满足，不愿意因为满足自己的需要而牺牲其他人的需要。

（二）增强了学生执行规定的动机

在"沟通"方式中，学生表达了自己的意见，积极参与了班级规则的制定，他们会愿意接受并执行由他们参与制定的规则。"自主性"是人类的共性，学生们都希望在课堂教学管理中有一定的自主权，他们不喜欢受到别人的制约，并对不给予他们参与管理的机会的教师心怀不满。

（三）解决问题更有创造性

"沟通"方式中，教师与学生共同商议解决问题的方法，其结果是可能产生独特而有创造性的解决方法。因为，虽然教师在某些问题上比学生有经验、有学识，但对于某一个问题的处理，仅仅依靠教师的经验、知识，比不上师生双方共同的经验与知识的总和。在处理师生之间的冲突时，教师与学生集思广益，从不同的角度看问题，有时会产生一些不可预测的、具有创造性的解决问题的方法。

（四）学生喜欢教师，教师喜欢学生

有许多调查显示，大多数学生不喜欢教师，而教师中不喜欢学生的也占一定的比例。"沟通"方式可以使教师与学生产生相互尊重、相互理解、相互信任的师生关系。没有"失败者"的解决方法使师生彼此亲近，彼此感觉温暖。而教师避免使用权威或权力压制学生之后，他们

会发现学生是他们的朋友。

（五）揭示问题的实质

"专制"和"纵容"的方式只能解决师生之间表面的问题，而这些问题实际上只是解决问题的起点。例如，教师发现一位学生上课总是做鬼脸，吸引其他学生的注意，干扰课堂教学。教师也许认为这位学生是想引人注意，成为学生注意的中心，于是，他就采取了一个方法来解决这一问题，即把这位学生叫到讲台上，让每个学生都能看到他的"表演"。可是这位学生不是为了要成为学生注意的中心，他这样做的目的是他不理解教师所讲授的内容，他希望得到教师的特别帮助。他得不到教师的个别指导，又担心其他同学认为他愚蠢，于是做鬼脸以掩饰他真正的感受。

"沟通"的方式下，教师不是凭空猜测学生行为背后的动机，他们则是向学生说明自己的"需要"，表达自己的感受，并认真听取学生的需要，探究问题的本质。在了解真正的问题之前，任何一种解决方法都无益于问题的解决。

第四节　语言：解决师生冲突的桥梁

语言沟通是解决师生冲突的关键之一。当学生在课堂上制造了一些问题时，每个教师都希望能通过发出某些"信息"，调整学生的行为，要求学生立即停止干扰。但大多数教师在师生冲突出现之后，很少考虑自己表达"信息"的方式，也没有意识到教师向学生传递的"信息"是解决师生冲突的关键因素。

一、解决师生冲突的不适当的言语方式

大多数教师在解决师生冲突时，通常向学生发送的信息大体上可归

纳为三类①：（1）解决式信息；（2）贬抑式信息；（3）迂回式信息。这三类信息在处理师生冲突问题上是不适当的，也是无效的。

解决式信息是教师告诉学生应如何切实调整其行为，也即学生"必须"怎么做，"最好"怎么做，"应该"怎么做，"可以"怎么做。如，"上课不许和同桌讲话！""立即写作业！"对于大多数教师来说，解决式信息似乎是最迅速也是最有效的解决办法。但教师采用"解决式信息"处理课堂问题时，没有充分认识到这些信息充其量只能使学生顺从，而学生积极的行为改变伴随着的是消极的态度改变——尽管学生会听从教师的命令不和同桌讲话，但对教师的命令却很反感，进而决定以后通过传递字条来代替讲话。此外，解决式信息中所包含的意思仅涉及学生而不涉及教师本身。学生无从知道他的行为会对教师产生什么样的影响。他们只知道必须由教师来决定他必须作某种方式的改变。在这种情形下，学生极可能对教师作种种不正确的揣测，比如，认为这位老师霸道、心胸狭隘、强人所难，等等。学生一旦作此揣测，便不会考虑教师的利益与需要。于是，他们就会反抗老师的规定。

贬抑式信息包含有评价、非议、挪揄的成分，否定判断（贬抑）的意味浓厚。比如，"你究竟为什么要上课随意讲话？""你怎么这么笨！"这类信息会使学生感到羞辱，损伤学生的自尊心。极少数对自身怀有肯定看法的学生，往往蔑视教师的贬抑式信息，认为教师对他们的评价不切实际，在行为上，他们会照样我行我素。可是大多数学生都缺乏自信，渴望能得到肯定，在出现问题之后，他们的自我评估已经处于"我不对"的阶段，而教师的否定评估，又在他们的黯淡的"自我形象"上抹上了一层阴影。所以，贬抑式信息一方面可能被学生所蔑视（学生一方面我行我素，一方面对教师的性格作种种揣想），另一方面可能使学生丧失自信心。

迂回式信息包括戏弄、讽刺等等语意"他们什么时候请你当我们

---

① 汤麦斯·哥顿．教师效能训练［M］．欧申谈，译．台北：教育资料文摘杂志社，1980：95.

学校的校长？"或"我希望你长大以后也当教师，有一百个像你这样的学生"。教师希望学生能体会出教师话语中的弦外之音。然而迂回式信息产生的效果却不好。学生常常不了解教师话语中的弦外之音；即使学生了解了，也觉得教师讲话如此转弯抹角有失坦诚，不堪信赖而又矫揉造作。

这三种信息几乎全是"你"为主语的信息，例如，你不许这么做（命令），你的想法太幼稚（批评，非议），你不过想引人注意罢了（分析），你是另一个牛顿（讽刺）。这些"你的信息"把问题的焦点放在学生身上而不涉及到教师。而当教师向学生发送以你为主的信息时，就表达了教师因为学生的行为与教师的需要相抵触而责怪他的意思。

二、解决师生冲突的有效的言语方式：教师传达我的信息

（一）什么是我的信息

教师在处理课堂上的师生冲突时，他所说的话是有关他自己对学生行为的感受，以及学生行为对他的实质性影响，那么信息便会变成我的信息，如"我被这满教室乱哄哄的声音弄得很心烦"。

我的信息将责任放在问题的归属，即教师的内心感受上，因此这种信息可以称为是"责任信息"。首先，教师发送我的信息，是为自己的内心感受负责，并承担了"向学生敞开胸怀进行自我评价"的责任；其次，我的信息把学生行为的责任留给学生自己去承担。同时，这种信息避免了包含在你的信息中的否定成分，让学生能体谅教师并帮助教师，而不至于使学生感到愤怒或迷惑。因此，我的信息符合有效地解决学生为教师制造的问题的三个重要标准：（1）具有能促使学生由衷地愿意改变其行为的高度可能性；（2）包含最小程度地对学生的否定评价；（3）不损害师生之间的关系。

我的信息使学生把老师当作一个"真实"的常人来看待，一个和学生十分相似的常人，一个"会"感到失望、愤怒、恐惧的"真实"

的常人。不过许多教师都觉得向学生表露"真实"的自我对教师来说是一种威胁。因为他们生怕如此一来会毁坏了学生心目中应有的老师形象，即教师是正确的、不可侵犯的偶像。他们担心一旦向学生表露了自己的"真实情况"，学生可能就不再尊敬他们。这样的教师会觉得运用你的信息似乎较安全，使用起来可以掩饰自己的情感，可以把过错推给学生，而自己不必承担向学生表露自身"需要"的责任。

这种担心是不必要的，如果学生将教师视为和他一样"真实"的常人，就能理解教师有和他一样的感受、需要、要求。他们会觉得教师已经将他们也视为平等的人。我的信息显示出教师是一个开朗、诚恳、真实的人，可以增进师生之间的"亲密感"。

（二）教师如何组织我的信息

教师要在课堂上向学生发送我的信息并非一件容易的事。教师的我的信息要想对学生产生最大的影响力，必须具备三个因素：

1. 应能使学生听出对教师造成问题的是"什么"

这就是学生用不着去猜测，直接就能知道教师为什么要"针对"他。对于学生在课堂上制造的"不可接受"的行为，教师应运用我的信息，例如，"当我发现有人上课讲话……""当我看到你们不做课堂练习时……"以上这些叙述都是指由学生行为所导致的情况，而这些情况正是教师所在意的。

但必须澄清的是，真正的我的信息表达的仅是事实，不含有教师的评价。如果教师在表达自己的看法时加入了自己的评价，那情况就不同了，例如，"当你们彼此不尊重时……""当你的行为像罪犯时……"这些信息都是你的信息，因为即使它们的出发点是在表述学生的行为，但却变成了教师对学生行为的评价或判断。我的信息虽然也常以"当……的时候"开头，但这是为了让学生知道给教师制造问题的是发生于某一特定时间的某一特定的行为。换句话说，我的信息是让学生理解，教师并非"经常"心烦，而是当教师不得不处理某种特殊行为与情况时才觉得心烦的。教师这样做的目的是让学生了解，教师针对的是某一种情况或行为，而不是学生整个的人格。

2. 教师应指明学生的特殊行为给教师带来的实质的或具体的影响

例如，"当实验仪器被放置得很乱的时候"（非判断的叙述），"我不得不花很多时间来收拾"（实质的影响）。

所谓"实质或具体的影响"，是指你所叙述的"影响"在学生心目中是实实在在的，否则我的信息就没有效果。只要学生能确切明白自己的行为，在现在或将来可能为教师制造问题，他就会倾向于改变自己的行为。因为大多数学生都不愿意自己被教师认为是"坏学生"，都希望教师能喜欢自己。然而学生常常不知道自己的行为是如何影响教师的。他们一心只希望满足自己的需要，根本就没有想到这样做可能会给他人造成问题。

教师们有时觉得很难把由于学生的特殊行为给教师带来的实质的或具体的影响加入到我的信息中去，因为他们经常矫正的是对自己并无实质或具体影响的学生的行为（即"属于学生的问题"）。他们长期以来已经习惯于因为这些问题而发送信息。即使教师本身并不会受学生行为的影响，但他们对善恶是非有非常强烈的感受。例如，"我看到你的长头发就不舒服"。然而教师运用权力的意图却不能确切地向学生透露教师所受到的实质的影响，因此，也就不能使学生产生改变其行为的动机。

所以教师在开始学习发送我的信息时，应把学生的行为分为两类：一类是对教师具有实质影响的行为，另一类则是对教师并无实质影响的行为。只有针对第一类行为，我的信息才有效果可言。学生只有确信自己的行为对他人具有实质与具体的影响，才会去调整自己的行为。

3. 教师应表达因受实质性的影响而产生的内心感受

例如，"当你上课不经允许讲话的时候（行为的叙述），我往往会被打断（实质的影响），我真担心自己不能完成教学任务（感受）"。

　　教师说的是学生的这一行为可能会产生一种后果（被打断），而这一后果（对教师的实质影响）引起了教师"担心"的感受。这一组合顺序（行为——后果——感受）所传达的是，这种感受归结于可能的"后果"，而不是学生的"行为"。与学生觉得教师的担心和自己的行为直接有关相比，学生自我保护的心理不会十分强烈。因为教师担心不能完成教学任务的原因不在于学生的"讲话"，而在于"打断"。学生听起来会觉得这是老师开诚布公的申述。因此任何合理的我的信息都比责难的你的信息更可取、更有效。

7

他山之石——几种有效的
课堂管理策略

人们在课堂管理方面的研究是多方面，多角度的，也正是由于人们对课堂管理的理解和认识不同，而产生了多样化的课堂管理的理论和策略，这些理论与策略就构成了课堂有效管理的基础，推动了课堂管理向高效率方向发展。本章将着重介绍六种有效课堂管理的策略，即和谐沟通策略、团体动力策略、目标导向策略、需求满足策略、果断纪律策略和行为矫正策略。

第一节 和谐沟通策略

和谐沟通（Effective Communication）策略是以人本主义心理学派的主要理论为基础提出的。这一策略提出的基本理念是，课堂上真正有效的管理来源于学生个人发自内心的自制，只有在支持性的情境中，学生才能够表达其面临的问题及其内心真实的感受。如果教师能够采取一种接纳的态度，与学生和谐沟通，就能由内而外地培养学生的自制行为和责任感。教师的主要任务不是代替学生解决问题，而是通过良好的沟通策略，引导学生发展其自制、合作、负责任的品质，减少或控制学生课堂不良行为的发生。美国教育心理学家季洛特（Haim G. Ginott，1922—1973）是这一策略的主要倡导者。季洛特在其《师生之间》（Teacher and Child，1971）一书中，提供给教师一套安全的人本主义的沟通技巧。本节我们主要介绍季洛特的理论与策略。

一、好教师与"坏"教师的特点

季洛特认为，在课堂上，教师是具有决定权的权威角色。教师创造并维持教室的环境和气氛。可以教育学生，也可能误人子弟。而这关键要看教师是不是有能力去建立增进良好效果的课堂气氛。如果学生经常处于情绪压抑的气氛中，那么他们就不能有效地学习。为了避免课堂气氛的压抑，季洛特提倡使用"和谐的沟通"——即教师传达的一种和谐与真诚的交谈方式，来切合学生对情境与自己的感觉，提高课堂教学的效率。

季洛特强调"和谐的沟通"原则是营造良好的课堂气氛的重要因素。教师必须遵循这一原则。而如果教师这样做了，他们就会很自然地流露出乐于助人和接纳人的态度，并能常常注意到自己传达出来的信息对学生自尊的影响。和谐沟通策略包括很多方面，但季洛特首先详细地叙述了好教师与坏教师的行为特点。他认为好教师能使用和谐沟通，而坏教师则相反。

（一）好教师

1. 传达理性的信息，针对情境而非学生的人格特质。
2. 适当表达自己的感受。
3. 请学生合作。
4. 接纳与承认学生的感觉。
5. 避免对学生产生标识作用。
6. 以适当的引导来改变学生。
7. 适当地赞美学生。
8. 矫正学生行为时干净利落、简单明了。
9. 以身作则，以高尚行为示范。

（二）坏教师

1. 尖酸刻薄，爱讥讽学生。
2. 攻击学生的人格特质。
3. 强求学生的合作。
4. 否定学生的感觉。
5. 标识学生，例如，懒惰、愚笨等。
6. 唠唠叨叨，长篇大论。
7. 不能控制自己的情绪。
8. 以挖苦为控制学生的工具。
9. 不以身作则。

二、和谐沟通策略的具体做法

（一）理性的信息

教师对学生说话往往会表达出学生给他们的感受，教师的讲话方式会影响学生的自尊心与自信心。但是，教师在与学生在课堂上进行交流时，却常常表达出一些不理性的信息，他们会责备、要求、说教、贬低和恐吓学生，而教师的这些信息会使学生不信任自己的能力，否定自己的情感与内心的事实，甚至怀疑自己的价值观等。

理性的信息是指针对情境而非学生人品的用语。当学生犯错误时，教师应针对情境，描述与学生行为有关的事情，而不要评价学生的人品或人格。

例如：

1. 两个学生在课堂上该安静的时间里讲话，破坏了课堂纪律。

教师甲针对情况说话："这是安静的时间，需要绝对的安静。"

教师乙针对学生的品行说话："你们两位太自私，只顾自己，根本不考虑别人在做什么！"

2. 一个学生某门学科考试不及格。

教师甲就这一情况说："我关心你的考试成绩，你需要在这方面争取进步，我能帮你什么忙吗？"

教师乙针对学生的品性与人格说话："你是个机灵的学生，你很聪明，你怎么会不及格？你最好还是努力点吧。"

3. 一个学生在安静的课堂上，把铅笔盒打翻在地上，发出很大的声响。

教师甲针对事情说："喔，我看到你的铅笔盒打翻了，我们需要把它拣起来。"

教师乙针对学生的品行说："你怎么这么笨手笨脚，你为什么不能小心点。"

在上述三个例子中，教师甲表达的是对学生的关怀和照顾，而教师乙却引发了学生的焦虑不安和怨恨。教师甲指出了解决问题的方法，而教师乙却在制造课堂上的问题。教师对学生反应的方式，可以显示出他们对学生的感觉。这些反应可能建立或毁掉学生的自我概念。教师不良的反应会使学生对自己的能力、人格产生怀疑。教师较好的反应是只指出事实，让学生自己判断他们的行为是否符合他们的自我形象。

就事论事，不涉及学生的品性人格，这是师生之间沟通的基本原则。

（二）教师应表达自己的感受

教学是复杂的、具有挑战性的工作，教室内，诸如学生人数过多、学生不断提出的要求、突发的问题，等等，都会使教师感到疲劳、愤怒，产生挫折感。有效地处理课堂问题，并不要求教师隐忍自己的情绪。教师不是神，不是天使，教师是人，人有自己需要、情感。在课堂上，教师没有必要老是忍耐、退让，而应真实地表达自己的感受，不掩饰自己的情绪以及对学生的反应。但教师需要学习如何表达自己的情绪，而不伤害学生的人格。

当课堂上出现了令教师生气的事情时，教师应该理智地指出使他愤怒的事情，并说出他的感受。即使在气急败坏的情况下，教师也不应胡乱辱骂学生，攻击学生的人格，教师不应说学生"像什么"或他们"到头来会怎样"之类的话。一位明智的教师在生气的时候会保持"真实"，他会说明他所看到的、他所感受到的、他所期望的。教师攻击的对象应是"问题"而不是"学生"。这时，教师应采用"我……"的信息，例如，"我很生气""我很失望""我很惊讶"。而不要用"你……"的表达方式，如"你不好！""你太懒惰！""你不顾别人，只顾自己。""你以为你是什么东西。""我……"的信息告诉学生教师对这一问题的感觉，"你……"的语句却有攻击学生的味道。

实例：

一位教师走进教室，看见教室内一片凌乱。他说："我看到纸屑丢了一地，我很不高兴，也很生气。纸屑不应该丢在地上，而应该放在垃圾箱里。"这位教师只表达了自己的感受和期望，并没有对学生的人格进行侮辱，如："你们是一群懒鬼，没有一点责任心，把教室搞得乱七八糟。"

一位教师在上课时，教室里喧嚣不已，教师同样应避免对学生的侮辱和攻击，如："你们不是人，是一群猴子、野兽"。他应该态度坚定地说，"当我面对高分贝的噪音时，我很生气"。于是闹声平息。

当生气时，教师应清晰而肯定地表达自己的感受，提出自己的要求，避免使用侮辱和贬低学生的语句。同时，教师应做到以身作则，在表达自己的情绪时，应问自己："我生气的方式是不是和我期待学生表达的方式一样？我是否在班上示范了我所期待出现的行为？"

最后，教师应注意，当教师表达愤怒时，学生的注意力全都集中在教师身上，因此教师应使用学生能够了解的字眼，使用不带侮辱只含有生气意味的、能表现出教师关怀学生的语言表达方式。例如，"我很惊讶、愤怒，也很懊恼，我看到了不可原谅和无法忍受的行为，我希望立刻停止"。这会增加教师表达愤怒的力度。

（三）和学生合作

学生是人，他有自己的需要、自己的情感、自己的希望，教师应认同学生的需要、情感和期望，提供给学生自治的机会、体验独立的机会。教师应邀请学生合作而不是一味要求学生服从。教师在活动前应先与学生一同决定活动所需要的行为，给予学生选择的机会。这会让他们觉得自己能够参与课堂决定，他们可以决定要如何进行行动，于是学生体会到了独立与自主，会变得较不依赖教师的引导，能生活在自己所设定的标准中。例如，一位教师在布置家庭作业时，让学生选择是做10

道题还是做 15 道题。一位学生叫到："我不能多做！"教师说："你觉得最好做几题就做几题。"学生回答："我想做 15 道题也没有问题。"教师应认识到，学生也和成人一样，不喜欢被人发号施令、颐指气使，如："不许问，我叫你做什么你就做什么"。学生不愿意自己被强迫，如果教师的言语表现出了对学生"自尊"的尊重，学生就不会排斥教师。

教师应该避免使用命令的方式。因为这样常会引起学生的敌意。教师应描述情况，由学生选择他们的行动方向。

实例：

1. 教师甲：这吵闹的声音很烦人！

　　教师乙：不许吵！

2. 教师甲：语文的作业题在第 56 页。

　　教师乙：把语文书拿出来，翻到第 56 页。

3. 教师甲：你的书在地上。

　　教师乙：把书拣起来。

这三个例子中，教师乙告诉学生应该做什么，教师甲则避免发号施令，他只是说明情况，让学生听了就明白该做什么，不过学生该做什么是学生自己的推断，而不是教师的命令，对自己推断所做的决定会减少学生对教师的排斥。教师显示出了对学生的尊重，增进了学生自我选择能力及责任感，学生独立自主地选择，会提高学生的"自我意识"，促进师生间的合作和沟通。

（四）接受与承认学生的感受

教师在学校学习教育学的时候，都学习过"教师应了解并接受学生"。但很少有教师知道在课堂教学的情境中教师应如何表达自己对学生的了解和接受。表达"了解""接受"是一种复杂的艺术，得使用特

殊的语言。

实例：

1. （一个学生在教师讲课时插嘴）

   教师甲：我想先把话讲完。

   教师乙：你给我闭嘴，你太没有礼貌了。

2. （教师在布置作业时，有两个学生在相互交谈）

   教师甲：我在布置作业，必须记下来。

   教师乙：你们除了讲话难道没有其他事做吗？赶快拿笔记下来。

3. （一位学生不举手就回答老师的提问，或举了手，但未经教师同意就回答）

   教师甲：我想多听几位同学回答。

   教师乙：谁让你讲话的！班上又不止你一个人。

教师甲的语言表达了他的感受和期望，可以避免师生之间的冲突，教师乙的语言则可能引起学生的反感，并使学生紧张。

学生对周围的情境以及对自我有自己的感受，但是当教师又告诉他们应该有什么样的感觉时，他们往往会感到困惑。因此，教师在帮助学生辨识自己的情感上居有重要的地位，教师不要将自己的意见强硬地灌输给学生，应尽量承认、接受学生的感受，减少学生的混乱矛盾。

学生对事情的看法与成人不同。学生常会夸大事实，他们的意见也常常没有事实根据。教师不应与学生争论他们的看法，即使他们是错的，因为这样只会引起学生的敌视和拒绝。相反的，教师应当试着去接纳和了解学生的情感。

实例：

体育课上，小丽从操场上跑过来，边哭边说："小强故意用皮球打我的头，每个人都在笑我，没有人喜欢我。"教师可能反对她的话，并否定她的情感，说"不要这么傻，我敢说这是意外，其他人是在笑别的事情"。教师也可以同情与了解她，而不评断这个情境，说"你看来很不高兴，觉得没有人喜欢你，因为别人都取笑你"。如此，小丽感到自己的情感被老师接纳与重视，她会感到自己并没有被排斥。

教师在接受与承认学生时，还应加上一些话，比如"我该怎样帮助你呢？"这可以提供给学生机会去解决问题，同时又表示教师对他解决问题的能力有信心。由于教师接受学生的感受并提供帮助，教师就不会否定学生的情感、拒绝学生的意见及攻击学生的人格特征，或否定学生的经验。学生们就有机会去了解自己的感觉及思考如何处理问题。

此外，教师要谨慎处理学生的恐惧。教师常常想为学生消除他们的恐惧感，他们会告诉学生，说他们所想的并不是真的。教师也可能使学生相信别人不会有像他那样的感觉。教师会说"没有什么好怕的！"但是教师告诉学生不要惧怕、愤怒或忧伤，并不会消除学生的这些情绪，却会使学生怀疑自己的感觉。他们怀疑教师对他们是否了解，而且会认为当自己有麻烦时，教师是不可信任的。

（五）教师应避免直接诊断学生的缺点

我们常常听到教师对学生说：

"你太懒，又不负责任，如果不改，你将来肯定是一无是处。"
"你不过是想找麻烦。"
"到头来你的下场就是在街上拣垃圾。"
"你是我们班的耻辱。"
"你们是一群傻瓜。"

教师与学生谈话应避免诊断与预告，因为，教师对学生的诊断，是揭示学生的缺点。教师的诊断会伤害学生。这些会教学生如何认识自己，如果常听到教师这样说他们，他们会相信教师的诊断是真的，他们对"实践"教师对他们的预言，他们的表现会开始符合这负面的自我形象，特别是当教师企图预测学生的未来时，更是如此。教师应该鼓励学生的成长和成就，循循善诱，启发引导。诊断学生的人格特质只会限制学生对自己及未来发展的视野。

当学生遇到麻烦时，教师应"协助"学生、"鼓励"学生解决问题。我们可以说，"你的分数是低了些，但若我们一起努力，我们会进步""你想成为一位医生？在我们的图书馆有这方面的资料，你知道吗？"这种语句不会让学生觉得你认为他们可以做什么和不可以做什么，却会鼓励学生自己设定目标，使他们相信教师支持他们，并愿随时协助他们达到目标。当教师相信学生时，学生就会开始信任自己。

（六）引导学生

每天教师都要矫正学生的错误行为。课堂上，小华和小明可能会互相丢铅笔玩；一群男生会讨论足球；小玲呆望窗口，不做数学题。在这些情况下，教师应注意引导学生。教师可指出当时不当的行为情境并提出学生该有的行为。学生常常只需知道他们该做什么。对小华和小明的情境，可以这么说，"铅笔不是用来丢的，现在是写字的时间"。

教师在矫正学生的错误行为时，应避免攻击学生的人格特征。教师只要说出他们所看见的情境，并引导学生正确的行为即可，学生会知道教师的感觉以及期望他们如何改进的。他们就更可能自动遵从教师的建议并改正行为。

（七）不要讽刺学生

教师绝对不要讽刺学生。如：

"你的智力不适合这个班级，为什么你不转到一个和你的无能相配的学校中去呢？"

"我从没有见过一个屋子里有这么多'天才'。"

"你一开口说话,这世界上的知识就少了一半。"

教师有时常常使用讽刺来显出自己的"聪明"。但讽刺常会使学生有受伤的感觉。学生往往不明白教师讽刺的内容,却会觉得他们受到了取笑和贬低,所以最好避免所有的讽刺言语。

(八)适当地赞美

我们都需要别人说我们伟大、有价值,都需要别人赞美我们。教师可能想不到,有时教师的赞美也会伤害一个学生的自我意识? 教师赞美学生有价值,但也有危险,其危险性就在于教师使用赞美会影响学生对自己的感受。教师应小心地使用评价性的赞美,也就是评断学生人格特征的赞美。例如:"你是个好孩子!""你很了不起!"这些语句会使学生将对自己的看法依附在教师所给予的赞同上。

当教师赞美学生时,应该着重赞美学生的行为本身而非学生的人格。例如,教师在学生的作业上写道,"这份作业水平很高,它在环境保护方面的描绘很深刻"。这位教师并没有将该作业的水平高归因于学生的人格特征,因此,学生可以按评语对自己下结论。

教师告诉学生他们"很棒",因为他们"答对了"。而其他的学生会以此推论认为自己"很笨",因为他们"错了"。有人说"知识并不能使一个人'很棒',缺乏知识也不会使一个人'很笨'。"因此,对学生有了正确的答案的适当反应是"不错、正确、答对了",这些反应没有附带对学生人格的评断。

对好行为的赞美也可能产生反作用。教师特别赞美学生某些期望的行为,会显得好像教师对一些好行为感到惊讶。而这也隐含着教师原来正期望不良行为可能会发生。有时学生自然就会将自己的行为符合这些期望。

教师应试着一方面不用言语评价学生行为,却又能表达出对该行为的赞许。教师可以说"很高兴看见你们能安静地进来"，或"今天与你们一起做练习，感觉很好"。教师不要说"你们的表现真是太好了"，或"如果你想做的话，真的可以做得到"。这些评价性的赞美会使教师处于评价的地位。由于教师处于权威的位置，因此他们的价值判断具有较大的分量。如果学生说"老师，只要你想要做，就能做得好"。则会被视为大不敬。

评价性赞美的一个危险是轻易就能操纵学生的行为。教师以赞美为手段使学生重复教师所期望的行为。有时学生（尤其年龄较大者）会抗拒这些明显的操纵。他们觉得这些赞美不是真心的，只是想叫他们表现出教师所期望的行为。

赞美并不是不好，若使用正确，仍然具有建设性。对学生的表现，说出教师自己的感受，或是指出学生进一步努力的程序，都是一种建设性的赞美。我们要能真诚的肯定学生的努力而不对学生人格特征作价值判断。所以，赞美应该是对学生的努力予以肯定并表示欣赏，而让学生自己对自己做评价。赞美的功能是支持、激励与鼓舞，而不是评价。

三、给教师的建议

季洛特指出有效的课堂管理的策略中最重要的因素是教师的示范作用。教师应能控制自己的情绪，不讥讽、伤害他人，态度和蔼可亲。他们应处处成为学生的表率，以身作则，有礼貌、乐于助人、尊重他人，用冷静和建设性的方式处理问题。

季洛特向教师提出了不恰当的和恰当的课堂表现，要求教师能遵循恰当的行为表现行动。

（一）教师不恰当的课堂表现

1. 不能控制自己的情绪。（例如：大叫、丢课本、使用语言攻击等）

2. 恶言相向。（例如："你像只猴子，给我坐好！"）

3. 侮辱学生的人格。（例如："你除了懒惰，一无是处。"）

4. 粗暴。（例如："你给我闭嘴！"）

5. 过度反应，小题大做。（例如：小丽不小心将课本掉在了地上，教师便说："你怎么连这么点事都做不好。"）

6. 表现冷酷。（例如："小铭，记住今天的作业，你的脑袋常有问题。"）

7. 杀一儆百。（例如："因为上课有人不专心听讲，所以我今天多布置十题作业。"）

8. 恐吓。（例如："如果再让我听到一点声音，我就叫你们绕操场跑三圈。"）

9. 唠唠叨叨。（例如："我注意到有人把垃圾筒当作球篮，你们投篮可以到篮球场上去，但在教室里……"等等）

10. 咄咄逼人。（例如："你在做什么？你为什么这样做？难道你不知道这样做错了吗？立即给我道歉！"）

11. 制订专断的规则。（例如：在制订课堂常规时不让学生参与或讨论）

（二）教师恰当的课堂表现

1. 接纳情感。（例如："我知道你很气愤，因为你下课后要补做作业。"）

2. 指出情境。（例如："我看见你抽屉里全是散乱的书籍，你应该把它们整理一下。"）

3. 邀请学生合作。（例如："让我们安静下来，好看录像。"）

4. 要求简明扼要。（例如："我们不应该丢纸屑。"）

5. 不跟学生争论。（例如：教师坚持一项决定，但仍保留足够的改变决定的弹性，和学生争论往往无济于事。）

6. 以身作则。

7. 反对暴力行为。（例如："在班级里我们只能动口不能动手。我们不要打人或踢人。"）

8. 不侮辱学生。（例如：一位学生打断教师的对话，教师应该说："对不起，等我谈完话会立刻跟你谈。"）

9. 把焦点集中于解决问题的方法。（例如："我看到操场上有缺乏体育精神的表现，我们该如何做。"）

10. 给学生面子。（例如："你可以坐在你的位子上，安静地做作业，或者你可以到教室后面独自一个人做。"）

11. 让学生自己制定标准。（例如："当我们使用电脑时，我们要记得什么？"）

12. 教师表现出乐于助人。（例如：小亮说："小波和小星欺负我。"教师说："你看起来很难过，我该怎么帮助你？"）

13. 降低冲突。（例如：学生说："作业太难了，我不做了。"教师说："你觉得作业太难，你愿意我和你一起做几题吗？"）

季洛特强调教师必须正确对待和处理学生的情绪，以自身的言行为学生提供良好的示范。季洛特提醒教师要充分认识到，学生是人，教师必须能以己度人，随时提供给学生选择的机会，表现出乐于助人的态度，能充分地和学生合作。

第二节　团体动力课堂管理策略

团体动力（Group Dynamics）策略是由美国学者雷德（Fritz Redl）与华顿伯格（William W. Wattenberg）二人最早提出的，他们二人研究分析了课堂中影响行为的心理与社会力量，提出了运用团体动力的觉察来加强课堂管理的策略。他们认为，动机是行为冲突背后的基本原因，一个人外显的行为总是根植于相应的内在动机，了解学生的动机，课堂的控制就成功了一半。

一、课堂上学生在团体活动中的角色特征

行为与冲突背后的基本原因是动机，了解学生的动机，教师的课堂控制就成功了一半。教师必须清楚地认识到，一个人外显的行为表现常常是根植于一些相对应的内在需要的，同时，教师必须了解，现在的学生常常处于一种个人需要与社会期待之间难以兼顾的局面。然而，因为目前班级授课制是最主要的教学组织形式，课堂教学中教师面对的是学生团体，因此，教师很难有机会单纯从学生个人角度去处理学生的行为，他们必须从团体的角度来看学生。一个人在团体中所表现的行为可能与个人独处时的行为不一样。这意味着教师不仅要对学生个别的行为有敏锐的观察力，对学生团体行为也要注意观察。

雷德与华顿伯格将团体视为一个有机体。"一个团体创造出一些条件，让其成员照章行事；同时，这些成员的行为方式，也会影响到整个

团体。"① 换言之，团体的期待会强烈地影响学生个人行为，而学生个人行为也会反过来影响团体。教师必须觉察到团体行为的特征，充分了解学生在团体中的角色，因为有些学生在团体中所扮演的角色往往容易在课堂上制造问题。

（一）领袖

学生团体中的领袖往往具有一些独特的人格。他们一般在智力、责任心、社交技术、家庭经济水平等方面有较之普通学生更出色的表现，而且他们大都平易近人，并能反映出这个团体的一些典型特征。几乎在任何团体中都可以找到这样一个领袖的角色，而不同的团体，因为目的、组织，以及活动不同，领袖的角色特征也有差异。即便是在同一个团体中，因活动性质的不同也会选出不同的带头者。作为教师所必须了解的是，教师所指定的班长和学生团体中的领袖有时并不一定吻合，如果是这样，课堂管理中就容易出现问题。

（二）活宝

活宝在班上所扮演的角色主要是取悦别人。学生采取这样的角色行为，有时主要是为了遮蔽自己的自卑感，即学生宁可自己被别人取笑也不愿被别人识破自己的不足。活宝的出现在班级团体中有利有弊。当学生们感到焦虑、受挫或需要纾解紧张情绪时，活宝滑稽的行为对师生双方都有益处。但是，有时教师们也应注意，学生会用各种滑稽古怪的动作表示对教师的不满。

（三）"英雄"

"英雄"是指在学生团体中利用受罚的机会，建立其在班级中的地位的人。这些学生会故意扰乱课堂秩序，使教师惩罚他们，以博取其英

---

① REDL F，WATTENBERG W. Mental hygiene in teaching ［M］. New York：Harcourt, Brace and World, 1959：276.

雄形象。教师对学生的这类行为应有所觉察，以避免受到学生的影响。

（四）鼓动者

学生团体中鼓动者的行为特征往往是在课堂上制造麻烦、煽风点火，但自己却巧妙地隐藏在幕后。他们为了解决自己的内心冲突，常常指使别的学生违反纪律，干扰课堂教学。有时他们甚至觉得由于他们的鼓动会使那些被教唆的学生成为英雄。教师必须认真地了解课堂上学生不良行为出现的原因，注意观察是否有这类学生隐藏其中。由于鼓动者通常躲在暗处，教师应在课堂上预先警告或提示学生，增加学生的免疫力或抵抗力。

以上这些班级团体中的个人角色都传达了这样一些重要的信息，即学生扮演这些角色有可能表露出其个人强烈的需求，也可能是团体投射出的共同需求或期待。凭借所扮演的角色，学生可在班级中找到属于自己的位置。

二、团体动力

团体会创造出自己的心理动力，并强烈地影响其成员的行为。这种心理动力也可称为"团体动力"，它主要是指影响团体中个人行为的心理力量。这股力量隐藏在团体行为的"密码"背后，不时在课堂教学中制造困扰，如促进课堂教学中不良行为的蔓延，破坏课堂的凝聚力等。而当团体行为的密码与教师的密码差异很大时，师生之间的冲突就产生了。尽管在师生冲突面前，教师因其特殊的地位和特有的权力，总是占据上风，但团体的心理力量仍会以其隐蔽的方式在课堂中蔓延，时时与教师的行为相抵触。雷德与华顿伯格认为有些团体动力会在班级中制造困扰。

（一）蔓延作用

课堂中的不良行为，有时会像瘟疫般在班级里传染开来，即课堂上有一位学生违反课堂规则，其他学生也会效仿。而一旦有部分学生在课堂上出现不良行为，课堂秩序必然十分混乱。教师在处理学生的不良行为之前，应该预测学生不良行为扩散的速度和势头。如果学生不良行为扩散的可能性很大，教师就必须当机立断，将学生的不良行为强行压制在萌芽中；如果学生不良行为扩散的可能性较小，则教师可以视而不见，或提出建议，要求学生产生正确的行为等。

为防患于未然，教师应多注意课堂上不良行为发生的原因，如座位安排不当、教学缺乏目标、学生态度不佳等。从积极的方面看，学生好的行为也会扩散。因此，教师们也可以多鼓励、多增强、多肯定学生良好的行为。

（二）推卸责任

推卸责任是指团体将过错加在无辜的学生身上，让其成为"替罪羊"。一般而言，学生团体会在其班级成员中选择一个胆小、懦弱的学生当作戏弄的目标。推卸责任的行为无论对谁都会产生许多令人不快的后果，因此教师们不能掉以轻心，遭遇这种情况时，必须立即处置。

（三）教师的宠儿

如果学生们相信教师对某人或某些小团体里面的人偏心，就会产生嫉妒和愤怒的情绪或感受。这些情绪会使学生对教师的"宠儿"产生敌意，甚至对教师也会同样产生敌意。因此，当教师要特别照顾某位同学时，应特别注意这种照顾只是一种专业性的协助，它必须看起来是公平无私而必要的。

（四）陌生人

课堂上偶尔会出现不速之客，而陌生人的来临会引起学生在行为上的显著变化，或者引起师生心情上的波动。如果课堂上新来的人是新的同学，学生会向这位新同学介绍班级的规则，让该学生知道应采取什么样的行为方式。例如，如果这个班级的班风强调合作，他们会主动帮助他适应新班级。反之，这个学生恐怕会接受一连串的考验。他有可能会被拉到小团体里，成为这个小团体新的一员，也有可能被排斥。

如果课堂上的不速之客是成人，而且态度亲切和蔼，同学们大致上是支持、配合教师的。如果课堂上新来的人态度不好，同学们也许会鼓噪吵闹。教师最好能制定一套"标准"，在班级上遇到这种情况时，让同学们能依照标准行事。

教师们应该密切注意外人进入课堂时学生的反应，因为这种特殊的行为反应通常是了解班级潜在动机和情绪的最佳线索。

三、教师在课堂教学中的心理角色

学生对教师在课堂上的角色总有一定的期望，他们把教师看成是具有不同心理角色的人。而学生对教师角色的认识会影响课堂中学生的个人行为和团体行为。一般而言，教师对于自己在课堂中选择哪种角色会有特定的取向。如果教师选择的角色符合学生的实际，满足学生的期待，学生就会全身心地投入课堂活动，团体动力就会朝和谐的方向发展，并对团体产生积极的影响，课堂管理会变得顺利而积极。

不管学生是否喜欢，教师具有多重角色与多重形象。具体如下：

教师的多重角色：

1. 社会表征：老师代表着社会上典型的价值观、道德观，以及思维榜样。

2. 裁判：老师能评定学生的行为、操行、功课及进步情形。

3. 知识的来源：老师的知识的主要来源，是获得信息的源头活水。

4. 学习的助手：老师指引学生学习的方向，传道、授业、解惑。

5. 调解者：当争端出现时，教师充当调解人。

6. 侦探：教师在教室内维持安定，侦察异样，公布结果。

7. 示范者：教师之身教，如习惯、举止、价值观及信念等，都是学生模仿的对象。

8. 保姆：老师凭借维持行为的标准、稳定的环境、规律的作息，使学生降低焦虑，且免于危险与威胁。

9. 自我支持者：老师凭借建立学生的自信心、正面的自我形象，而支持学生的自我发展。

10. 团体领袖：教师促进团体和谐团结，并发挥团体的功能。

11. 代理家长：教师也是学生保护、认可、情感及忠告的来源。

12. 敌意的目标：当学生的愤怒无处发泄时，教师即有可能成为泄愤的替代目标。

13. 亦师亦友：教师可以是学生倾诉及交心的对象。

14. 偶像：教师常常会是学生崇拜、仰慕的对象。

四、课堂偶发事件的处理

课堂教学中，经常会出现一些突发事件。面对课堂上的突发状况，雷德和华顿伯格建议教师可以采用"诊断性思考"策略来处理。教师的诊断性思考可以使其认识到团体的心理力量对团体行为的影响，进而提高课堂管理的效率。诊断性思考的具体做法如下。

（一）重视第一预感

当课堂上的偶发事件出现时，教师要很自然的形成一种对这一事件潜在原因的第一预感。这种预感并非来自于对特殊信息的分析，而是单纯的对事件本身的感觉。

（二）收集材料

课堂上出现偶发事件后，教师要注意，有没有学生倒地不起？有没有人指桑骂槐，彼此叫骂？有没有东西被打碎？在这些收集到的情况里，教师还要加上对事件背后隐藏的因素的研究。所谓隐藏因素，是指发生事件的学生的背景资料，对其心理、道德发展的了解，或对该事件起因的了解等。

当教师认为自己已确实了解了偶发事件的事实、动机及隐藏的因素后，就可以采取具体行动了。由于教师根据自己的预感和收集到的材料做出的解决问题的决策具有不确定性，因此诊断性思考的实施必须保持弹性，即教师要根据解决方式实施的结果，不断调整对策。正如雷德和华顿伯格所建议的：感觉是非常重要的。但老师不能只凭自己的感觉，更重要的是设身处地地站在学生的立场上去感觉，再依此修改自己的行动对策。

五、团体动力策略实施的基本步骤

每一位教师都有独特的一套维持课堂秩序的管理方法。课堂内的偶发事件要求教师有及时的纠正行动，教师常常根据当时的实际情况，有的人大声嘶喊，有的人把学生支开教室，有的人转移学生的行为，也有的人对学生的不良行为视而不见。这些方法有的效果好，有的效果不好。雷德和华顿伯格建议教师在采取行动之前，可飞快地问自己以下几个问题。

- 学生这些不良行为背后的动机是什么？
- 班级其他同学的反应如何？
- 这些不良行为和师生关系互动情形如何？
- 当教师下达纠正不良行为的命令时，学生会有什么可能的反应？

● 纠正之后对学生未来的行为有何影响？

这些问题的答案，可以帮助教师明确两方面的事情：其一，这位教师对偶发情境的掌握相当清楚；其二，教师能够选择正确的技术，对学生的不良行为会产生正面的影响。雷德和华顿伯格列举了四类可供教师选择的课堂管理的策略——支持自我控制、提供情境协助、评价现实、诉诸"痛乐原则"。

（一）支持自我控制

大多数学生在大多数时间，都希望能以端正的行为、合宜的举止得到老师的称赞。学生违反规定，犯了错误，并不是因为他们愿意接受教师的惩罚。当学生在课堂上出现不良行为，大多数是因为缺乏自我控制能力。在这种情况下，教师采取的最佳纠正技术就是帮助学生找回控制自己的能力。

支持自我控制的技术主张不要采用暴力、强迫、惩罚的手段来对待学生，教师应该协助学生自己帮助自己。具体有五种支持自我控制的小方法。

1. 传递信息

这个方法是教师传达他对学生正在进行中的行为有不同意见的信息。例如，使用眼神的接触、摇头等。这些肢体语言的传达，在不良行为出现的初始阶段使用最有效。

2. 趋近控制

如果教师通过传递信息的方式不能制止学生的不良行为，教师可以靠近违规行为学生的周围，这一举动传达的信息是老师很在意他并且想帮助他。教师这样的做法可以迫使学生收敛自己的行为，把注意力转回到自我控制上来。通常这样就有效了，不过有时候友善地拍拍学生的肩膀或头顶也是有必要的。

3. 表示兴趣

有时课堂上学生的行为失控是因为他对学习没有兴趣。教师这时候的做法是靠近学生，表示兴趣。例如，老师对一位学生说："我看你已经写完前五题了，我敢保证下课之前你一定能写完其他的部分。"

4. 幽默

通过幽默，可以使学生觉察到自己的行为不恰当。但教师的这种幽默必须是如和风煦日，且面带微笑。例如，"老天，那么多唧唧喳喳的声音，我几乎感觉不到我在教室里。"当然，这里面不能冷嘲热讽，那不是支持性的手段。

5. 视而不见

有时候，"视而不见"也是一种很有用的支持性手段，尤其学生在考验或试探教师的反应时，"视而不见"很有效。不过有的时候，其他学生发现老师对不良的行为视而不见，也会模仿，因此，教师必须让学生清楚地知道，他们对不良行为的忽视是用心良苦，否则学生会解释成优柔寡断。

支持自我控制的手段是有效用的，但也是有缺陷的。在学生问题出现的早期，这些方法能避开惩罚，而且让学生有机会去控制自己的行为。但要注意的是，这些技术只有在问题行为是轻微的，而且刚刚开始时效果显著。如果支持性手段无法将老师的信息传出去，则可以采取其他策略。

（二）提供情境协助

当学生的不良行为强烈到自己无法控制的程度时，教师必须介入并协助学生遵守常规。具体的策略有以下几种。

1. 跨越障碍

如教师布置了几道数学作业题，有人搞不清楚要做什么，她回过头问其他同学。在这种情况下，教师只要帮助她跨越障碍就可以了，不必因为她讲话、不做功课而责罚她。

2. 调整进度

王老师班上的学生刚刚才打完一场激烈的排球赛。他知道这时候要学生安静下来学数学是很困难的。他把教学进度调整一下，他决定用球赛的分数来解决一些计算上的问题。当行为问题是起因于坐立不安或过度兴奋时，教师必须确认原因何在，也许是学生坐得太久，或是短时间内进行了太激烈的活动。教师不妨调整一下进度，休息一下，换个活动方式。

3. 固定的进度

缺乏稳定的进度常常会让学生搞不清楚什么时候应该学什么东西，一旦进度固定即可增加课程的稳定性与可预测性。

4. 隔离

如果有一个学生突然失去控制，扰乱了其他同学，教师可以考虑将这名学生"隔离"。例如，小军在座位旁走来走去，不肯坐下听课。教师拉着他的手到教室后面，告诉他："当你决定你要好好坐着听课时，你就可以回到自己的座位上"。教师应以一种非惩罚的方式来处理学生。教师还应注意，学生一旦能够控制自己，就立即停止"隔离"。当有学生被隔离后，教师还应在课后找学生谈谈，了解他行为背后的动机。

学生在课堂上发生的偶发事件往往会使学生暂时失去控制。在这种情况下，教师不一定要采取惩罚的方式来解决，事实上，惩罚只会加剧问题的严重性。相反，教师应该创设一定的情境，帮助学生培养其自我控制的能力。

（三）评价现实

课堂上，学生的不良行为时有发生，究其原因，有时是因为学生一时失去控制导致的，有时是因为学生的天真或无知形成的，有时甚至连学生自己都不清楚不良行为正在发生。作为教师，应该帮助学生审视问题情境，了解行为背后的潜在原因，分析可能产生的行为后果。学生出现不良行为后，教师要对学生的行为进行现实评价，教师要明确地指出为什么这一行为不好，并列举不良行为和结果之间的密切联系。教师在进行现实评价时，应给出评语。教师的评语应是支持性的而不是攻击性的，要有利于鼓舞学生的士气，绝不可以攻击学生，侮辱学生或伤害学生的自尊心。通过教师对不良行为的现实评价，学生能明白在课堂上哪些行为是不可接受的，为什么不能接受，出现这些行为后会有什么不良后果，进而形成其新的价值判断。

（四）诉诸"痛乐原则"（Pain-pleasure principle）

如果上述策略都不能解决课堂中的不良行为问题，教师就可运用"痛乐原则"。这一原则不等同于惩罚，它注重运用学生不良行为所导致的"不愉快的结果"（unpleasant consequences）来管理课堂。教师运用"痛乐原则"，应简单明了地告诉学生其不良行为会带来的不愉快的结果，让学生知道，教师真心喜欢学生并且愿意帮助学生，使学生能认识到其行为的不良特性。因此，"痛乐原则"是一种不良行为之后必然会出现不愉快的结果，它不带有负面情绪，不会造成学生过度的恐惧等负面反应，相反能营造课堂中的安全气氛，协助学生发展其自我控制能力。

六、对教师的建议

团体动力策略建议教师在进行课堂管理时，应注意以下几点。

---

1. 教师应要求学生共同参与、决定课堂常规与学生行为的后果，教师要多倾听学生的心声。

2. 教师要随时随地关注学生的心理健康，在处理学生的不良行为问题时应让学生感受到教师对他们的爱。事后，还应告诉学生自己的心理感受。

3. 帮助学生，而不是伤害学生。要让学生了解，教师会全力支持他们的良好的行为表现。

4. 教师应尽量避免惩罚学生。

5. 教师应谨记：学生在课堂上出现不良行为，不是什么十分严重的问题。

6. 教师要客观地对待学生，要时常保持幽默。

7. 教师应认识到，学生和你一样都是人。

团体动力策略指出了学生在团体中和独处时的行为表现是不同的。教师应注意运用团体的心理动力，充分了解学生行为背后的动机，提高学生的自我控制能力，并形成有效的课堂管理的系统。

第三节　目标导向策略

目标导向（Goal Directed）策略是奥地利著名心理学家、行为学家德雷克斯（R. Drekurs）提出的。德雷克斯认为，"人的所有行为，包括不良行为，都受其内在需要所驱动，并尽力追求个人的社会认同"①。因此，所有的学生都需要被认同，学生如果得不到认同，他们的行为目标就会出现偏差。教师必须了解和正确处理学生的错误行为，认识到制定课堂常规的目的不是为了处罚学生，而是教导学生如何懂得自我约束，即教师要尽可能利用行为本身所产生的自然后果使学生从经验中体验行为与后果的关系，进而养成对自己行为负责的良好态度。

一、学生错误的行为目标

德雷克斯认为，学生是社会个体，具有强烈的归属需要，其所有的行为都反映了被接纳和重视的企图。同时，学生可以控制自己的行为，能自主选择好的行为或不良行为。而学生选择不良行为主要是因为他们选择了错误的行为目标，即他们错误地相信这些行为会使他们得到认同和重视。学生错误的行为目标依次为获得注意、寻求权力、寻求报复和表现无能。

（一）获得注意

学生如果发现在课堂教学中无法得到其所要的认同和重视时，他们就会怀疑自己的社会显著性，转而以不良行为来使自己获得别人的注意，并通过得到别人的注意来证明自己的被接纳或被认可。他们为了吸引老师的注意，就会扰乱课堂秩序或提出特别的需求，如大声喧哗，或问些不相干的问题，或持续要求教师的帮助，否则拒绝正常的课堂活动等。有些表现好的学生也可能特别想要引起老师的注意，只要得到老师的注意，他们就会表现得很好；如果教师忽视了学生这种"获得注意"的需求，这些学生就有可能会转而以较不被接纳的方式来引起教师或同学的注意。如果教师满足这类行为不良的学生的寻求，给他们以更多注

---

① DREIKURS R. Psychology in the Classroom: A Manual for teachers [M]. New York: Harper and Row, 1968.

意，结果并不能促进其行为的改进，反而会增强其需要注意的需求。

如果采取一些获得注意的行为并没有使学生得到教师的重视或认同，他们将会转到下一个错误的行为目标——寻求权力。

（二）寻求权力

学生的不良行为往往会引起教师的注意，并招致教师的处罚。而面对教师的处罚，学生会感到自尊心受到伤害，他们会觉得要获得他们想要的，唯一的方法就是对抗。他们会表现出争辩、反驳、说谎、发脾气和攻击等不良行为。如果教师为了维护自尊，以更加严厉的方式对待学生，强迫学生顺从，那么这正中学生"下怀"。因为这些学生在课堂上出现不良行为的目的是干扰教师，以获得教师的注意，至于他们本人从与教师的对抗中获得了什么，这并不重要。而教师对他们不良行为的反应，使他们达到目的了。课堂上，师生之间的权力对抗中，如果学生占优势，就会使学生更加确信权力的重要，其不良行为得到强化；如果教师占优势，学生就会怀恨在心，产生更严重的不良行为——寻求报复。

（三）寻求报复

如果学生前两种错误的行为目标没有实现，即他们没有获得他们所需求的社会地位，他们就会产生新的错误目标：只要我有能力去伤害别人，我的地位会因此变得更重要，伤害别人可以补偿受创的心灵。专注于寻求报复的学生心理上早已准备好接受处罚，他们常常会表现出凶恶的、粗暴的、残忍的行为。教师越处罚他们，越会增强他们的不良行为。他们认为自己制造的问题越大，就越能使自己受到重视，并认为被人讨厌就是胜利。

其实，这些学生在他们嚣张的行为下，隐藏的是他们深受挫败与气馁的心理感受。他们的行为只会使其受到更多的伤害，而且他们也会渐渐觉得自己的这些做法是毫无价值的，而一旦他们产生了这种想法，他们就会退缩到下一个错误的目标——表现无能。

（四）表现无能

学生因为种种不良行为受了惩罚，会感到气馁，觉得自己是无助的，认为自己是完全的失败者，没有必要再去尝试获得自己的社会地位。他们会拒绝或被动地参与课堂活动，不与任何人有互动，以在心理上退出或远离使其产生失败感的情境，维护自己残留的些微自尊。这些学生的错误想法是：如果别人相信我是无能的，就不会再管我了！有这种错误目标的学生，德雷克斯称他们为"装聋作哑"。而学生一旦产生这种错误目标，学生和教师就很难解决这些问题。

二、对课堂常规性质的认识

德雷克斯认为，课堂教学的顺利进行需要常规。教师们总有一个错误的观念：学生们不是循规蹈矩、表现良好，就是会爬到你头上去。因此，大多数教师认为常规是一种处罚的行动，当学生的行为出现偏差时，就可用常规来加以制止。而学生对常规也有刻板印象，他们通常认为常规是教师为了表现其权威而设定的专横的规则，或者认为常规是一大堆难以理解的复杂规定，甚至有些学生认为常规就是没有理由的处罚。有这些看法的学生会进而认为他们有理由去报复、反抗与攻击教师施加给他们的处罚。事实上，好的课堂常规不是处罚，处罚是一种外力加诸于身体的痛苦、羞辱等，处罚只能教人不要做什么，但不能教人要做什么。

德雷克斯指出，课堂常规背后的理念应是允许学生自由选择自己的行为，让他们完全了解选择什么行为将会跟随什么结果，即课堂意味着"给学生设定限制，直到他们自己能设定限制为止"。常规的运用应强调学生行为选择的自由和对行为结果的了解，学生良好的行为会带来奖赏，而不良的行为会招致不愉快的结果。教师应教导学生只有选择良好的行为方式，才能使个体被他人所接纳和认同，并因而接纳自己。

教师要教育学生自律，需要课堂上有一种积极的、正向接纳的气氛。教师要使学生时时感到教师喜欢并尊重他们，使学生了解教师希望他们能学到最好的，准许学生参与制定规则和结果的过程，使他们产生使命感和参与感，并认识为何常规的建立必须有诸多的限制。因此，教师在建立课堂常规时，应特别强调以下几点。

> 1. 学生要对自己的行为负责。
> 2. 学生必须尊重自己与他人。
> 3. 学生有责任去影响他人，使其表现适当的行为。
> 4. 学生有责任了解课堂上的常规。

三、教师的类型

德雷克斯根据教师在课堂教学中的不同行为表现形态，将教师区分为三种类型，即专制型、放任型与民主型。

（一）专制型教师

专制型教师会将其意念强加于学生身上，要求学生顺从自己，以证明其能够控制课堂。他们不是从内在引发学生遵从课堂常规的动机，而是以外在压力来要求学生的服从。学生对他们的顺从，会使他们产生优越感和权力感。而专制型教师的态度和方法并不能很好地解决问题，学生会对专制型的老师产生强烈的敌意，逐渐抗拒权威，争取"把人当人看"的民主气氛。

（二）放任型教师

放任型教师不以常规来约束学生的行为，能容忍学生的各种行为。这些教师使学生无法学到社会生活中所需要的规则，也无法认识到不遵守规则的后果，更学不到被接纳的行为是需要自律的。因为学生认为可以做任何想做的事，久而久之，当教师对课堂失去了控制之后，教师就会感到手足无措。事实上，课堂上学习行为的发生，必须有常规的支撑。学生需要教导，只要他们了解教师的教导并不是凡事强加于其身，并相信有人在倾听他们，他们就会乐于接受教师的教导。

（三）民主型教师

民主型教师，既不放任也不专制，他们通过建立课堂常规给学生提供稳定的指导与领导，从内在引发学生的动机。民主型教师既维持课堂秩序，也准许学生参与做决定，使学生知道自由与责任是密不可分的。给予学生选择自己行为的自由，可以使学生学习到以适当的行为获得他们所要的东西。不能自律的学生如果不了解不当行为所招致的负向后果，选择了不良行为，教师就适当限制他们的选择。民主型教师知道，自由是不能脱离常规的，如果学生了解自己行为的后果，就会更自由地去选择自己所要的行为。

民主型教师最能有效地建立课堂常规。他们制定课堂常规的主要目的是指导学生建立内在的控制，使他们选择适合于其最大利益的行为；教导学生自律，以使教师免于经常要改正他们的行为。

德雷克斯认为民主型课堂的建立需要下列的主要因素。

建立民主型课堂的主要因素：

1. 秩序。

2. 限制。

3. 坚定与亲切。坚定显示教师尊重自己，亲切则显示教师尊重他人。

4. 学生参与制定与维持课堂常规。

5. 教师适当的领导。

6. 师生合作——消除师生之间的争斗。

---

7. 对团体的归属感。

8. 学生能凭借了解行为的责任与结果, 自由去探究、发现和选择可接纳的行为。

四、教师对学生错误的行为目标的处理策略

德雷克斯强调, 课堂上学生的不良行为是由于学生的错误目标导致的, 因此课题管理的重点在于学生的错误目标, 教师的处理策略可分为以下三个步骤。

(一) 确认学生的错误目标

课堂上学生的不良行为是由错误目标所引起的, 因而教师在处理过程中的第一步就是确认学生的错误目标属于哪一种。有两种方法可以帮助教师找出学生的错误目标。

方法一: 教师记录下自己对学生不良行为所产生的反应, 根据这些反应确认学生有哪些类型的期待。如果学生的不良行为使教师感到烦恼, 则显示这一行为是学生企图获得注意的行为。如果学生的不良行为使教师感到受到威胁, 这就是学生寻求权力的行为。如果学生的不良行为使教师感到受到伤害, 这就是报复。如果学生的不良行为使教师产生无力感, 则显示学生想表现无能。

方法二: 观察学生对于教师纠正其行为的反应。如果学生在教师制止他的行为后, 停止了不良行为, 但很快又重复其不良行为, 则学生的错误目标是获得注意。如果学生在教师制止他的不良行为后, 拒绝停止其不良行为或反而增强其不良行为, 则学生的错误目标是寻求权力。如果学生在教师对他们的不良行为有反应后, 变得敌视或有暴力行为, 则他的错误目标是寻求报复。如果学生拒绝参与课堂活动, 拒绝合作, 拒绝师生互动, 则可能是表现无能。

（二）教师向学生解释错误目标及相应的错误逻辑

教师确认学生的错误目标后，就要向学生解释其目标的错误，并且与学生讨论其中隐含的错误逻辑。教师可以采取友好的、温和的方式，向学生提出一系列的问题，使学生在思考这些问题时，能检视其行为背后的目的。

德雷克斯要求教师依次询问学生下面几个问题，观察学生对哪一种错误目标有反应。

1. 是不是你想要我注意你呢？
2. 是不是你想要证明没有人能指使你？
3. 是不是你想要伤害我或伤害别人？
4. 是不是你想要我相信你是不能做任何事的？

教师对学生提出的这些问题，既可以探究学生的错误目标，使学生认识到其行为背后的动机，更重要的是，可以引发教师与学生之间的沟通，可以消除学生激怒教师的兴趣，改善学生的行为，可以解除学生主动闹事的权力，而使教师能以实际行动来改变学生的行为。

（三）帮助学生改变其错误目标，引发学生新的建设性行为

当教师了解了学生行为的错误目标后，就可以采取行动，纠正学生的错误目标。具体做法如下。

1. "获得注意"目标的纠正

当教师发现学生正在追求"获得注意"的错误目标时，通常的反应是：要么继续注意学生，要么就是忽视不管，拒绝给予学生注意或帮助。一般而言，寻求注意的学生是无法容忍被忽视的，只要别人能够注意他们，他们宁可被惩罚、轻视或羞辱。所以这类学生就会制造出许多

引人注意的举止。如果教师察觉不到学生的意图，处罚、责骂学生，就增强了其获得注意的需求。因此，当教师觉察到学生正过度地要求获得注意时，就应该坚决地忽视其所有这些行为。如果教师这样做了，学生无法从该行为中获得所需要的注意，就会被迫去寻找获得肯定的新途径。当然，教师也应该尽量在学生没要求注意时给予注意，这样可以鼓励学生在课堂教学中产生内在的学习动机，以此获得其应有的地位，而不依赖外来的注意来实现自己的目的。

但当学生的有些行为已经干扰了正常的课堂教学，教师就不能忽视了。教师必须以非奖赏的方式对这些予以注意。教师可以不加批判地叫学生的名字并注视他，或教师可以不带怒色地描述学生的行为。例如，教师可以说，"我看见你写完作业"。此外，教师还可以直接指出学生的错误目标，如问道，"你想要我在剩下的时间里注意你多少次？"学生通常回答不出，然后教师再问，"注意你十五次，够吗？"这有些夸张，当学生行为一有偏差时，教师就说，"××，第一次""××，第二次"，等等，教师不批评学生的行为也不责骂学生，××得到了他所需要的注意，但他知道教师正在观察他的行为而不是容忍他。

教师要鼓励学生以良好的行为来寻求注意，学生就会知道可用好的努力与成就来获得教师的认可，这会使他们感到荣幸。而学校中所教的最有价值的课程之一，就是让学生认识到学习是为了自我满足。

实例：

课堂上，李老师要求全班学生独自完成课堂作业。但每隔几分钟，小芳就举手要求老师来看一下，她希望李老师告知：是否该把题目编号？是否要把名字写在习题纸上？这样做对不对？李老师非常生气，她必须一次次地向小芳说明这些问题。最后她告诉小芳，她将在全班再讲一次课堂作业的要求，如果小芳还不了解，就必须等到下课后再问。然后李老师就完全无视小芳的求助。但当她看到小芳不再依赖老师而能独立做作业时，就立即给予她赞赏。

　　小芳的例子是"获得注意"行为的实例。对于这类行为,教师的最初反应往往是生气,但李老师后来很好地处理了这一问题,她忽视小芳要求注意的目的,增强其独立完成作业的能力。通过李老师的这一处理方式,小芳学习到了在做课堂作业时,什么样的行为是正确的,并知道正确行为的结果是什么。

　　2. "寻求权力"目标的纠正

　　大多数教师对于学生"寻求权力"的行为的反应往往是感觉受到威胁,于是会采取行动,制止学生的行为,运用权力使学生顺从。而教师的制止与胜利让学生变得更加充满敌意,并且加倍反抗或企图报复教师。德雷克斯提出,教师不需要与学生争斗,也不需要让步,面对学生的"寻求权力"的行为时,教师应这样做:

　　首先,"不卷入与学生的权力争斗",不要试图以权威的身份压制学生。如果教师不与这些学生"战斗",学生就无法达到"寻求权力"的目标。教师可以开诚布公地对违规学生和全班同学指出他已经知道有人需要权力,有效的方法之一就是停下全班的课堂活动,让大家等待捣乱行为的停止。这样一来违规学生就不是单纯地与教师发生冲突了,他影响了全班学生,会受到全班同学的指责。

　　其次,教师可以让这些学生参与决策或赋予他们一定的责任,改变他们追求权力的方向。教师可把学生带到一旁说,"体育课时你说的话非常有运动员风度,别人都很尊敬你,你认为你能做个好榜样吗?"或者在相同的情境里,老师可以说,"我有个疑问,和我听到的话有关,你认为我该怎么办?"这样子,老师承认该学生已经有了权力,但要拒绝卷入与学生的冲突。

　　再次,教师可以公开地质问学生的不良行为,并要求该学生提出解决问题的方法。当课堂上出现学生扰乱秩序的行为时,教师可以说,"在你捣蛋时,我无法继续进行教学,你能不能想出一个办法可让你做想做的事,而我也能继续教下去?"如果学生想不出办法,教师就可提出一些建议。

重要的是，教师不要以权威自居，只有教师心平气和地对待学生，才能减弱学生的气焰。因为学生与教师争斗的目的是为了得到一定的地位或认可，如果教师避免与学生发生冲突，结果学生不能与自己作权力争斗，他们的寻求权力的行为就会消失。

实例：

化学实验课，小明和其他学生在实验仪器附近扭打，他们知道这是违反规定的，而且一定会受到教师的处罚。当张老师走近他们，要求他们停止做实验，离开实验室时，小明拒绝了。张老师本想强拉他出去，但却没有这么做。他走到教室前，要全班同学放下手中的实验，宣布要关闭实验室。他告诉学生们：因为小明在实验室打架，十分危险，而且不愿离开教室，所以实验课无法继续上了。学生们瞪着小明，等他离开。小明很快选择了离开实验室。

这是"寻求权力"行为的实例。张老师最初的反应是感到权威受到威胁，想要与小明进行权力战争。但后来，张老师不愿被卷入战斗中，他坦然地对全班承认小明得到了权力，阻碍了课堂的顺利进行。小明因为找不到人可以对抗，他的寻求权力行为就失败了。稍后，张老师在小明离开实验室几分钟后，要小明担任监督员，让他检视是否每个人都能安全地在做实验，赋予他一定的权威身份，使小明对权力的需求得到建设性的满足。

3. "寻求报复"目标的纠正

报复的目标与寻求权力的目标联系紧密，有些学生认为他们可以做任何自己想做的事，并认为凡是制止他行为的任何人就是敌人。这些学生不在乎被惩罚，因为惩罚能提供他们进行报复的理由，他们已经伤害了自己，所以他们觉得伤害别人也是理所当然，因此这类学生一般很难处置，教师也很难照顾想要伤害他们的学生。但事实上，这些学生最需要的是了解和接纳，教师应该尽量满足学生的需要，并要求全班同学支持与鼓励这些学生。教师可以在班级中选出一位品学兼优的学生去和这类学生建立友谊，并协助其发展出良好的行为。同时，教师也可以塑造一定的情境，使想实施报复的学生有展现其才华或长处的机会，说服他们，让他们以良好的表现在班上获得别人的接纳与其想得到的地位。

当然，教师要求全班同学帮助这些行为有偏差的学生是件难事，因为寻求报复的学生常伤害他人，并在最初会拒绝别人所给予的帮助。教师必须鼓励并说服其他学生，让他们了解任何学生都害怕被大家所讨厌，帮助、接纳他人是一种美德，而帮助他人并不是一帆风顺的，有时会有代价，大家应能够持之以恒。

实例：

美术课，王老师从家里带了十几本画册给学生看，田田拿了一本正在看着，丹丹跑上前来抢走画册，说她想要第一个看这本书。王老师把画册还给田田并叫丹丹到教室后面坐着看其他书。下课后，当王老师收画册时，发现那本引起争执的画册已被撕破，她对丹丹的行为感到震惊、气愤并感到受到了伤害。王老师处罚了丹丹，所以丹丹报复了王老师，而丹丹的报复伤害了王老师，这正是丹丹想要的。

其实，王老师可以把这一问题处理得更好，她可以建议田田和丹丹坐下来一起读这本画册。这样一来丹丹就能在田田面前表现出她的艺术才能，而田田也可与丹丹共同分享读书的乐趣，如此一来，丹丹就有机会觉得自己正在被他人接纳。

4. "表现无能"目标的纠正

在课堂上，学生出现"表现无能"的行为往往有下列原因：

- 野心太大，无法达成自己的目标，因此认为如果不能做得最好，就不必再做任何努力。

- 竞争心太强烈，认为无法和别人做得一样好，因此会从任何有比较的情境中退出。
- 处于过多压力之下，认为自己不够好，无法达到别人的希望，因此拒绝遵从任何人的期望。

追求"表现无能"的学生，往往觉得自己是个失败者，毫无价值和能力。他们不想让别人发现自己的"无能"，他们希望教师相信他们是没有救了，不要再去管他们。但教师不应该放弃这些学生，即使这些学生所付出的是最小的努力并忽视教师的要求，也要给予他们鼓励和支持。尤其是当这些学生犯错误时，最需要鼓励，教师更该重视他们的努力，而不要仅仅强调他们努力的结果。因此，教师要与其他同学一起尽一切努力来使他们体验成功的感觉。

教师应该常常检视自己对这类学生的反应。教师对学生任何挫败、挫折的指责，都会增强学生的无价值感，也增强其表现无能的欲望。教师一定要帮助学生认清这样一个事实，即：一次小失败并不意味着学生永远是失败者。

实例：

齐老师布置全班学生写命题作文。除了小强瞪着空白作文本，一动不动，所有的学生都在奋笔疾书。于是齐老师走过来对他说："小强，你可以先把名字写在作文本上。"小强并没有拿起笔，还是继续凝视空白的作文本。齐老师感到很失望，他不想再劝小强写，心想：好，你不想写，我也不想在你身上浪费我的时间。但是，他改口说："有时写作文之前需要时间思考，我知道你准备好后就会开始写的。"

小强要教师知道他的"表现无能"的目标。如果想要得到别人的注意，就必然会对教师的言行有反应，但他却表现出好像教师不存在，并希望教师走开。齐老师并没有如小强所愿，放弃对小强的教育，他反而给予他鼓励，并让小强知道，他对他做作业的能力是有信心的。

五、运用自然后果管理学生

课堂教学过程中，学生的不良行为会时有发生。德雷克斯建议通过行为的自然结果来制止学生的不良行为，培养学生的良好行为。行为的自然结果即紧随着某一特定行为而出现的后果，自然结果由老师来指定。行为的自然结果与惩罚不同。惩罚是教师对不良行为学生所采取的报复行为，目的是显示自己的"权威"。教师的惩罚往往会招致学生的怨恨、反抗和敌意，引起学生的报复，并且使学生感觉到他们有权力报复教师的行为。自然结果是紧随在行为后的自然与必然后果，绝非教师使用的武器。它会使学生知道所有行为都会导致与之相一致的后果：好行为能带来奖赏，而不被接受的行为则只能带来一些令人不愉快的结果。如果一位学生没有完成课堂作业，他将必须自己花时间补做完；如果一位学生将纸屑丢在地上，他将必须捡起。教师必须让学生自己解释、了解与决定行为的自然结果，如果教师在师生发生冲突后向学生施加自然结果，这就是惩罚。因此，教师应该制定有效的课堂常规，并严格遵守课堂常规来管理学生。

课堂上，教师运用自然结果管理学生，必须持之以恒才能有效。如果教师只在心情不好时才使用，或只对某些学生使用自然结果，学生就无从知道不良行为总是会带来令人不快的结果。他们会继续违反常规，并且侥幸地认为自己可以逃脱不快的结果。教师要让学生相信，只要学生选择了偏差行为，就必须接受不愉快的结果。学生们必须自己仔细考虑，采取这样的偏差行为是否值得。教师运用自然结果，可以让学生自由选择在课堂上应采取什么行为，培养学生自我控制的能力，并且知道教师尊重他们自己做决定的能力，了解到"不好的选择必然招致令人不快的结果"。

自然结果强调"结果"应该尽可能与不良行为有密切的关联，学生才能知道两者之间的关系。

例如：

- 损坏学校财物的学生，必须赔偿。
- 作业没有完成的学生，必须在放学后完成。
- 休息时间打闹的学生，就没有休息的权利。
- 对别人捣蛋的学生就必须被团体孤立。

但当教师施用自然结果时，应该心平气和地引导学生认识行为和结果之间的关系，不要表现愤怒或胜利。例如，学生课堂作业没有做，教师可以平静地说："课堂上，你选择了说话而没有选择做数学作业，下课后你一定要把数学作业做完。"即当学生选择了不良行为，就必须选择承受不良行为的结果。

六、教师的鼓励与称赞

传统上，当教师面对学生的不良行为时，常常使用威胁、羞辱和处罚等令人不愉快的方式处理学生，甚至有些教师在课堂教学中等待学生不良行为的出现，好处罚学生。这样做的结果往往会造成学生的愤恨、抵抗与敌意，实质上教师也并没有实施有效的课堂管理。德雷克斯认为，课堂管理是由教师给予学生一定的引导，帮助学生产生内在的控制力，教师应该采用新的方法来有效地控制课堂，而最佳的方法之一就是鼓励。预防学生的问题行为，鼓励与否是关键因素。通过教师的鼓励，可以使学生感觉到学习是有价值的，也能够帮助学生发展正向的自我概念。

鼓励可以是口头上，也可以是行为上的。教师的鼓励表达出教师相信、尊重学生的能力，并且使学生知道他们表现出来的行为是被接纳的。同时，教师的鼓励还能促使学生想成为班级团体活动中的积极参与者，帮助学生接纳自己，引发学生内在的动机，且让他们了解自己的长处与优点。当然，教师应该明了，鼓励要针对的是学生的努力，而不是成就。鼓励的目的是使学生有勇气去尝试，并接纳自己是不可能完美的。教师应不断地提醒自己：要找机会去肯定学生的努力，而不要太注意努力的结果。

　　称赞和鼓励不同。称赞是在学生将自己的事做到很好时才给予。称赞会使学生形成这样一个观念，即除非某一行为结果获得称赞，否则是毫无价值的。学生从教师的称赞中学到的是要从外在寻找行为的动机，而不会学到为了自我满足而行动。称赞会助长学生在行为时总是询问"我的行为可以得到什么?"以下有些例子可表现出称赞与鼓励间的差异：

称　赞	鼓　励
课堂作业做完了，你真是个乖孩子!	我可以感觉到你做得好认真。
对你们在课堂中的表现我感到高兴!	一起参加课堂活动的感觉真好!
你吉他弹得好棒!	我发现你真正地喜欢弹吉他。

　　德雷克斯提出，教师在鼓励学生时，应注意以下几点。

---

　　1. 多给学生正向的建议，避免负向的建议。

　　2. 鼓励学生要努力追求进步，而不是追求完美。

　　3. 鼓励学生的努力。如果学生正在尝试克服困难，不要太在意努力的结果。

　　4. 鼓励时应强调学生的优点，而将"缺点"减到最小。

　　5. 教导学生要从错误中学习，强调错误并非失败。

　　6. 刺激学生内在的动机，而不从外在施加压力。

　　7. 鼓励学生要独立。

　　8. 让学生知道你对他们的能力是有信心的。

　　9. 提供援助帮助学生克服障碍。

　　10. 鼓励学生帮助有困难的同学。

11. 发给学生带回家的联络簿要求家长多记正向的事，尤其要记下学生努力的情形。

12. 对学生的工作表示骄傲，并将之展示给其他学生观摩。

13. 要乐观与热诚——这是有传染力的。

14. 尝试去准备可保证所有学生都成功的学习情境。

15. 经常说些鼓励性的话，比如：

（1）你已进步了！

（2）我能帮助你吗？

（3）从那个错误中你得到什么教训？

（4）我知道你能做得到。

（5）继续试试看！

（6）我知道你能解答这个问题，但若你认为你需要帮助……

（7）我了解你的感受为何，但我确信你能处理它。

同时，德雷克斯也提出，教师在运用鼓励时也有一些陷阱。他提醒教师不应该做如下的事情。

1. 鼓励学生与他人做竞争或比较。

2. 指出学生能够变得多么好。

3. 使用"但是"的叙述，例如，"我对你的进步感到高兴，但是……"

4. 使用这类的话，"是时候了"。

5. 放弃不反应的学生。

七、教师该做与不该做的事①

德雷克斯认为，课堂常规主要指教师要帮助学生产生自我控制能力，而不是施加压力或在师生冲突时限制学生的行为。有效的课堂常规能促进学生的合作，使学生产生归属感。要想达到以上目的，德雷克斯建议教师应做如下的事情。

> 1. 明确表示出教师期待学生表现的行为，要等到全班学生都注意力集中时才给予指示。
> 2. 尝试以信任和互相尊重为基础，与每一个学生建立联系。
> 3. 不用传统的处罚，而改用自然结果。结果必须与行为有直接的关系，也必须为学生们所了解。
> 4. 以恰当的角度来看学生的行为，这样可以避免小题大做。
> 5. 让学生对自己的行为与学习负责任。
> 6. 对待学生犹如对待与你社会地位相同的人。
> 7. 既仁慈又坚定。随时让学生感觉到你是一位朋友，但是你不接受某些行为。
> 8. 总是分清行为（事）与行为者（人）。即使学生做错事时，仍尊重他们。
> 9. 在教学开始就设定限制，防患于未然。但要努力去促成师生间的相互了解、责任感和相互体谅。
> 10. 说话要当真，要求愈简单愈好，切实执行。
> 11. 快速处理课堂中偶发事件，让学生知道错误改正后一切就过去了。

---

① DREIKURS R，GRUNWALD B，Pepper F. Maintaining sanity in the classroom ［M］. New York：Harper and Row，1982.

同时，德雷克斯也指出，教师在进行课堂管理时不该做的事如下。

---

1. 不该唠叨和责骂。因为这会增强学生追求错误的行为目标的动机。

2. 不该要求学生承诺任何事情，大部分学生为了逃脱不愉快情境都会承诺要改变，但这不过是浪费时间。

3. 不该对学生吹毛求疵。这会伤害他们的自尊，使他们气馁。

4. 不该采用双重标准——一种适用于自己，一种施于学生。

5. 不该使用威胁的方式作为管理学生的方法。虽然有些学生会被威吓，暂时顺从。但威胁无法改变学生的不良态度，因而没有持久的价值。

德雷克斯的"目标导向"策略可以使学生真正用心地去改变态度，这种方式通过让学生们自己选择自己的行为，培养他们自律的能力。德雷克斯认为他的取向偏重于民主，即老师和学生共同决策，建立课堂常规和奖惩的自然结果，而师生双方面都有责任去营造有助于学习的课堂气氛。为了实施民主式的课堂常规，德雷克斯希望教师们能多花时间和学生沟通，让他们知道一个人的行为、努力和所得到的结果是如何影响了自己和别人。

第四节　需求满足策略

需求满足策略是由美国心理学家格拉塞（William Glasser）提出的。格拉塞最早在精神病治疗中创立了"现实疗法"（Reality Therapy），后来他又将这一心理治疗方法运用于儿童的行为问题研究。在 20 世纪 60 年代后，这一策略推广到部分学校，并形成了具有一定影响力的课堂管理策略。

一、学生的需求

长期以来，人们理所当然地认为学生应该背负追求成功的责任，但格拉塞在对待学生的学习活动这一问题上，却有不同的思考，即他注重什么因素可以促成课堂常规有效运作。格拉塞之所以从这一新的角度去思考问题，是因为他观察到：大多数的学生都很满意于低品质学习活动，甚至一点学习活动都没有才好。他指出，"我们中等学校的学生有一半的人对学校的学习感到索然无味，所以根本没有办法教他们什么"，还有"我相信（因为学生们的冷漠）我们与传统结构中的中学教育渐行渐远"。他认为，针对这些情况，我们必须找到一种有效的方法提高教学工作的效率和品质，因为事实表明：只有不超过 15% 的学生愿意认真学习。而要想解决这一问题，就要加强课堂管理，"只有如此，才能让大多数的人回到高品质的学习活动上：解决我们学校的沉疴痼疾，除此之外没有他途"[①]。他所建议的课堂管理的方式有：提供给学生鼓励与协助，刺激学生进行学习活动，凡事要考虑是否能满足学生的需求。如果根据这几点管理课堂，课程、教材或教学环境只需做少许更动，师生间的学习活动能够有大幅度的进展。

格拉塞认为世界上最困难的事莫过于有效能的教学，尤其是在中等教育阶段。这一阶段，教师们常常认为课堂中最严重的问题不是学生反抗等行为，而在于学生学习兴趣低落、参与动机低。而学生们则反映，学校教学内容的难易并非学习的最大障碍，他们认为最大的问题出在课堂活动的内容太无聊了[②]。但对于格拉塞而言，师生双方的理由显示出了问题的症结所在，即课堂活动并不能满足学生的心理需求。而要解决这一问题，格拉塞提出了三个基本主张：

---

① GLASSER W. The quality school : Managing students without coercion ［M］. New York：Harper and Row, 1990：1 –5.

② 同①, 7 – 14.

- 学校应有组织地满足学生在隶属感、权力、兴趣及自由等方面的需求。
- 高品质的学习活动及评价工作可由学生自行完成，这可以取代目前不连贯的而且无聊的评价。
- 教师不能再采用只会用口语命令的"老板式管理者"的方式，而应采用以刺激及协助学生思考学习的"领导式管理者"的方式。

我们来进一步说明前两个基本主张的要点。

（一）学生的需求

格拉塞认为，学生和我们每一个人一样，会有下列五种需求：（1）生存的需求（食物、免于受伤的自由等）；（2）隶属的需求（安全、舒适、成为团体的一员等）；（3）权力的需求（想法及地位受到重视等）；（4）兴趣的需求（在情绪和理性思考上觉得有趣）；（5）自由的需求（能自由做决定、自我导向，且能为自己负责）。当一个人的基本需求得到满足，就会产生自我价值感，表现出愉快；而如果一个人的基本需求得不到满足，就会感受到焦虑、悲伤、气愤、自责等，产生挫折感，就会表现出逃避责任或不负责任的行为。格拉塞认为学校教育、课堂活动只有优先满足学生这五方面的需求，才能取得成功。

（二）高品质的学习活动

格拉塞指出目前学校教育较偏重于知识教学，偏重于考查学生在标准化测验中的知识掌握情况[①]。学生也明白学校的要求，却抗拒这种教育方式。许多教育方面的文章都提出应进行课程改革，格拉塞却认为课程内容本身并没有多大的问题。问题的根源在于课程内容的呈现的方式

---

① GLASSER W. The quality school：Managing students without coercion ［M］. New York：Harper and Row，1990：22.

和评价学生学习的方式不恰当。他认为学校是可以让学生学习到有趣的事物的场所。学生与关心他们的人建立良好的关系，是使其产生成功认同的第一步。对于学生而言，学校是学生可以找到有人真诚地关心他们的地方之一。因此学校应为学生提供成功的机会，并提供肯定学生成功的机会。事实上，对于大多数的学生而言，只要学校能提供满足这种需求的机会，在学校中的成功经验会使学生萌生自我价值感与对成功的认同（success identity），这些都能减少学生不良行为出现的频率，提高学生学习的效率。同样，学校课程也包含了很多有趣的主题。他建议老师应与学生共同讨论课程内容，并且邀请学生一起来决定他们想要了解、掌握的深浅程度。同时，以足够的时间学习这些有趣和有意义的主题，并且让学生能自己评价相关学习活动和作业的品质。

二、教师的职责

格拉塞认为在课堂教学中，教师必须明确自己的职责。

（一）正确地认识学生，与学生建立良好的人际关系

教师必须认识到，学生是理性的存在，他们能控制自己的行为，并根据自己所选择的方式行动。学生好的选择会产生良好的行为，而学生坏的选择则产生不良的行为。但学生必须得到教师的指导，只有在教师的指导下，他们才能做出良好的选择，从而能满足其需求。因此，教师应该不断地强调学生的责任是做出好的选择，并不断尝试去帮助学生做出好的选择，要求学生必须依照他们所做的选择行事。

教师应和学生建立良好的人际关系，以和蔼可亲的态度、积极正向的行为真诚地关心、尊重学生，尤其要在学生需要的时候，及时地帮助学生，能为学生排忧解难。教师需要学会如何关怀学生。只要教师多关心学生，让学生了解教师确实喜欢他们，愿意接纳他们，并能长期地帮助他们发展，就能使学生积极要求进步，并使他们的潜能得到充分的

发挥。

（二）建立课堂常规以引导学生成功

格拉塞认为课堂常规是有效教学的必要条件。有些教师认为常规的制定会抑制学生的进取精神、自我教育与责任感，于是，在课堂教学中不制定任何常规，并希望课堂秩序井然，这种观念是错误的。教师应该在学生的参与下，与学生共同制定课堂常规，并且经常强调学生在课堂上就是要专心学习。

（三）不接受学生错误行为的借口

格拉塞指出，为了使课堂常规有效，教师在学生出现违背课堂常规的行为后，不要接受学生的借口，尤其是在下列两种情况下，教师要特别注意。其一，学生以校外事件作为产生错误行为的借口。校外发生的事件不可作为校内不良行为的借口。虽然这些事件可能真会对学生造成坏的影响，但这并不表示这些理由是可以接受的。教师绝不能说，"因为今天小亮的家里有了点麻烦，所以我们可以原谅他的行为，如果他生气打人，那也是不得已的"。其二，学生承诺将来的好行为。课堂上，学生出现不良行为被教师处罚后，学生许下承诺，保证以后会有好的表现，教师不可接受学生达不到承诺的任何借口。格拉塞认为关心学生的教师就不应该接受学生的任何借口。

教师在学生出现不良行为后，要直接指出学生的不良行为是什么，其中教师强调的应是学生当时的行为本身。即教师要向学生提出"你在做什么"的问题而不是"你为什么这样做"的问题。教师要更多地讨论学生在做什么，而不是为什么学生会这样做。如果教师总是追问学生为什么会出现不良行为，就会影响其行为的改进。

（四）要求学生对自己的行为做出价值判断，进行正确的选择

课堂上，学生违反课堂常规，出现不良行为时，教师应要求他们对

自己的行为做出价值判断。教师可以私下以温和、非恐吓的口气问学生"你在做什么?"如果学生没有感受到教师在威胁他,通常会诚实的回答。这时教师便可以提出诸如"这样做对你自己和对班级都有帮助吗"之类的问题,学生一般会回答"不"。在这种情况下,教师可以继续追问学生"那么要怎么做才有帮助呢?"让学生说出应选择什么样的较好的行为。如果学生想不出来,教师就建议几个可以被接受的适当的选择,并让学生选择。如果学生选择的行为是良好的行为,就告诉学生这一行为会带来的积极结果。学生在这个过程中会增强"选择"与"负责"的观念。

(五)让学生明了行为的合理结果

格拉塞强调学生选择任何一种行为都必然会产生合理的结果。如果学生选择的是好行为,就会带来令学生满意的结果,如果学生选择的是坏的行为,学生就得到不满意的结果。课堂管理的目的是培养学生的责任感和自律的行为,因而在课堂管理过程中,教师不应采取强迫或惩罚的方式。教师应着重帮助学生学会对自己的行为负责。"行为总会产生结果,我们可以自由地选择会带来愉悦结果或不快结果的行为。"这些观念会使学生感觉到人可以支配自己的生命,并且控制自己的行为。教师必须不断地协助学生做决定,并且要学生为自己不好的决定做价值判断。

(六)及时评价并做出反应

格拉塞强调,教师对于建立的课堂常规要定期做评价,并时时修正。教师可以通过开班会等形式,让全班同学讨论常规的执行情况,发现问题,让学生自己提出解决问题的途径和方法。在班会中,教师是讨论的民主促进者,而不是权威的控制者。

有时,当教师要学生对自己的行为做出价值判断时,学生会公然反抗。格拉塞提供了教师应对这一情况的策略如下。

1. 当学生出现行为偏差时

教师：你在做什么？这是不是违反了规定？你应该怎么做呢？

学生：（以负面而非正面的方式回应）

教师：我想私下和你谈谈（在指定的时间）。

2. 师生间的个别谈话

教师：（重复）你在做什么？那是不是违反校规？你应该怎么做？

学生：（同意将采取适当的行为）

3. 当学生又一次出现不良行为时，教师可再约定一次个别面谈

教师：我们必须解决这个问题，你能想出有什么方法能使你遵守规则吗？

学生：我不再犯错。

教师：不行，我们需要你清清楚楚地知道你该"怎么去做"的办法。让我们一起订出一个你能确实去做的简单计划，我会帮助你。

4. 学生仍然重复不良行为，并没有遵守计划

教师可以指定学生的"隔离时间"，就是要学生与团体隔离，不准参与团体活动，直到他对教师承诺遵守计划为止；如果学生在隔离期间的行为表现更加恶劣，就可以暂时请他离开教室（注意：教师为应对偶发事件而做出的计划应在事前与校长一起制定）。

5. 当学生在回到班级后又违反规定时

教师：事情并不如你我预期的一般，我们已经努力尝试过了。你必须离开这个班级，你要尽快有个打算，让你确定可以遵守这个班级的规定，马上让我知道。我们可以再试一次，但现在请你到校长办公室报告（校长在事前就已被通知有这种可能性）。

6. 如果学生实在无法管束，校长便可以通知其家长，要求他们把小孩带回家

7. 如果学生一再地被送回家，就应考虑请学生转学或转班

教师如果能够持之以恒的遵守这些步骤，就能让学生清楚地认识到不良行为的错误价值，做出负责而较佳的选择，并渐渐相信选择好的行为能带来个人的正向发展。

三、两种不同类型的教师——老板式教师与领导式教师①

（一）老板式教师

在课堂中，有很多教师都喜欢以老板的姿态来进行教学。格拉塞认为，这种方式不能激发学生旺盛的学习动机。老板式教师具有下列特点。

- 规定教学的内容及标准。
- 口授而非示范，很少请学生发表意见。
- 不邀请学生参与学习评价的工作。
- 以高压强制的方式来处理学生的抗拒反应。

（二）领导式教师

领导式教师则深知引发学生高度的学习动机是提高教学效率，进行有效教学的基础，在课堂上，领导式教师会将大部分的时间花在提供给学生有趣的学习活动及协助上。具体而言，他们有以下特点。

---

① CHARLES. C M. Classroom Discipline and Management ［M］. New York：Macmilan，1998.

- 与班上学生讨论并确定学生感兴趣的学习主题。
- 鼓励学生确定学习主题的深浅程度。
- 强调学习的品质并与学生讨论学习品质的标准为何。
- 与学生探讨有助于提升学习品质的资源有哪些，并探讨完成高品质的学习活动所需耗费的时间。
- 示范完成学习主题的方式，并找出可评价学习品质的方法。
- 强调学生自行监督学习的活动进行及自行评价学习品质的重要性。
- 以不强迫、不敌对的态度提供给学生适当的工作及场所，帮助他们完成学习活动。

四、领导式教师与课堂管理的关系

格拉塞认为，领导式教师能激发学生的学习动机，增添课堂教学的乐趣。正是如此，令人困扰的课堂问题行为才会减少到最低点。尽管没有哪一种教学风格可以完全消除学生的行为问题，但格拉塞认为，教师与学生共同讨论并建立行为规范的标准是相当重要的。在教师的课堂管理方面，需求满足策略要求注意以下两点。

（一）建立课堂常规

教师要与学生讨论高品质学习活动的重要性，以及教师要如何做才能够帮助学生，而不是强迫学生进行学习。随后老师自然地引导学生讨论课堂上需要哪些规则，以保证能顺利完成学习活动。

教师除了引导学生讨论班规，还要协助他们思考违背课堂常规时的解决方法。有些学生会建议处罚，不过他们也知道处罚并不能有效解决违规问题。所以在讨论时，格拉塞认为教师可以不断地询问学生，"我可以做些什么才能达成目标？"从而协助学生进行思考与学习活动。

一旦全班同学对于如何建立常规和违规如何处理达成共识之后，就可记录下来，全班同学都签上姓名，并在教师的协助下执行。在建立常规及对违规行为的处理过程中，教师所关心的目标应是如何有效地达成高品质的学习活动，而不是权力如何分配与掌握。

（二）当有学生违反课堂常规时

"凡有规则，便有违规"，即使在最好的班上，也没有例外。格拉塞针对这个现象提出"不惩罚"的处理原则供教师参考。他认为："不惩罚"违规者可以避免不当行为出现，并将学生注意的焦点放回学习活动上。①

例如，上课时，小林很生气地跑进教室，并往小强身上丢东西。此时，教师可应用上述原则来处理。

老师：小林，你看起来好像有点不太对劲，我可以帮什么忙？（小林皱着眉头，仍然很沮丧）

老师：如果你能够心平气和的话，我可以花点时间跟你一起讨论，我想我可以把问题处理得很好。

在上述处理过程中，教师清楚地表明，只有当小林平静之后，教师才可能帮助他解决问题。如果教师生气了，那么教师的情绪会使小林更加激动。如果小林此时仍无法平静下来，也没什么更好的方法可以解决问题。格拉塞建议，给他20秒时间，让他冷静下来，如果小林没办法冷静，就表示问题在当时无法进行处理，教师就可以请小林暂时"离开"班级，但注意不要以威胁或警告的口吻和小林说话：

老师：小强，我只想要帮你解决问题，并不想惩罚你。无论问题是什么，让我们来解决它。现在你暂时坐在这张桌子旁，等你冷静下来后，再回到你的座位上去。

稍后再挑个适当的时机跟小强讨论。

---

① GLASSER W. The quality school：Managing students without coercion ［M］. New York：Harper and Row，1990：138.

老师：问题发生时，你做了些什么？你做的事是否违反规则？我们可不可以一起来面对、处理问题，好让同样的事情不再发生？你说我可以做些什么事来达到这个目标？

如果问题是起因于小林与小强之间有冲突存在，教师可以把两人找来。

老师：小林，你做了些什么？小强，你做了些什么？我们三个人可以做些什么事好让同样的事件不再发生？

教师要记住处理问题的重点在于寻求解决之道，避免同样的事件发生，而不是责备小林和小强，或者找出是谁的错。

格拉塞认为，如果教师能以尊重的态度对待小林和小强，不惩罚、不责备，而是与他们共同商讨解决之道，那么他们两人的常规表现和学习品质将会有所提高。

如前所述，格拉塞认为，不要因为学生课堂上的不良行为表现而处罚他们，因为他认为学生所以会有不适当的行为表现，原因是学校和教师只期望学生能坐着等待一些无聊的学习活动。同时，格拉塞也认为"教师们不能依赖常规管理来命令学生做与不做什么事。课堂常规是为要能达成课堂活动目标而设立的"。为此，1990 年，格拉塞在《高品质学校》（The Quality School）一本书中强调老师的教学风格应趋向于领导式管理，应向学生提供大量的支持与鼓励，而不是运用强迫或惩罚来引导学生学习。只有这样，学生才能满足他们的基本需求，并愿意留在学校里进行高品质的学习。如果学校重视"高品质"的学习概念，课堂常规问题便可大量减少，而且也易于处理。

第五节　果断纪律策略

果断纪律（Assertive Discipline）策略是由美国学者肯特夫妇（Lee Canter & Marlene Canter）提出并倡导的，肯特夫妇根据许多优秀教师的行为模式，归纳出"果断纪律"的课堂管理策略，用来帮助教师们以一种冷静而有力的态度与学生相处，提高课堂管理的效率。

一、对课堂常规的认识

肯特认为，教师有责任管理课堂，教师在管理课堂时，应充满自信，向学生明确课堂常规，确切地告诉学生什么行为教师不能接受，什么行为教师可以接受。但教师在建立课堂常规时，常常会有一些错误的观念，这些错误的观念使教师无法控制学生错误的行为。他们害怕对学生会造成伦理或心理上的伤害，而不太愿意去面对行为不良的学生。由于教师未能采取及时的行动，等到他们不得不有所行动时，已无法控制课堂了。

教师关于课堂常规的错误观念：

1. 好教师有能力独自处理课堂常规问题，无需别人的协助。
2. 铁的纪律将造成学生心理上的创伤。
3. 课堂活动能符合并满足学生的需要时，就没有常规问题。
4. 有些根深蒂固的行为问题，已超过教师解决问题的能力范围。

肯特认为，教师要想建立有效的课堂常规，必须对课堂常规有正确的认识。

常规的正确观念：

1. 为了学生心理上的安全感，我们需要建立课堂常规。
2. 课堂需要常规训练，不要发生令人事后反悔的事。
3. 在常规训练下，可发挥及扩展教师与学生最好的特质和能力。
4. 课堂常规训练是维持一个高效率学习环境的必要条件。

二、果断的教师应具有的特质

肯特指出，一位果断的教师应当能做到：

- 坚定而清楚地向学生表达其需要及要求。
- 在课堂上，要求学生能贯彻常规，但不伤害学生的学习兴趣。
- 照顾自己，不受其他人（学生）伤害。
- 照顾学生，不使其做出伤害自己的事。
- 态度积极、坚定而一致，对学生不软弱无力、有敌意、大声咒骂或威吓。
- 以平稳积极的态度表示出教师关心学生的需要、关心他们的行为，培养学生自我控制的能力。

教师和学生在课堂中都拥有自己的权利，对于教师而言，他"有权发挥自己的专长，为学生建立最佳的学习情境；有权期待学生表示出有助于他们成长的行为，同时这些期待能符合教师特别的需求；有权向教育行政管理者和家长请求协助"①。当教师的这些基本权利都能获得保障时，他们就可能提供支持性的气氛与关怀。

三、果断纪律策略的五步骤

肯特建议，教师在课堂管理中运用果断纪律策略时，应采取下列五个步骤。

---

① EDWARDS C H. Classroom Discipline and Management ［M］. Macmillan Publishing Company，1993：59.

步骤一：明确提出对学生的要求

所有教师都有权表达他们对学生的要求，他们也有权要求学生遵从这些要求。教师在课堂上表达对学生的要求时，应注意以下几点。

第一，消除对学生的"消极期待"所带来的障碍。有些教师常常为课堂管理问题感到头痛，总觉得自己没有能力应付，进而产生对于课堂管理的障碍。这些障碍大多数来自教师对学生的"消极期待"：期待他们表现不好，相信因为健康、家庭、人格或是环境等因素，阻碍了学生正常的行为。例如，小伟曾经是小儿多动症，小琦可能生活在家庭暴力中，没有人能和小唐一起合作做一件事情，等等。而正是因为有这么多问题存在，教师就不再期待这些学生会表现出什么好的行为。事实上，教师应该认识到，教师对学生的消极希望都是错误的，并坚信，无论学生有何问题，都应该以积极的方式来影响学生的行为，即以积极的要求和期望管理课堂。

第二，关于课堂常规的建立，教师必须建立起这样的认识：

- 所有的学生都需要限制，教师亦有责任去限定他们。
- 学生大都羡慕且尊敬那些对他们有高度期望并坚持到底的教师。
- 学生很少尊敬那些采用放任方式管理课堂的教师。

第三，在课堂管理上，教师有权要求校长、家长和其他行政人员提供坚定而持续的支持。教师不要认为，在课堂管理上，自己只是孤单作战，没有人支持。事实上正好相反，只有取得学校、家长等的支持，课堂管理系统才稳定，教师面对学生的挑战或威胁才不至于心生畏惧。

步骤二：学会使用果断的反应方式

肯特将教师处理有特殊行为学生的反应分为三种类型：优柔寡断、怒气冲天、果断反应。他认为应该尽量减少前两种反应，练习使用第三种反应。

1. 优柔寡断型反应方式

"优柔寡断型"的教师认为，对学生提出强烈要求是不对的，凡事该对学生让步。例如，夏老师在上课时，有两位同学互相嬉戏、恶作剧，几乎让夏老师没法上课。夏老师看了看他们，说道："这是第十次了，拜托你们停止好不好？"接着，她继续上课。几分钟过后，这两位学生又吵起来。

这一类型的教师有以下几个特点。

* 在课堂管理中，没有建立一个明显的行为标准，即使有，也缺乏适当的执行行动；
* 教师是被动的，他们实际上没有能力去掌握学生，只期盼能依靠自己的善良换来学生的顺从；
* 他们常用"请试试看"的态度要求学生去做他们自己的事，仅期望他们下次能做好一点；
* 他们既不果断也不坚持，最后只有全面接受学生的现状。

2. 怒气冲天型反应方式

如上例，夏老师对那两位同学的行为已忍无可忍，于是她怒声呵斥道："好了，你们两个！这是我最后一次警告！如果再不注意安静的话，我就要你们给我吃不了兜着走！"

怒气冲天型的教师常常具有下列特征。

* 常觉得自己很容易因为学生扰乱了正常的课堂秩序而愤怒。
* 惯用嘲讽、威吓等容易引起学生反感的方法处理学生的问题。
* 经常大吼大叫，并且相信只有严厉的作风才能镇得住学生，要不然会失去对学生的控制。

但是，教师在课堂管理中运用怒气冲天型的反应可能会有如下一些消极作用。

- 伤害学生。
- 使学生失望，并失去对教师的尊敬，甚至学生会想办法报复。
- 不能提供给学生所需的温暖和安全感。
- 忽视了课堂上学生应有的基本权利，即学生：有权对自我破坏的行为设定积极的限制措施；有权在充分衡量行为的后果之后，自行选择该怎么做。

3. 果断反应型

再如上例，两位学生在上夏老师的课时打闹。夏老师目光直直地看着他们，把他们的名字写在黑板上，说："在上课进行中打闹，违犯班规！"这两个小男生知道他俩被记了一个小警告，如果再犯，夏老师将会有下一步动作。重新开始上课后，他俩依然故我，还在打闹。夏老师在他们两人的名字旁打了个勾，把他俩带离教室，罚他俩五分钟不准上课。夏老师想让大家都知道，她班规森严，令出如山，说到做到。

果断反应型的教师是能够维护师生双方权益的教师。这类教师能让学生清楚地知道他们的期望，并能有效地、不断地坚持要求学生符合这些期望。当学生遵守教师的引导，会得到正面的回报。反之，当他们选择不当的行为方式时，教师马上提出其不良行为理应伴随而来的自然后果。

例如，课堂上，当学生之间打架时：

优柔寡断型——拜托你们不要打了好不好！

怒气冲天型——你们简直令人恼怒！

果断反应型——不许打架，坐下。等你们冷静下来再说。

在上面两个例子中，果断反应的教师能清楚地表达他所不同意的行为方式，并且让学生知道怎么去做。相反的，优柔寡断的教师总是请求而非正确的指导学生，或对学生应有的正确行为交代不清，或在必要时不给予学生明确的指示行动。这种态度给学生的印象是教师害怕或无能力去处理他们的行为。怒气冲天型的反应亦复如此。攻击学生只会导致学生的仇视、不快，这种心理的伤害是很难以弥补的。教师用威吓的方式对待学生，如果成功了，只是暂时的风平浪静；如果不成功，学生则更可以在课堂上为所欲为。如此一来，师生对立，双方都想制服对方，教室就会如同战场。

步骤三：确认对学生的期望行为和非期望行为的后果

无论什么活动，教师都必须确认自己所期待的学生行为是什么，并把这些行为列举出来，以适当的方式向学生宣布，让所有的学生都清楚什么行为是教师所期望的行为，什么行为是教师所不能接受的行为。即教师应在课堂上形成一些行为的规范。例如，按秩序排队、不要大声喧哗、按时完成作业、当别人发言时静静地聆听别插嘴等。教师要根据学校的培养目标、课堂活动的内容和环境的变化，及时调整对学生的要求。

确立了课堂教学中学生应有的行为规范后，教师就要向学生展示遵守规范和违背规范所要面对的结果。肯特提醒教师，对于学生遵守课堂常规的良好行为，教师要给予积极的鼓励（肯定、赞赏），通常如认可的面部表情或口头嘉奖等。而对于违背课堂规范的学生行为则较难处理。当教师要处理课堂上学生的不良行为时，必须想清楚自己期待学生有什么行为。具体而言，教师在这一步骤，可采取以下三种方法。

1．规定适当的行为

教师可以用以下几种方式让学生知道什么是不违反规则的适当行为。

- "提示"，经常提示学生（如，读书时要轻声）。
- 运用"我……"的信息，告知学生有哪些行为会影响到"我"（如，你们太吵了，我无法继续上课）。
- "要求"，明确表示学生该做什么事（如，现在就回去好好读书）。

肯特提醒教师，在使用"要求"时务必要谨慎，因为"要求"容易产生负面的作用。他告诫教师：如果没有准备好，切勿轻率地对学生提要求。

2. 用口语表达教师的要求

教师运用口头语言提出要求，即通过表达"暗示""我……"的信息，或"要求"的方法，包括声音、眼神、手势、叫学生名字和身体的接触等，处理学生的违规行为。教师在使用口语时，应该注意以下几点。

- 声音应该是中性的、坚定的，而不是刺耳或恐吓的，但也不是愉快的，好像教师所说的都不是认真的。
- 应是有效率的，不是毫无意义地"自说自话"。
- 眼神的接触是信息传达的根本，当教师在规定和纠正学生时应直视学生（应该让学生从教师的眼神里看出教师的意图）。但教师不可强迫学生回视他。
- 适当的手势有助于口头信息的传达。但切勿指着学生鼻子说话。
- 叫学生的名字可增强信息的传达，因为每个人对自己会格外关心，这个做法能迅速地传递你所要传达的信息——遍及教室或学校的各个角落。
- 口头信息的传递应适当配合身体的接触，如轻轻地把手放在学生肩上，可传达无比真诚的信息。但教师应了解，虽然身体的接触通常比较有效，但是有时候也会产生一些不愉快的结果。

3. 使用破唱片策略

当学生想要违反教师的规定时，教师可使用"破唱片策略"（broken-record play），这一策略强调的是最初信息的一再重复。

实例：

教师：王易，在课堂上是不准打架的，我不能姑息这件事，记住，下不为例。

学生：这不是我的错，是罗亮先开始打我的。

教师：我知道情况可能是这样，但是我没看到，问题是你们不应该在教室里打架。

学生：是罗亮先开始的。

教师：可能是这样，我会留意，但是你还是不可以在教室里打架。

我们可以看出，这位教师一直不让这个打架事件转移到由谁开始这一问题上，这叫"破唱片策略"（重复说不可在教室打架），必须坚持不断。

在使用破唱片策略时，肯特提出，教师应该注意以下几点。

- 仅仅在学生拒绝倾听、持续做不适当的反应、拒绝对他的行为负责时才采用。
- 在重复诉说时以"那不是重点……"或"我了解，但……"为开头。
- 每一次使用时最多三次；如果需要的话，在第三次之后即施予适当的惩罚。

步骤四：追究学生行为的后果

教师对学生提出期望，是指教师对学生的积极的要求。而所谓

"追究"，是指当学生遵守或拒绝遵守行为规范表现出正当或非正当行为时教师所采取的行动。通常存在两种情况，一种是当学生在课堂上表现出正当行为时，教师应及时给予鼓励与增强。另一种情况是，当学生在课堂上表现出非正当行为时，教师应给予惩罚和削弱。"当学生出现不正当行为时，教师要明白地指出错在哪里，并给予一定的惩罚，教其如何改进；当学生表现出正当行为时，教师也要给予奖赏与鼓励，对其行为进行强化。即教师要赏罚兼施。"① 这样一来，学生在选择他们的行为前，对他们将选择的行为的好、坏后果都有较多的认识。肯特同时还对教师提出了以下四点建议。

1. 教师应与学生相互约定，而不恐吓学生

果断的教师能和学生做彼此协定，而不对学生施予恐吓。师生之间事先的约定可视为誓言，而教师的恐吓有伤害或惩罚学生的意图。

2. 预先选择适当的结果

教师可以根据自己的标准自行选择几套对行为结果奖励或惩罚的方式，这些结果应该奖惩互用，依照学生违规行为的严重性而有不同程度的结果安排。通常正向的行为结果可以安排"选择喜欢活动""与好友自由交谈""没有家庭作业"等，以及其他的奖励。负向的行为结果方面，教师们发现最有用的例子如"暂停，不让他上课""丧失一定特权""取消他喜欢的活动""放学后留校""去见校长""打电话给家长""家庭管束"等。这些行为结果的安排，不论是正向或负向的，都应该让学生知道，教师是真心在关怀学生，而正因为教师的关心，才会使教师用尽各种方法去影响学生向积极的方向发展。

---

① CANTER L. Taking Charge of Students Behavior [J]. National Elementary Principal, 1979 (4): 143.

3. 确立负向行为结果的处理顺序

肯特建议学生在连续出现不良行为时，教师可以根据实际情况施行一套自己觉得可行的惩罚顺序，如下例（此例中的设计可在个别学生身上使用，每天或每段活动开始时实施。每天都要更换）。

不良行为	行为后果
第一次	姓名写在黑板上，给予警告
第二次	姓名前打钩（10 分钟暂停上课）
第三次	姓名前第二次打钩（15 分钟暂停上课）
第四次	姓名前第三次打钩（打电话给家长）
第五次	姓名前第四次打钩（面见校长）

4. 进行要求学生和追究学生行为后果的演习

果断纪律的策略的运用，需要教师最好预先演练一番。教师可以根据以下步骤演练。

（1）面对假想的班级，提出一个规定，例如，"不经老师允许，不得发言"。态度坚定地说明你为何要立此规定，并且说明遵守与违背这一规定的行为后果。

（2）假想学生违背了教师的规定而擅自讲话，教师应有一个果断反应。再假设这位学生回嘴反抗教师，可使用破唱片法。万一他还是回嘴反抗教师，教师应果断地说明此行为的后果。如果他还是抗拒你，教师可冷静地按步骤追究下去（如前面所提出的建议方式）。

步骤五：实行一套积极、果断的制度

前面所呈现的大多数方式都是消极的方法，即教师提出一些规则和限制，学生违背教师规定，教师应采取的方法。事实上，在课堂教学中，另外还有一些方式是积极的反应方式，即当学生的行为有所改善或取得进步时，教师也做出积极的反应。肯特提出，课堂上教师有系统的给予表现良好的学生恰当的注意，可以增加学生的影响力，减少学生问题行为发生的数量，使课堂气氛变得更积极。肯特认为，通常学生喜欢教师有下列的积极反应。

1. 教师对学生的个人注意

特别的、积极的、出自于教师个人的注意，是学生最难忘的一种经验，大多数学生对这样的注意有很热忱的反应。而教师可以凭借欢迎、称赞、感谢、微笑和友善的眼神接触来表示这样的注意。

2. 用积极的方式向家长反应

通常家长只有在孩子触犯校规时才会收到通知，然而家长和学生都喜欢教师对学生的称赞和赞赏，教师一个积极称赞的简短字条或电话，会令家长和学生都心花怒放。

3. 特别的奖赏

对于做得特别好、学习成绩有进步、帮助同学、有礼貌等的学生，教师应该给予特别的奖赏。这些奖赏可以有许多变化，从对作业的积极评语到颁发奖状等。

4. 赋予学生特别的权利

学生为了获得课堂上某些"特权"（如帮助教师发作业本或试卷，帮助教师安置教具，帮助教师批改试卷，少做几题作业等）会更加努力，因为这些特权会使学生产生自豪感或荣耀感。

5. 物质的奖赏

教师给予学生适当物质奖励，会增强课堂管理的效果。教师所给予的物质奖励不必太贵，也不必精心地去找，铅笔、笔记本、贴纸、邮票等都是受学生欢迎的奖赏。

6. 家里的奖赏

教师可与家长合作，让表现好的学生在家里享受一定的"特权"。如及时完成家庭作业能获得额外看电视的时间，读更多的书，能吃到一顿好的食物等。

7. 集体的鼓励

当集体表现出进步或一直持续努力时，教师便可常对学生集体给予鼓励或奖赏（给予集体鼓励的掌声、郊游、集体游戏等），这样可以形成课堂的正向氛围。

教师的这些反应不仅可以增加对学生的影响力，减少课堂中的问题行为，更重要的是可以使课堂气氛变得积极。

四、新学年开始时的果断纪律

在新学年刚开始的几天，学生总会尽量表现他们最好的行为，因此这是在班级实施果断纪律策略的最好时机。肯特为教师们提供了下面几个步骤。

学年开始时的课堂常规建立，应注意：

1. 在开始上课的头几天，教师应提出期望学生表现的行为，包括正向与负向的行为后果。

2. 把上述的行为清单呈给校长，寻找认可与支持。

3. 在初次见到新学生时，就和他们讨论你所期望的行为，并且在黑板上大约列出五或六种。

4. 强调不允许有人去违背这规则，严正地告诉学生在每次违背规则时将会发生什么结果（第一次、第二次、第三次犯规的情形，等等）。

5. 要求学生把规则写下来，带回家给他们的父母看，并且要盖章，隔天再交回来。

6. 向学生强调，这些规则能够帮助这个班级人人都能顺利学习。

7. 要求学生在口头上重述，什么才是老师期待的行为？犯规会怎样？守规矩又怎样？

8. 准备一封短信给家长，说明你为孩子们的行为所做的计划，你的目的是希望对孩子的发展情形能经常保持联络，并且需要得到他们的支持。同时你很高兴能与他们为孩子的利益而共同合作。

9. 立即实行这些果断的常规。

五、肯特对教师的几点建议

肯特指出，教师在运用果断纪律策略管理课堂时，应注意以下几点。

（一）教师明确教导学生应有的行为方式

教师要教导学生，使他们明确教师希望他们往哪个方向发展，而不是仅仅给予学生口头命令，这一过程包括了以下五个步骤。

- 预先准备好你所期待学生有什么行为。
- 呈现学生应依循的方向。
- 通过提问，确定学生都明白了。
- 让学生进行角色演练。
- 定期检查这个步骤。

（二）运用正向重复发展学生的恰当行为

学生如果表现出教师所期待的行为，教师要随时使用重复肯定的语句鼓励学生，例如，"小园举手发言，很好""我很高兴，小强能独立完成课堂作业"。

（三）适当地运用赞美鼓励学生的良好行为

教师在课堂教学中应特别注意，赞美课堂表现良好的学生，促进学生正确行为方式的形成。但教师在赞美学生时应记住以下几点。

- 巡视教室的每一角落，找出有良好行为的学生。
- 采取"贴近赞美"（proximity praise）策略，即赞美那些刚好坐在有违规行为学生旁边的好学生。
- 对中学生（不愿意被区别出来公开被教师奖励的人），可以走到他附近予以赞美。

（四）对于持续性不良行为的处理方式

教师常常会遇到有学生为寻求教师注意而违反课堂常规，企图干扰课堂教学。遇到这种情形，教师应能冷静地分析、处理，或不予理睬。只有在该学生的行为有所改善时，才给予他适当的关注。如学生有时候会故意表示不会写作业。遇到这种情况，教师可以这样做：一是向学生再度说明教师正向的期待（独立完成作业），二是告诉学生不写作业的后果（如下课补做），如果学生改进了自己的行为，则教师应立即予以奖励。

（五）特别调皮捣蛋行为的处理方式

有些时候，学生特别调皮，常常将教师的常规训练置于脑后。肯特建议教师运用下列两项控制技术："走进去"和"不许动"。

第一项技术"走进去"，是对少数一两位学生使用。如教师在学生调皮捣蛋时，走到学生中间，如直接走到学生前面，或运用眼神、手势等与学生交流。教师要告诉学生，他这样的行为必须承担明确的后果（如你犯了两个过失；选择这样的行为表示你愿意承担放学后留校 30 分钟的后果或告诉你家长的后果等），并告诉学生如果其执意不听，下一步的后果是什么。

第二项技术"不许动"，是对失控的一群学生使用的。教师可以以坚定冷静的口吻说，"不许动"，以吸引学生注意。然后说明学生的哪些行为方向是该做的。如果这样做没有效果，教师可采取较为严厉的后果（如谁要是再违规，下课后留校察看 15 分钟等）。

（六）严重违规行为的处理方式

教师们最不愿意见到的情况是学生公然挑战教师的权威，有时是恶言恶语对待教师，有时是对教师进行人身攻击。肯特提醒教师，在遭遇这种情况时应尽量保持冷静，并为教师提供了几个处理的步骤。

1. 果断地质问

教师私下里和学生谈话（最好有其他的教师或行政人员在旁），并做以下几件事。

- 质问学生的不良行为。（"我不能忍受你在班上以无礼的态度和我顶嘴。"）
- 传达教师的关心。（"我十分关心你……"）
- 说明教师的期待。（"我希望你不要再顶嘴。"）
- 确定学生了解你的期待。要学生复述一遍。
- 避免争辩。可使用破唱片策略。（"我了解，但是你不能在班上和我顶嘴。"）

2. 加重处罚

如果教师和学生私下交谈之后，该生依然故我，照样对教师反唇相讯，就加重处罚的级别。

3. 行为约定（检查或悔过书）

如果教师的加重处罚仍解决不了问题，教师就要和这个学生订立行为约定，说明这名学生的不良行为与改进的途径，通知家长与学校管理人员。

4. 通知家长

如果到了第三步，教师的所有的努力仍无效，则通知家长来校开会，请求家长协助。取出行为约定，让家长了解教师的做法的前因后果。

5. 使用录音机

如果家长的协助也无法改变学生的行为，可在该学生旁边放一台录音机。告诉他，你会把录下来的违规行为放给家长或学校行政领导听。

6. 邀请学生家长来课堂

邀请该学生的家长来班伴读，了解自己孩子在课堂上的表现。

7. 使用纪律卡

如果这名学生在一天当中有上不同教师的课，让他（她）佩戴一张纪律卡，每位上课的教师都可在上面做记录。最后上课的教师可以检查他（她）这一天的表现，然后决定他（她）是该接受惩罚，还是可以接受奖励。

8. 在校隔离

如果教师们觉得有必要将该学生暂时隔离，可将其安置在教师办公室或其他安静的地方，让他（她）单独写作业。

（七）教师要及时评价制定的常规

大部分的常规会随着时间的延续出现种种问题，而学生的行为问题又是经常与教师的常规措施相对峙抗衡的，因此，教师应该常常检查、反思课堂常规是否恰当。以下是几个分析的步骤。

- 清楚了解学生问题行为的本质，确认这些问题在哪种情况下会发生，在一天当中的哪一时段会发生，以及哪些学生最容易犯错。
- 反思当这些问题出现时，教师的反应是什么。可能的话最好能当场录音下来，事后自己分析处置是否得当。
- 发展出一套更有效的课堂规则。如果有重大的变更，应向班级同学解释。

肯特的果断纪律策略坚持在课堂内要同时兼顾老师与学生的权益，非常关心学生要为自我的问题行为设定限制，它坚持要从学校行政人员与家长方面得到支援。因此，这一策略能有效地促进课堂教学的顺利进行，十分适合于课堂管理。

第六节　行为矫正策略

行为矫正（Behavior Modification）策略源于行为主义心理学派的主要代表人物斯金纳（B. F. Skinner）提出的强化理论（Reinforcement Theory）。斯金纳本人在课堂管理或行为训练方面并没有构建系统的理论模式，但许多专家、学者却从斯金纳的强化理论中获得启示。他们在扩充、修正强化理论的基础上，研究利用强化来作为控制或促进学生的行为的手段，并把这一手段应用到具体的课堂管理中，成为有效的促进学生课堂学习或行为的策略之一。

一、基本概念的界定

斯金纳的强化理论认为，在环境和行为的因果关系中，反应、刺激和强化是顺序发生的联合机制，即它是由有机体所处的环境、有机体的操作及其结果组成。一个操作发生后紧接着呈现一强化刺激，这个操作出现的概率就会增加[①]。在课堂管理中，当学生出现了教师所希望的行为后，教师应给予强化，以增加这一行为的出现频率。要了解行为矫正策略，首先必须掌握以下一些基本概念。

（一）操作性行为

操作性行为是指学生表现出来的行为。它不仅是一种反射动作或反应，也是一种有目的、自动的行动。这些行为是学生个体以自动的方式所表现出来的各种反应。例如安静地走入教室，找位子坐好，完成作业，上课听讲等。

（二）强化刺激

强化刺激是指个体在出现操作性行为之后，立即接受到的刺激。在学校中，强化刺激有微笑、点头、鼓励、自由活动等。教师们可以将强化物视为赞赏，即当教师看到一个学生表现出我们认为特别值得注意的（操作性）行为时，我们可以立即给他一个奖励。学生受到奖赏后，日后就会快乐地重复该行为，以期从教师那里获得更多的奖励，提供这些奖赏的过程即可称为"强化"。

（三）强化阶段

在斯金纳的实验研究中强化阶段是非常重要的，不同的强化阶段会

---

① 黄济，王策三. 现代教育论［M］. 北京：人民教育出版社，2001：125.

产生不同的效果。连续强化即在每一次学生出现教师期望的行为时，就给予奖赏，这是建立新的行为获得的最有效的方法。例如，每一次全班学生都能安静地进教室，坐好，看着教师，等待教师上课，他们就会得到一次集体嘉奖，多次嘉奖累积后能换取更大的奖励。学生为赢得奖赏，便会努力并快速学习如何获得新的行为。一旦学生已经完成任务，获得了新的行为，教师则要以间歇性强化来维持该行为，即教师的奖赏的出现是间断的，学生是无法预测的。而学生个体知道教师迟早会给予奖赏，就会持续保持着新获得的行为。

（四）逐步接近

逐步接近是指行为渐渐地接近事先预定的目标。如果教师要求学生形成一种复杂的行为，可以设计出一个个接近这个复杂行为的小的行为目标，并要求学生一次只完成一个目标，再一个个地实现这些行为目标。而一旦学生完成了所有的行为目标，就代表学生已经形成了这一复杂的行为。例如，班上同学从外面进教室，虽然有些吵闹，教师还是给嘉奖，因为每人都坐下了；下次他们为了另一个嘉奖，会安静地坐好。教师对每一小目标的达成都给予增强，可以帮助学生更快速地进步。

（五）正强化

正强化就是学生的行为受到称赞、鼓励、奖赏后会得到增强，从而使这一行为发生的频率和持续性也随之增加。学生喜欢教师的奖赏，并会以更大的努力去赢得教师的奖赏。

（六）负强化

负强化是一个容易被大多数教师误解且使用不当的名词，他们错误地认为负强化就是以严厉的惩罚来避免学生出现错误的行为。事实正好相反。负强化与正强化一样都是用来增加行为的强度或频率的。负强化是通过移开某些学生所厌恶的刺激，促进学生良好行为的产生。例如，

教师说，"如果你按时完成课堂作业，你就不会得到最低的分数"（"移开"最低的分数可视为是按时完成作业的强化物），负强化就是通过移开学生厌恶的事，达到强化的效果。

二、行为矫正策略的特点

斯金纳在他的实验中发现，在动物学习过程中，动物出现正确的学习行为就给予奖赏，比动物出现错误的学习行为就给予惩罚效果要好得多，在奖赏的情况下，动物的学习效率高。例如奖赏可以使得老鼠和鸽子知道他们该如何做，而惩罚不能帮助他们，因惩罚并不能提供引导。

学生对于正面的奖赏比被惩罚有更好的反应。奖励可激发学生的学习兴趣与努力，甚至可以形成对学生预期的行为。

行为矫正策略基本上几乎可以等同于"奖赏"，它要求教师以积极的方式与学生共处，避免使用严厉的处罚；它支持教师以温暖的、正面的方法来维持并控制课堂教学情境，比较符合学生成长的需要。

行为矫正策略不仅可以促进学生良好行为的形成，还可以增进学生学习的速度。这一策略的运用强调积极性、减少消极性，可以使教师和学生在温暖、积极的情境下工作和学习。同时对每一步目标的达成就给予一点奖赏，可以激发学生的兴趣，帮助学生以渐近的方法来塑造行为，产生教师与学生都能接受的行为。

三、强化物的类型

强化物或奖赏可以是任何个体为了赢得它们而做行动的东西。在学校里使用的强化物通常可分为四大类，分别是社会性强化物、符号性强化物、活动性强化物及实物性强化物。

（一）社会性强化物

社会性强化物有：言语、手势和脸部表情等。许多学生只要从教师那儿得到一个微笑、轻拍或一句温和的话，就会更加勤奋地学习，以下举例说明"眨眼，点头，同意或谢谢"等手段如何可以作为学生的奖赏。

- 口语：好！哦！非常好。很好，再加油。真好。对。谢谢。我喜欢那样。你做得很好，能不能和我们分享？
- 非口语：微微笑、眨眨眼、眼神接触、点头、竖起拇指称赞、接触、轻拍、一起走、站得近些、握握手。

（二）符号性强化物

符号性强化物包括：不同种类的符号（标签），如星星、数字、兑换币、笑脸面具和特殊的符号等。教师可以用笔和橡皮章来制作这些标签，并把它们并列成图表在班级公布，学生们可以自行根据种类或数量予以装订或分类。

（三）活动性强化物

活动性强化物包括：在学校中学生所喜欢的活动。只要学生喜欢的任何活动都可用来当作强化物，以下这些活动的列子，通常是用于课堂教学。

- 小学低年级学生：当个小教师、和教师座位靠近些、选择唱一首歌、看喜欢的图书等。
- 小学高年级学生：玩游戏、自由阅读、布置教室、额外的休息时间、参加集会等。
- 中学生：与朋友共同学习或工作、免除考试、参与一件特殊的工作、不用做家庭作业等。

（四）实物性强化物

实物性强化物是以真正的事物来作为强化物，以使学生形成教师所期待的行为。对某些学生而言，这一类强化物比其他类型的强化物更有吸引力，这类强化物被广泛地运用于某些特殊问题学生。许多小学教师也常用实物性强化物，如记事簿、粉笔、蜡笔、铅笔、徽章、优胜旗子、旧书、旧杂志、证明书、书笺、信纸，以及塑胶制的代币等。

四、行为矫正策略的实施方法[①]

行为矫正策略对于课堂的系统管理有效。如果把它用于对课堂偶发事件的处理上，效果较差。有许多教师都会对学生良好的行为给予奖赏，但很少有教师真正系统地以强化作为塑造行为的手段。行为矫正策略要求教师能以有组织、有系统、连续不断的方法来实施，才能获得理想的效果。

可用于行为矫正的方法很多，每一位教师可根据其中的原则，结合自己的特点以及学生的个性，选择符合要求的方式。建立行为矫正系统的方法大致分为以下几个部分。

（一）强化目标行为

教师首先在课堂上明确学生必须具有的目标行为，一旦学生达成教师所期望的行为，就奖赏他。例如，教师说，"同学们，请拿出你们的数学课本"，许多学生立刻拿出他们的书，但也有一些学生磨磨蹭蹭、交头接耳，教师可以点名指出遵照教师要求做的学生，并运用口头语言奖励他们，"王丽已经准备好！""李强也是，很好！""我看见小风也已拿出了书本！"这种做法有两个好处：第一，它强化了王丽、李强、小

---

① CHARLES C M. Building Classroom Discipline：Practice ［M］. New York：Longman, 1989.

风的正确行为；第二，它也可以塑造其他人类似的行为，其他学生为了得到教师的奖励，也会很快地拿出课本，并准备好上课。

这一方法在小学中低年级使用非常有效，但到中学便会失去效果，对于其他较高年级的学生，教师可以使用其他的行为矫正策略。

（二）常规—忽视—奖赏（RIP）

这种方法的使用首先要求教师和学生共同制定课堂常规（课堂常规要简明、清晰、易于记忆和理解），并把学生在课堂上应有的行为规范制成图表，贴在教室后面，让学生牢记在心。

例如：

1. 对人要有礼貌。
2. 不能乱打人。
3. 今天的事情今天做。
4. 上课不要打扰别人。
5. 接受教师的指导。

课堂常规建立以后，教师要时刻注意学生的行为表现，观察哪些学生遵守规则。如果学生按照规定去做，就给予学生奖赏，并且尽可能使每位学生都能够经常得到奖赏。而对于违规行为则不予注意，也就是说对于违规学生有意忽视，使这些学生无法从教师那儿得到强化。反之，教师一发现遵守规则的学生，就立即给予奖励。

这种方法很适用于小学，但不适用于中学。因为年龄较大的学生会嘲笑那些受到公开表扬的同学。更重要的是，中学生的不良行为是很难因为别人的称赞而得以矫正的。

（三）常规—奖赏—处罚（RRP）

如同上述"常规—忽视—奖赏"方法一样，"常规—奖赏—处罚"也是先要建立课堂常规，并且强调教师的奖赏，但它不忽视学生的不适

当的行为。"常规—奖赏—处罚"方法增加了一些对学生的限制和对行为结果控制的因素，使得这个方法对高年级以及有行为问题的学生特别有效。

这一方法要求课堂常规的建立同上所述，在数目上尽量精简，以学生能够熟记及能够公布在教室的布告栏上为宜。学生只要遵守常规，表现出符合要求的行为，教师就表扬他们。教师表扬的方式可以多种多样，如口头称赞、书面表扬（发证书等）、物质奖励，等等，而如果学生持续表现良好，他们就会得到更大的奖励。

同时，在建立课堂常规时，教师要和学生共同制定对违规行为的处罚方式，让每一位学生都清楚地知道违反常规的结果是什么。学生可以自由选择自己的行为，破坏常规也许是他们的权力，但同时学生破坏常规也意味着他选择了处罚的行为后果。这种处罚的行为后果是全班学生共同规定的，学生是自己选择了这种被处罚的行为后果。

这种方式对高年级学生非常有效。它清楚地明确了教师所期望的行为、奖赏与处罚。学生也了解他们所得到的结果是自己造成的，并对自己的良好行为负责。

（四）代币制

代币制是一种常用的行为矫正技术，因这个方法牵涉到一套复杂的实物性强化系统，对有问题行为的学生特别有效。

代币制常使用"代币"来激发学生达成教师所期望的行为。如果学生在课堂上表现出教师所期望的行为，教师就给学生一些代币（如星星贴纸、塑料筹码、扑克牌等），这些代币累积到一定数量就可以换取奖品或特权（如笔记本、徽章、奖状等）。

教师使用代币制应注意，以代币作为奖赏必须公正而且持续不断，必须要有足够的代币供应，以便让学生保存及运用他们的代币。此外，必须设定一段时间，如每隔几个星期可让学生兑换代币。至于兑换的物品可以由教师事先设定，每一件都有它所值的代币。

这一方法在付诸实行以前，教师必须向学校（校长）、父母以及学生解释清楚，使每个人都了解教师的做法，以防范可能发生的困难。

（五）订立契约

运用契约已被认为是一种非常成功的行为矫正方法，特别是在中学阶段使用有独特的效果。运用"订立契约"的方法，要求教师通过契约明确地指出哪些工作或哪些行为必须在什么时候完成，同时契约也指出了如果学生如期完成工作或表现良好，教师的奖励是什么。契约的订立能引导一个合法、承诺和责任的气氛。学生和教师在相互同意的前提下在契约上签字。有时候，父母也和学生一起签字。

实例：

小华总是忘记带张老师上课要求带的东西。张老师就和小华订了个契约，小华同意每天都会带课本、笔、作业本到学校。如果他每天都带，一周可以得到五点。累积到十五点，就可以在张老师收集的笔中，挑一支最特别的。

对高年级学生而言，契约是类似于法律的术语，通过正式打印出来的契约的形式，使学生乐于用这种方式来约束自己的行为。也正因如此，学生会十分认真地对待契约，契约才有约束力。

行为矫正策略的使用要求教师首先应认定所要改变或改善的学生行为，找出学生目前做错的是什么事，及确定将来想要学生有什么样的行为。这一过程要求教师要分析课堂中引发学生不良行为的情境，及可以用来促进、辅导学生行为的奖赏或处罚方法。其次，教师要明确期望学生表现的新行为，通过系统的强化手段，引导学生产生适当行为。行为矫正是一项复杂的工作，很难一蹴而就。因此，教师在运用时，不可急于求成，应有持之以恒的精神。

8

课堂管理系统的构建：
有效课堂管理的实践

　　课堂教学是一项复杂的、具有挑战性的工作，作为教师，必须接受这样的事实：课堂上各种情况从来不会按你所希望的方向发展；教师要时刻准备着意想不到的事情的发生；无论教师准备得如何充分，不管教师把教学活动的过程安排得如何周到，总会有一些问题发生。而各种问题的发生都要求教师重新思考、重新决定、重新计划。教学工作也是有目的、有计划的活动，但教学中只有"完美"的计划是不够的，要使得教学工作顺利进行，实现教学目标，教师必须处理各种课堂问题，实施有效的课堂管理。课堂管理包括一整套的教师行为和课堂活动，这些行为和活动主要是用来促使学生在课堂教学中与教师密切配合以认真学习的。课堂管理对教学工作起着核心的作用，常被看做是实现教学目的和完成教学任务的关键。有效的课堂管理有赖于教师树立正确的以人为本的管理理念，熟练地掌握课堂教学管理的策略和技巧，形成自己的有效的课堂管理的风格。

第一节　有效课堂管理系统的构建：目标与要求

案例：
教师个人课堂管理系统的范例①
桑老师的模式
我的需要、我喜欢的事、我讨厌的事和我的课堂公约

一、我的需要

1. 教室内井井有条——空间安排有序，教材整洁地摆放着，陈列出来的教具既有趣又有巧思。

2. 结构与惯例——制订时刻表，必要时可以弹性调整。

3. 活动转换——教学活动的转换流畅，不浪费时间。

4. 上课专心——学生在老师讲解时要专心，对所有的老师与教学活动都要专心。

5. 情境取向的行为——上课时要安静专注，团体活动时要活泼大方。

二、我喜欢的事

1. 热心——我很热心，我的学生也一样。

2. 温馨——班上每一个人都会相互关怀，温馨之情反应在班级中。

3. 积极而又轻松——学生能自我控制，互助合作，并且能承担责任。

---

① 查理士. 教室里的春天 [M]. 金树人，编译. 台北：张老师文化专业股份有限公司，1998.

三、我讨厌的事

1. 对上课的老师、其他成人或班级同学三心二意、不用心。

2. 制造超级噪音——大嗓门讲话、吼叫、嬉笑。

3. 上课时没有不必要的动作、管闲事、恶作剧、玩具等事情，让人分心。

4. 浪费与破坏教具。

5. 无礼的行为——嘲笑别人、讽刺挖苦、态度不好等。

6. 饶舌。

四、我的课堂公约

以下是我的课堂公约，括号里面说明我对学生进一步的解释。

1. 任何时候要考虑到别人。（讲话要友善、仁慈，不要麻烦别人。）

2. 凡事尽力而为。（尽最大的努力去做每一件事，功课或作业要整洁端正，以自己的表现为荣。不要浪费时间。）

3. 教室内要轻声细语。（上课讨论时用普通讲话的声调，小组讨论时要放低声音，需要别人帮助时尽量用耳语。）

4. 用信号征求意见或接受帮助。（解释上厕所、走动等需要老师同意的手势信号。）

这些课堂公约在开学的第一天就和学生讨论，而且大家都同意这么做。等到同学都熟悉这些公约时，我仍会不断提醒、暗示他们切实遵守。

五、正向的结果

只要学生遵守着各项规定，他们理所当然能够得到下列的正向的结果：

1. 积极的口头嘉奖。

2. 积极的非口头嘉奖（微笑、眨眼、点头、轻拍等）。

3. 间或给予实质或优惠的奖励（如贴纸、加分、喜好的活动等）。

4. 给家长正面的报告（备忘录、打电话等）。

六、负向的结果

只要学生违反班级的规定，他们理所当然会得到下列的负向结果。

1. "大小眼"——一种严酷的注视，含有失望迷惑的表情。

2. 不认可的意见——"我听到了噪音""有些同学没有在专心听讲"。

3. 直接的负面口语回馈——"小高，你没有用符号，现在用"。

4. 给家长负面的报告（备忘录、打电话、学校个案会议）。

5. 班级内隔离——让违规学生与大班级隔离，但仍在老师的视线之内。

6. 将违规学生送至校长室或辅导室或离开教室。

七、我的预防性纪律措施

我采取以下的步骤，将我班上的问题行为降到最低。

1. 在建立班级公约以及讨论责任隶属时，我让学生全程参与，讨论时我会问下列问题：

"在同一个时间内大家都想发言，你认为会发生什么事?"

"你希望别人用什么方式向你讲话?"

2. 和家长接触，我这样做：修书一封，列出我的期待与常规项目。打电话给家长，语气温和诚恳。对于孩子表现不错的行为，也会寄短笺告知家长。

3. 尽可能将教室环境安排得舒适宜人，光线、温度与视线均仔细妥善安排。

4. 在练习的单元，强调、示范而且维持好的态度、礼仪与责任。

5. 提供活泼而富变化的课程，让学生有机会动动四肢，唱唱歌，彼此互动。

6. 对班级常规的结构与惯例，强调有始有终、熟练自如与安全性。

八、我的支持性纪律措施

当我看到我的学生开始退步时，为了使他们强化自己的自我控制能力，我使用下列的支持性措施。

1. 眼神接触与面部表情。

2. 身体接近。

3. 引用班级公约。

4. 对个别学生的作业感兴趣。

5. 有时候为了增加学生的学习兴趣或降低焦虑，可以调整课程的内容或惯例。

6. 运用行为改变技术——以增强奖励来永保持续不坠。

九、我的矫正性纪律措施

当我的学生违规犯错时，我采取以下的纠正措施。

1. 对不良行为立即评断："我听到有人讲话，我不喜欢这样，每个人都要专心听。"

2. 强势禁止："现在马上停止！"

3. 将违规同学从团体中带开。

4. 带违规同学到校长室或辅导室。

5. 电话通知家长。

十、我维持班级正向气氛的方法

我发现如果班上的学生和我都有好的自我控制，则正向的班级气氛会油然而生，弥漫在心头。以下是我的做法。

1. 尊重每一个孩子，视之为独一无二的个体，有资格接受好的教育。

2. 看到每一个孩子的优点与善良面。

3. 认可任何一件好的行为、好的功课、好的努力与好的进步。

4. 花时间去认识每一位同学。

5. 尽可能多呈现正面的非口语反应，如眨眼、点头、微笑。

6. 每天花一点时间去了解学生的感觉。

7. 以提示学生能力的方式与学生交谈——如"OK，你知道下一步该怎么做"。

8. 提供富挑战性而又活泼有趣的活动，确信他们能圆满完成。

9. 每天结束时来一个充满正面意义的提醒或照会，给一个溺爱式的再见，同时预期有个快乐又充实的明天。

课堂管理的过程首先从明确目标开始。课堂管理的目的是增进教学的效果，即教师采取必要的方法和步骤建立课堂常规及维持良好的教学情境，在这一情境中，一方面教师可以有效地进行教学，另一方面学生也能顺利愉快地进行学习，在知识、品德和身体等方面获得健全的发展。

课堂管理目标应该服从并服务于教育目标，因为课堂管理的意义就在于促成教育目标的实现。实现课堂教育目标是实施课堂管理的出发点和归宿。

传统教育主要是通过课堂活动使学生掌握一定的知识与技能，而对学生的情感、态度、价值观等非智力因素很少顾及。现代教育不仅注重让学生掌握文化知识与技能技巧，而且注重学生身体的健康发展和注意力、记忆力、观察力、想象力等智力因素与情感、意志、兴趣、爱好等非智力因素的发展，还注重学生的组织、表达、操作、创造等能力的发展。现代教育从社会与人的发展的角度提出了完整教育目的观。"当今世界人与社会发展的现状、趋势与需求越来越强烈地要求，必须坚持一个完整的教育目的观，塑造一个完整的教育。只有完整的教育才能促进人与社会朝着符合人性的方向和谐、全面地发展。"① 这表明教育正在越出传统教育所规定的界限，从时间和空间上扩展到人的各个方面。

《学会生存》一书对完整性的教育目的作出了明确说明，作为教育

---

① 扈中平，等. 挑战与应答——20 世纪的教育目的观［M］. 济南：山东教育出版社，1995：503.

理想被历史过程中的思想家们所描述与论证的一个根本主题，就是使人的体力、智力、情感、伦理等各方面因素得以综合发展，使他成为一个完善的人。在这里，智力不再是局限于学习和掌握知识的工具性水平，而被赋予了包括"一个人的观察、试验和对经验与知识进行分类的能力；在讨论过程中表达自己和听取别人意见的能力；从事系统怀疑的能力；不断进行阅读的能力；把科学精神和诗情意境两相结合以探索世界的能力"在内的新内涵①。人格的各个方面必须受到尊重并保持平衡发展，对美的兴趣、识别美的能力必须得到培养，自信心、个人表现必须得到重视，人的身体健康与文化价值必须结合起来，等等。所有这些都是完善的人所不可缺少的内容，也是课堂教育目的所不可缺少的。

课堂管理的本质在于对学生的管理。对学生的管理首先就是要调动学生的主观能动性。人不仅是社会活动的主体，而且是自我发展的主体。人的发展有一个自我选择、自我设计和自我实现的问题。教育必须立足于提高人的素质，把人的素质提高到与社会发展的现实和未来趋势相适应的水平。把人作为主体来培养，将学生视为一个完整的、主动积极发展着的个体，重视培养和发挥学生的主动性、自主性、创造性和超越性，这是教育完整目的观的核心，也是对课堂管理的基本要求。

课堂管理应该尊重学生精神世界的天性，顺应学生的特点和兴趣，使学生获得发展的愉悦，拥有愉快和谐的课堂生活。"课堂中蕴涵着巨大的生命活力，只有师生们的生命活力在课堂教学中得到有效发挥，才能真正有助于学生们的培养和教师的成长，课堂上才有真正的生活。"课堂有效管理的正确选择就是使学生享有愉悦的课堂生活，并在愉悦的课堂生活中获得健康、和谐的整体发展。

因此，课堂管理的目标应更多地立足于学生的有效学习和主动发

---

① 联合国教科文组织国际教育发展委员会. 学会生存——教育世界的今天和明天［M］. 华东师范大学比较教育研究所，译. 北京：教育科学出版社，1996.

展。具体包括以下四个方面。①

一、激发积极正向的课堂气氛，保持学生的良好状态

有人研究发现，促使学生产生良好反应和保持学习动机的最好策略，就是教师采取积极的态度肯定学生，提高学生的自尊心。学生有了自尊心，往往就会对学习充满信心，会热情地迎接各种任务的挑战，在课堂活动中也常常表现积极，问题行为会减弱或消失。但是，教师在课堂活动过程中，常常采用阻止性的消极策略，忙于管教注意力分散的学生和扰乱课堂秩序的学生，这种消极的策略几乎不能提高学生的兴趣和自尊心。课堂实践经验也表明，如果教师重视学生的成就和自尊，面带微笑，鼓励学生发表意见，不断评价学生的进步情形，在管理学生和维持学生的兴趣方面就不会产生太多的问题。因此，提供良好的课堂环境，激发积极正向的课堂气氛，保持学生的良好状态，是课堂管理的基础性目标。

二、争取更多的时间用于课堂活动，提高课堂活动的效率

尽管课程表分配给课堂活动的时间对所有学生来说都是恒定而均衡的，但对于学生个体而言，真正专注于课堂活动的时间却相差甚大。即使教师尽其所能，也不可能使所有的学生都一直专注于课堂活动。此外，学生专注于课堂活动的时间并非总是积极有效的，有时也会停留在表面，而没有真正地投入和理解。如果学生实际上并不专心于活动过程，那显然就会影响教学质量和活动的效率。对有些学生来说，实际专注于活动的时间大大少于分散时间。许多研究表明，学生专注于课堂活动时间的质量与其课堂成就直接相关。分配给课堂活动的时间并不如学

---

① 陈时见. 变革的资源：论有效的课堂管理 [D]. 上海：华东师范大学，1999：75 - 76.

生实际投入活动的时间以及完成活动任务的成功率那么关键。学生实际投入并获得成功的时间，取决于学生对活动的注意和意愿。因此，课堂管理的一个重要目标就是激发学生的活动动机，使学生专注时间变得更为积极而持久，从而提高课堂活动时间的质量和课堂活动的效率。

三、争取学生更多的参与，促进学生的主动发展

课堂活动不应该被视为是由教师向学生单方面输送知识，再由学生模仿或记忆。相反，它主要是通过（学生）长期探讨而获得对社会构成新的理解。学生除了与教师以互动方式进行学习外，还与同学组成小组合作学习，及在课堂讲座中互动。因此，课堂中的活动大都是以团体活动为主，这就要求教师必须有"团体感"，好比管弦乐队的指挥一样，教师必须激发每一位学生的参与感，不时发出信号和指示，以保持所有学生高度的注意力与活动力。教师常常容易在课堂中娓娓动听地演讲，而忽视学生的参与，或者只是让少数尖子生或成绩较好的学生适度参与，而忽略大多数一般的或少数能力偏低的学生。学生不积极参与课堂活动，不仅课堂活动效率受到影响，而且，久而久之会变得被动、消极与盲从，其主动发展就不可能实现。通过所有学生积极主动地参与，不仅可以培养学生的合作精神，促进学生的相互学习，而且可以促进学生的主动发展。学生只有参与课堂活动，才会感受到课堂生命的涌动和成长，才能获得能力的发展以及展现其能力的满足感。

四、养成学生的自我管理，培养学生的自律

人的自律主要以其心理发展水平为条件。有关研究表明，学生进入学校后，逐渐从对父母的依赖关系中脱离开来。随着年龄的增长，学生的自我意识越来越发展，在形式和内容上都逐渐变得完备，也就逐步具备了形成自律的心理发展条件。但仅有这个条件还不够，还必须得到教

师的培养。作为学生自律基础的心理发展，也需要教师在教育教学活动中有意识地培养。学生有了比较成熟的自我意识，同时又在良好的课堂管理的驱使下，就有可能形成自律的品性。学生有了这种自制行为，就能通过自己的责任心来努力寻求问题的解决，养成学生的自我管理能力。学生形成了自律，就能面对课堂不断变化的条件，及时进行调整，从而使课堂不仅有秩序，而且具有活力。因此，最有效的课堂管理是学生在课堂中的自我管理。

第二节　有效课堂管理系统的构建：激发学生良好的课堂行为

在课堂管理中，通常"一分的预防胜过十分的矫正"。一旦学生在课堂教学中出现不良行为，即使是再好的管理策略或矫正技术都会干扰正常的教学，影响学生的情感与师生关系。因此，教师在进行课堂教学时，可以通过激发学生良好的课堂行为的方式，减少不良行为的产生，提高教学的效率。

一、树立以人为本的课堂管理理念

以人为本的课堂管理，是指以人——学生为主体的课堂管理。在这种管理中，学生是管理的出发点，学生的发展是课堂管理的根本宗旨。这是一种充满尊敬、关爱的管理，这是一种民主、平等的管理，这是一种没有了强制和灌输的管理，在这种管理中，学生不仅仅是被管理者，也是管理的主体；在这种管理中，学生创造力得以开发，个性得以张扬，情感得以熏陶，人格得以培养。"以学生为本强调对学生人格的尊重，对学生所拥有的独特文化背景、学生的现实基础、学生在其成长过程中所具有的经历等给予充分的尊重，强调对学生情感、兴趣、思想和经验充分表达的鼓励，对学生的潜能给予无条件的积极关注，从一开始就为学生创造一种没有威胁感、和谐的团体气氛。"①

不同的学生观决定不同的管理观，从而决定不同的管理方式。以人为本的课堂管理不再把学生当做知识的容器，不再把学生当做人的附庸，不再把学生当做任人支配的"奴隶"，不再把学生当做人谋取功利的工具……以人为本的课堂管理首先把学生当做"人"来看待——一个具有独立意义的人，一个鲜活的生命，一个具有自己的意志、思想、情感、权利和尊严的人，一个与成人具有同样的人格并理应受到特别保护的完整的人。以人为本的学生观与新课程的学生观相吻合，主要表现为三个方面：学生是发展的人；学生是独特的人；学生是具有独立意义的人。②

（一）学生是发展的人

1. 学生的身心发展是有规律的

教师要掌握学生身心发展规律，根据学生身心发展规律开展教学与管理活动，有效促进学生身心的健康发展。

2. 学生具有巨大的发展潜能

教师应相信每一个学生均具有巨大的发展潜能，坚信每一个学生都是可以积极成长的，是有培养前途的，是追求进步和完善的，是可以获得成功的，因而对每一个学生的健康成长应充满信心。

3. 学生是处于发展过程中的人

学生的发展性正是学生不成熟的表现，说明学生是正在成长的人，正处于需要教师正确引导和悉心呵护的人。因而，课堂管理中，教师应以发展的眼光看待学生，理解、热爱和宽容学生，引导学生逐步走向

---

① 陈时见. 课堂管理论［M］. 桂林：广西师范大学出版社，2002：8.
② 朱慕菊. 走进新课程［M］. 北京：北京师范大学出版社，2002：123－124.

成熟。

（二）学生是独特的人

1. 学生是完整的人

学生并不是单纯的抽象的"人"，而是有着丰富个性的、完整的人。在教育活动中，学生是作为完整的人而存在的，他们不仅具备全部的智慧力量与人格尊严，而且体验着全部的教育生活。因而课堂管理中，要把学生作为完整的人对待，既要关注学生的纪律与学习，更要关注学生的精神世界、情感体验和生活世界，给予学生全面展现个性力量的时间和空间。

2. 每个学生都有自身的独特性

由于遗传素质、社会环境、家庭状况和生活经历不同，学生形成了个人独特的心理世界，他们在兴趣、爱好、动机、需要、气质、性格、智能等方面各不相同、各有侧重。独特性构成个人的本质特征。珍视学生的独特性和培养具有独特个性的人，应该成为我们对待学生的基本态度。独特性自然意味着差异性，因而教师要认识到学生的差异，尊重学生的差异，视差异为教育的基础和前提，视差异为一种财富。课堂管理要充分尊重学生的差异性，在学生各自独特性的基础上，使学生得到完全、自由的发展。

3. 学生与成人之间存在巨大的差异

由于年龄、经历、所受教育及所处环境的不同，导致学生与成人具有极大的差异，他们的观察、思考、体验及情感都与成人有明显不同。因而，课堂管理要符合学生的身心特点。把孩子看做孩子，而不能用成人的目光看待孩子，用成人的方式要求孩子。对学生要百倍地爱护，要有足够地耐心，用科学的、艺术的方法引导学生投入课堂活动之中。

（三）学生是具有独立意义的人

1. 学生具有独立的人格

每一个学生都是独立于教师的头脑之外，不依教师的意志为转移的客观实在，因此，绝不是教师想让学生怎么样，学生就会怎么样。在课堂管理中，教师要把学生看做是独立于他人的客观实在，不能把自己的意志强加于学生，甚至不能把教师认定的真理强加给学生。否则会挫伤学生的主动性和积极性，窒息学生的思想，引出逆反心理，不利于课堂管理的成功。

2. 学生是学习的主体

每个学生都有自己的身体、感官、头脑、意愿、性格、知识和思想等。教师既不能代替学生读书，更不能代替学生思考。因而学生必须靠自己去学习，学生是学习的主体。课堂管理应着眼于突出学生的主体地位，引导学生主动地积极地投入到学习之中，而不是处处设卡，约束学生，让学生成为听话的失去自我的乖孩子，使课堂在保持纪律的同时剥夺了学生的主体地位。

3. 学生是责权主体

从法律角度看，在现代社会，学生依法享有一定的法律权利并承担一定的法律责任，是法律上的责权主体。从伦理上讲，学生具有一定的伦理权利，同样也承担相应的伦理责任，是伦理上的责权主体。学生是权利主体，教师要保护学生的合法权利。学生是责任主体，教师要引导学生学会学习，学会生活，对学业、对他人、对班级负责，培养学生的责任意识。

总之，以人为本的课堂管理的核心理念是"为了每一位学生的发展"，这就要求教师在课堂管理中实行人性化的管理，以最大限度地促进学生的发展。

二、提高课堂教学的吸引力，激发学生学习兴趣

一堂好课的基本要求是学生有所学、有所得，并且学得愉快而有趣。也只有这样学生才会更易于组织和领导。因此，教师应充实自我，提高自己的教学水平，吸引学生的注意力，使学生集中精力听课，减少干扰课堂教学的频率。

（一）教师知识结构的优化是提升教师素质和角色转换的基础

优化知识结构就要求教师加强学习，广泛地涉猎知识，形成广博的知识背景，深入的学习专业知识及与专业有关的知识，提高文化水平，优化知识结构。同时，随着社会和科技的发展，知识量呈几何级数增长，知识更新日益加速，这又客观地要求教师要不断学习，更新知识，以新的知识结构应对新的挑战。广泛而深入地学习多学科知识，也是由学生的特点所决定的，他们面对大千世界，充满好奇，总是想问个明白，探个究竟，这一现实要求教师需要具有广博的知识，才能满足学生好奇心。同时，随着人类文明的进步，社会的发展，学生获取知识的渠道不再单一，教师要更好地引导学生，同学生更好地合作、对话，促进学生的发展，教师必须坚持学习、思考，在思考中提升。

（二）改革课堂教学方式，采用对话式教学

《学会生存》一书指出"教师的职责现在已经越来越少地传递知识，而越来越多的激励思考；除了他的正式职能以外，他将越来越成为一位顾问，一位交换意见的参加者，一位帮助发现矛盾论点，而不是拿出现成真理的人。他必须集中更多的时间和精力去从事那些有效果的和有创造性的活动。互相影响、讨论、激励、了解、鼓舞。"① 而教师的

---

① 联合国教科文组织国际教育发展委员会. 学会生存——教育世界的今天和明天[M]. 华东师范大学比较教育研究室，译. 北京：教育科学出版社，1996：108.

教学缺少共鸣和吸引力、课堂气氛沉闷等这些问题的存在也要求教师改变自己的教学方式，转而追求对话式教学。

1. 教师要善于创设一种民主、平等、真诚、信任的对话氛围

师生对话应在民主、平等的基础上进行，没有民主、平等就没有对话。因此，教师要从传统的、高高在上的权威地位中走出来，归还学生的话语权，这实际上是一种人文精神的体现，其本身就具有极大的教育价值。

2. 教师要善于设置适当的对话话题

师生对话涉及听者、讲者和话题。而话题确立的好与坏，直接影响学生的积极性能否被调动起来，进而影响话题能否广泛而深入地开展下去。为此，教师设置的话题应具有科学性、综合性、趣味性、启发性，激发学生的对话欲望。

3. 教师要动员学生全体参与对话

动员全体学生参与对话表达自己独特的体验、理解、感悟，而不是只针对少数"尖子生"，以促进所有学生的共同发展。

（三）加强对课堂管理的反思

对教师来讲，要想更少的采用直接管理，必须提高课堂教学的吸引力，但是在观察中发现，教师在课堂教学中长期惯用一种教学模式，说明教师认同自己的教学，没有反思自己教学行为的意识，即使有的教师对自己的课堂教学进行反思，但他们的反思多限于自己传授知识和学生接受知识的状况，反思的方法也仅仅是"想想"而已，至多在办公室"说说"，但交流的并不很多。这说明教师对反思的含义还不够明确，反思方式单一，这样的反思收效不会很大。要想获得理想的反思效果，实现课堂管理行为的有效转变，必须进一步理解反思的内涵和本质，掌握一些反思的策略。

反思是教师以自己的教学活动过程为思考对象，来对自己所做出的行为、决策以及由此所产生的结果进行审视和分析的过程，是一种通过提高参与者的自我觉察水平来促进能力发展的途径。教师的反思是教师在教育教学中按一定的理念，批判地考察自我的行为表现及其行为依据。通过回顾、诊断、自我监控等方式，或给予肯定支持与强化，或给予否定、思索与修正，从而不断提高其教学效能的过程，转换自己的管理理念与行为。

针对具体的教学实践来说，教师的反思方法，有自我提问、录音、学生反馈信息、反思日记、反思教案、交流反思策略等多种反思方式，虽然方式很多，但是教师要关注反思的效果，否则只会陷入形式化。作为教师，最主要的活动场所是课堂，课堂是检验教师教育观念的理想的实验室，教师可以通过一个科学研究过程来系统的解决课堂中遇到的问题。这使教师拥有了研究机会，并且，教师不是一个局外人，他可以是掌握观察的方法、了解观察的意图而又不改变原来课堂教学情境的最佳人选。这就使教师需要有一定的问题意识，要站在一定的理论高度，要有一种批判性的反思精神，来审视自己的日常工作，审视课堂管理过程中出现的难点、疑点，以便更好地改进自己的课堂管理行为，提高课堂管理水平。

三、增强学生的自我意识，提供给学生实实在在的成功

自我意识，是我们对自己所持有的一种整体的概念。自我意识的发展会因为成功与被接纳而促进，也会因为失败与被拒绝招致阻碍。学生的自我意识直接影响到他们所有的行为，包括学习在内。因此，只要教师能增进学生的自我意识，就可以同时增加学习的效率与减少不良行为。具体而言，教师应该能常给予学生关心与照料，给予每位学生成功的体验，让学生在成就中得到肯定。教师只要做到这三件事情就可以增

加学生的自我意识。教师的关心、照顾与鼓励，教师对学生成就的赏识，会使学生觉得自己很有价值，使他们产生归属感、胜任感，而且感觉到有人在关心着他。教师要帮助学生了解，凡事要肯定自己、相信自己，要树立信心。

"实实在在的成功"，隐含着真正的成就、有特殊意义的进步以及任务的完满达成。实实在在的成功对每一位学生而言并不是难事，作为教师，最重要的任务之一，就是经常安排一些活动，让绝大多数的学生能体验到真正的成功。具体而言，教师可以这样做：（1）设定具体的目标。目标的确定可以使学生们明确该完成些什么任务。为了有效地产生成功的体验，学生们必须清清楚楚地了解学什么、怎么学，以及值不值得学。在学习目标确定之前，这些问题都要经过教师与学生的充分讨论。一旦师生之间就学习目标达成共识，随之而来的就是确立完成任务的时间表及学习进度检核表，这些可以帮助学生掌握进度。（2）依托课程，拓展学生潜能。如果教师的教学能按照课程目标进行，学生就有明确的学习方向，也就有可能经常体验到成功。而课程内容应建立在学生原有的知识基础上，这才会使学生有机会激发新的潜能出来。教师们的责任是经常肯定他们学习上的进步。（3）提供有效的指导与协助。有许多学生既无法自学，也无法自制，无论提供多么细小的教学活动，他们就是不能自动自发地学习。在这种情况下，辅导、帮助、监视、反馈，任何只要能激励学生的方法都得派上用场。这是传统的教学角色，也是不能轻视的重要角色。比较现实地说，如果我们想要在学校学得好，大多数的人都需要一位好的严师。（4）使用有效的教学材料。好的教材能使课程内容生动活泼，易学易懂，能够提供例子、说明、问题与娱乐，也可以让学生有丰富的探索空间，很容易将新的知识应用起来。很多人也许不见得能亲访亚马孙河森林、金字塔、南极。学生也许无从得见分子微粒、太阳系、核子反应器的内部运作，但是学生却能够天天接触这些主题。教学材料能让他们体验新知，体验真正的成功滋味。（5）激励学生团队精神的形成。成功也有赖于士气，也就是团队的精神。靠着激励、引导、目标感、分享乐趣与众志成城的力量，团队精神可以强化班级的凝聚力。老师必须经常提醒班级学生，明确大家共同的目标，共同克服班级的困难，团结合作让每一个人都能分享荣耀，得到自己最大的成就。为了能付诸实际，教师责任要能下放与分担，在学生部分，凡事要能与教师充分沟通心中的想法；在教师部分，要采取特别的做法让学生具有凝聚力。

四、公开肯定学生

学生的行为常常会因为有预期的公开展示而得到鼓舞。例如，学校每半年一次的科学展、公开的健身操比赛，全市的作文大赛，等等。学生每完成一项活动，在评价这项活动是否成功时，常常需要他人的反馈。因此，学生自我意识的形成，往往一部分决定于他人对自己的看法，成功的感觉也不例外。教师们应该充分认识到，学生的成功十分需要他人给予肯定。教师们可以按照下列建议肯定学生：（1）图示团体的进步。即用图表的方式呈现以班级为单位的进步情形。（2）图示个人的进步。展现个人进步状况的记录也有提高学生学习动机的作用。这类图示可以包括教学目标的完成程度、作业完成的情形、正确反应的百分比，等等。学生可以从这些材料中看到自己的进步和教师对自己的肯定，家长也可以从这些文件中了解教师为孩子们定下的学习计划。这些材料不一定要公开展示，可以让学生保留在个人的资料袋中，供任课老师或家长参阅。（3）告知家长。教师可以通过让学生自己报告、教师通知或用联络簿等方式，定期让家长知道孩子们进步的情形。有系统、有计划地与家长沟通，是表扬公开化极有效果的做法。它会花掉教师许多时间，但却是值得的。（4）班级分享。学生需要从同学那里得到注意，由班上同学来肯定自己的努力与成就。平常的学习活动，如口头报告、上台演讲、示范等，都可以达到引起注意的效果。对于一些比较害羞的同学，教师要多给予一些温和的鼓励。

五、形成良好的课堂气氛，建立良好的人际关系

"气氛"（climate）是指在班级中所弥漫的一股"感觉乐音"（feeling tone）。这种感觉乐音是由师生的态度、情绪、价值与关系所组成。每一位老师都能感觉到这种气氛，而且能够分辨乐音的悦耳或刺耳。气氛的形成和学习、作业、学生们的自我概念都有关系，当然也与学生在学校活动的各种体验有关。不良的课堂气氛充满暴戾、不安骚动，或冷漠无情、钩心斗角。这种课堂气氛压抑了学生的学习，学生们感觉是在高压下学习（他们会因此讨厌教师和学校）。高压下的秩序也让学生们害怕犯错。他们的服从只是为了避免教师的报复。反之，良好的课堂气氛是温馨、支持与愉悦的。空气中飘散着友善与接纳，是鼓励的、帮助的，没有太大压迫感。这种气氛能鼓舞大家在充满喜悦与成就感的心情下学习。

人际关系直接影响课堂教学中师生互动的品质，课堂上良好的人际关系有利于创造出积极正向的气氛。教师应该了解并具体实施下列三种基本的人际关系技巧，建立良好的人际关系。（1）一般人际关系技巧。主要指在一般场合的人际关系技术，包括四个方面即友善、积极态度、倾听与赞美。友善：教师可以通过微笑、称呼其名、问候近况、关心其家庭与学习等方式友好地对待学生，学生也同样会以此方式对待教师。积极态度：是指我们凡事均要以积极光明的心态去面对。当遇到困难时，我们寻求解决之道，而不是自怨自艾或指责别人。倾听：表示我们对交谈的对方真的有兴趣，这是建立良好关系的第一步。它能显示我们十分看重对方的意见。而且由于意见的交流，可以增进沟通的品质。真诚的赞美：不可否认的，我们都希望得到赞美。但赞美必须是"物"有所指，也必须是"人"有所指，即赞美的对象要明确。（2）师生之间的人际关系技巧。要求教师对每一位学生均予以关注，这是建立互信与合作的基础；运用口头或行为强化策略来显示教师的支持、鼓励、了解与赞许；乐于帮助学生；能为人师表。（3）教师与家长的人际关系技巧。教师应通过书面通知、电话等方式，定期与学生家长沟通。

六、注重课堂的常规管理

很多教师都认为在每天课堂例行工作上下工夫，常常会事半功倍。

课堂的常规管理很重要，有效的常规管理能使学生自动自发地知道什么时候该做什么事，这就减少了违规行为出现的可能性。

（一）课堂活动的开始与结束

通常开始上课的一段时间都会浪费掉，学生们进教室时边走边聊天，三三两两地找到自己的位子，坐定后互相还要聊几句，非等老师的声音压过这些七嘴八舌的噪音后，才会安静下来。

这种现象可以从培养学生进教室的特定习惯着手，把它当成是一条课堂规则也行。高年级的老师可以在进教室后就在黑板上写下简单的作业，学生进教室，坐下，在铃声响后一分钟就能静下来写作业。低年级的老师则可以让点完名的学生写记事簿、小声地读课文，或做算术题、图文练习。对于年龄再小一点的孩子，老师可以念一段故事。总而言之，这种方法是让学生习惯于进教室之后很快进入上课的状态，而不是在教室内游走瞎闹。

在下课时也要建立下课的"常规"。有些课程，如美术、手工、体育等课，清理收拾的工作同样重要。在下课解散之前，器材放回、教具归类，一切要回复原样。学生应该被训练成自动自发的习惯，进退有节，有条不紊。

（二）缴交作业

当学生写完作业时，缴交作业的顺序也要习惯化。如果让孩子们个别缴交作业，难免会挤成一团，而且会干扰到还在做作业的同学。因此，有些老师会采取比较有效的方式，例如，写完功课的人把作业朝上放在课桌的右前方，由老师本人或小组长收走。

（三）　确立教师的小助手

在建立良好课堂规范的过程中，教师应推荐众多小助手。小助手不只是在帮教师的忙，也是促使学生培养良好的习惯。高年级的小助手能做的事是教具的收发与保管。有时他们也可以帮忙简单地登记分数、保管文件资料、打字与影印资料。低年级呢，可做的事有队伍纠察、桌椅纠察、花圃纠察、教具纠察、视听器材助手、来宾接待员，等等。班上有很多事情都可以让小助手服务，让全班一起来参与。

（四）　帮助做作业的学生

- 保证让每一位学生都知道他将做些什么，以及他怎么去做。
- 提供一个示范，让学生参考。
- 在学生前后巡视，检查他们的进度与错误。
- 当学生有问题举手时，趋前解答，然后立即离开。20秒内，让学生独立回到作业上，不要让他们对你的出现有所依赖，要强化那些独自表现良好的学生。
- 不要让自己陷于少数学生的一问一答。如果多数学生都有类似的困难，需面向全班同学重新讲解概念或做法。

第三节　教师个人有效课堂管理系统的 构建：方法与案例

"学生们真可恨，我上课的时候，他们总是不停地讲话，做小动作，随意插嘴，我已经对他们很严厉了，可他们一点都不怕我，照样我行我素。我不凶就压不下他们。是不是必须压他们一段时间，他们才会遵守纪律?"

相信有不少教师都有类似的经历，课堂教学中的管理问题是最困扰教师、最常被教师提到的问题。即使经验丰富的教师也不时会因学生难以管教而感到气愤；有些教师更因管理失当引起家长抗议，为此常常会感觉力不从心。由此可见，课堂教学的顺利进行，有赖于良好的学习环境和学习氛围。为了有效进行教学，达成教育目标，并使教学过程轻松、愉快，教师必须熟练掌握课堂教学管理的策略和技巧，形成自己的有效的课堂管理的风格。教师可以根据学生的年龄和人格特质，以及自己的教育理念和喜好，根据学校的具体条件建立属于自己的一套行之有效的课堂管理系统。

有效的课堂管理需要教师建立一套展现个人风格的课堂管理体系，这一体系必须符合个人的喜好，满足学生的需要。

一、教师应有的基本认识

教师在建立自己的课堂管理风格时，以下几点要牢记在心。

- 学生需要管理。为了正向的社会发展与学习进步，学生在校的学习不能没有管理。
- 教师是进行课堂管理的最重要的灵魂人物。
- 课堂管理最好的方式是教师以身作则。教师个人的言行标准是最好的示范，其效果是惊人的。如果你和蔼可亲、谦恭有礼，学生会模仿。
- 课堂管理与教学相辅相成。学生有权在一个温暖关怀的环境中学习，而教师也有权在一个不受干扰的情境中施教。

二、课堂管理的三个层面

课堂管理可分为预防性管理、支持性管理和矫正性管理三个方面。

预防性管理是指要求学生保持良好的学习行为，防止违规行为的出现；支持性管理是在当学生出现违规行为的预兆时，教师及时运用技巧将学生导入正轨；矫正性管理则是在学生出现问题行为后设法禁止、校正。大多数教师在进行课堂管理时会忽视预防性和支持性管理，教师对学生的管理往往侧重于矫正，所以会觉得低效、辛苦。

（一）预防性的课堂管理

有效的课堂管理是从根本上消除学生的问题行为出现的可能性，而不是在学生已出现问题行为时才去处理。简而言之，预防胜于矫正。预防学生问题行为的出现主要可从改进教学，指导学生制定班规以及妥当安排教室学习环境入手。

1. 改进教学

有效的课堂管理很难和有效的教学分开。如果教师教学生动有趣，内容难易适中，足以吸引学生的注意力，学生就不会分心吵闹。有效教学的因素很多，针对课堂秩序的维持，美国学者斯陶林（Stallings）列举出以下特点。[①]

- 使用大约半数时间进行教学，如讲解新教材、讨论指定作业、发问或回答学生问题等。
- 使用多于 1/3 的时间督导学生进行讲、写、算、实验作业。
- 使用少于 15% 的时间在课堂管理和其他事务，比如，收发学习用品、活动转换、解释活动程序、安排座位和宣布事项等。
- 有一组明确的、有系统的行为规则（班规），公告并执行。
- 事先计划当天活动并公布，让学生了解。
- 设计多样性的活动，在一节课中进行。

---

① STALLINGS J. Allocated academic learning time revisited. Or beyond time on task [J]. Educational Researcher, 1980 (9)：11–16.

- 叙述教学目标，让学生了解。
- 要求学生阅读教材以了解内容。
- 实施简短测验并立即回馈。
- 大部分教学针对全班而非个别学生。
- 平均分配学生回答问题的机会。
- 称赞学生的成功和努力。
- 当学生回答错误时，重述问题或提供暗示让学生答对。
- 在教新教材前，对学过的旧教材作归纳。

另外，美国学者比尔勒（Biehler）和斯楼曼（Snowman）特别强调第一次上课的重要性①，他们认为：教师在第一天上课时应展现信心和有备而来。到一个新班级上课，最初数分钟的表现对未来的课堂教学秩序有关键性的影响，如果恐惧、怯场，以后的秩序就较难维持。因此，在上第一节课前，老师应事先清楚地思考自己将做什么，仔细计划以确保教学顺利进行。第一天上课面对全班数十个陌生的同学，许多老师都会感到担心。这时把注意焦点从班级转移到个别学生身上可以减轻焦虑，有效的做法是把卡片发下去，让学生填写姓名、地址、电话和兴趣等基本资料。收齐这些卡片可以作为了解学生的依据。总之，不管最初数分钟做什么，要让学生觉得老师具有自信且对所做的事情早有准备。

2. 制定课堂常规

课堂常规是班级中学生参与各项活动时，在言行举止方面必须遵守的规范。没有这些规范，班级容易秩序混乱，教学活动难以顺利进行。通常学生进入一个新班级，面对新的老师时，都会有种不确定的惶恐感觉，课堂常规的制定，使学生能知道老师的要求、期望或行为标准，由

---

① BIEHLER R F, SNOWMAN J. Psychology applied to teachin［M］. Boston：Houghton Mifflin, 1990.

此产生安定感，可以专心学习。

制定常规的时机越早越好，开学第一天或第二天就可制定班规，以后数周侧重重复提醒，坚决执行。

教师在制定课堂常规时，应注意如下几点。

- 让学生参与制定，当然老师可以依自己的想法提出建议或引导。
- 规则应明确、合理，有益于学生学习和身心发展。
- 项目不要太多、太琐细（琐细的规定乃属例行活动程序），5 ~ 10 项即可。
- 公布后要贯彻实施，违规者必须处理。

3. 安排环境

教室环境具有潜移默化的功能，适当安排环境可以引导或改变学生的行为，这就是"隐性课程"。

教室环境中最重要的是学生座位的安排。教室座位安排应使学生能够专注于学习活动，教室适当的布置，保持美观与整齐，有助学生提高学习兴趣。教室内学生主要走动路线保持宽敞，不要有物品阻挡，可方便学生顺利移动，不致因推挤或碰撞物品造成混乱。此外，还要注重良好的课堂气氛的形成。教师对于每一个学生，不论贫富、美丑、智愚，都要能一视同仁地接纳关爱；由于老师并未歧视任何一位学生，同学们也就容易彼此接纳关怀，每一个学生也都会自我接纳，觉得在课堂内和谐快乐，违规行为自然会减少。

（二）支持性的课堂管理

支持性的课堂管理是在学生有问题行为的先兆时，教师适时运用技巧消除学生的问题行为，将学生导入正轨。换言之，学生问题行为将现或乍现，课堂秩序略有混乱时，教师及时、巧妙地处理，将学生的问题行为制止于无形中，不使事态扩大至课堂骚动，这可称为支持性的课堂管理。要做好支持性的管理，必须把握以下的技巧。

1. 熟记学生的姓名

教师在教学之前，应先行阅读学生的基本资料，熟悉学生姓名、家庭情况及过往的表现；必要时还可向先前教过的教师请教，了解班上的一些特殊人物，但必须避免因此产生先入为主的偏见。教学的第一天就要认记学生，将姓名和面孔对上对。在姓名未熟记前，老师可依座位表指名。如能很快记熟，在学生即将出现问题行为时立即直呼其名，会使学生感到既惊讶又敬佩，马上会收敛其不当行为。

2. 运用肢体语言传递信息

有研究显示非语言的沟通比语言沟通更能传达情感，并且当语言沟通和非语言沟通不一致时，人们倾向于相信非语言沟通所传达的信息。因此教师要善于运用肢体语言提醒学生。教师要学会运用眼神、摇头、皱眉，并配合其他脸部表情及手势动作等，如走近、盯视、皱眉、紧抿嘴唇、摇头等，可以传达强烈的警告和不同意，又如微笑、点头并用则传达出赞许和同意，以此指引学生回到正常的行为中来或维持良好的课堂行为。教师要有自信，不怕与学生眼神接触。在每一节上课开始时，先以自信的眼神逐一注视每一位学生，然后才开始上课；下课前以嘉许的眼神很快扫视全班，然后下课。上课过程中，眼神可多停留在根据先前了解可能分心或调皮捣蛋的一些学生身上。通常学生在做出违规行为或从学习活动中撤离前会先看教师一眼，判断有没有被教师察觉，若是当学生看教师时，立刻接触到教师的眼神，他会心神一凛，不敢造次。如果学生分心前未被老师眼神捕捉到，已经出现不当行为，教师可以警告的眼神盯着他，等待他的眼神接触，必要时提高声音诱其看老师，待眼神交接时，轻轻摇头以示不许再做。另外，认真专注学习的学生有时也会望一望老师，寻求注意，老师如能及时投以嘉许的眼神，可使学生感到满足而更加努力。

3. 运用声音的变化提醒学生

教师上课时，声音如单调、平淡，毫无变化，容易使学生失去兴趣。因此，平时上课教师就应注意音调高低、语速快慢和声音大小的变化。在讲到重点时，宜减慢速度，提高音量，必要时反复强调，以加深学生印象。若遇有个别学生不守规矩，则在其动作时，提高讲课音量，示意他教师已经知道，促使其收敛自己的行为。如果全班有骚动现象，可以突然停止讲课，静默片刻，通常学生会因而警觉，回复安静。

4. 运用走动，接近和停驻

教师平时上课，多半站在讲台中央，方便学生注视及必要时使用黑板。但如学生在课堂上做练习或语文课、英语课教师带领学生朗读时，教师宜在学生的座位间巡视或移动，若个别学生有问题时，可上前协助；学生不守规则时，靠近违规学生，驻足其旁或轻拍其背或轻加警语，以制止不良行为的持续。

5. 真诚赞赏每一位学生

人都有想获得赞赏的需求，年纪越小获得赞赏的需求越是强烈。但在一个班级三四十个学生中，往往只有少数几个资质聪慧、成绩优异的学生能因学习上的良好表现时常获得老师的称赞，其他多数普通的学生获得老师赞赏的机会很少，更有少数学生不但根本没有得到赞赏的机会，反而时常受到斥责和处罚，这些学生多半是家境贫困、资质平庸、成绩低劣的学生。由于他们再怎么努力也赢取不到老师的欢心，得不到老师的赞赏，最后往往自暴自弃，出现各种问题行为，成为破坏课堂秩序的主因。因此，聪明又有爱心的老师会尽可能安排各种活动或情境，让每一个学生都有表现良好行为获得赞赏的机会，如此可以提高学生自尊，消除课堂问题行为。

6. 随时发问

教师的课堂教学应注意提高学生的学习兴趣，吸引学生的注意。讲述是主要的教学方式，配合适当的问答，能够强调内容重点，并保持学生的注意力。如果学生容易分心，可以在讲解前提醒学生"讲完这一段后，老师有几个问题要问大家"，或说"现在老师提出几个问题，这些问题的答案听完老师的讲解就能回答，等一下看看哪一个同学能完全答对"。在讲解过程中，如遇个别学生分心或不守秩序，可以指名问他"刚刚老师讲了什么"，或提出问题问他。问答时，如学生回答不出，可另叫一名专心的学生回答，答完后再要求原学生述说一遍，以确定其是否已专注听讲。

7. 调整座位

教师在安排座位后，如发现邻座同学喜欢上课交谈，可以将其中一人调离原座位。对于喜欢捉弄他人的学生，必要时则将其安置在正中第一的位置，方便就近监督。

8. 在沉闷的学习中善用幽默

学生喜欢幽默，它可以消除紧张，课堂教学中短暂的松弛是有必要的。老师如果具有机敏的心智和豁达的胸襟，常可用幽默化解一些难堪的处境，避免造成师生间的紧张或对立。例如，上课时发现黑板上有人画了老师的肖像，老师可以显出很感兴趣的表情仔细端详，然后说画得太好了，下次可不可以画在纸上送给老师并签上画家的大名。如此反应方式比勃然大怒、追查谁这么大胆敢拿老师开玩笑更能消除事端，赢得学生的敬意。

9. 移开诱惑物体

课堂上，学生常常带来一些不该在学校出现的东西，如连环漫画、橡皮筋等。这些东西都会让学生分心分神，教师务必要求学生移开这些东西或收起来。如果学生不愿意这么做，教师可以暂时没收，课后或放学后再发还。

（三）纠正性课堂管理

即使预防性课堂管理做得再好，仍然会有一些学生在某些时候出现干扰学习的行为。若这类行为在将现或乍现时，未能运用支持性技巧予以消除，至已经出现甚至一再出现时，就必须使用方法予以纠正。

1. 说理

说理就是提出合理的解释，让学生了解为什么某些行为不可以做，某些行为应该去做。例如，当学生上课发出怪声时，老师如果告诉学生，"不要这样做，因为这样做会干扰其他同学，使他们无法专心学习"，这就是说理。但是很多老师只是直截了当地警告学生："再发出这种声音，就不让你上课"，这是以惩罚作为威胁。说理时心平气和，威胁时则语气严厉，前者使学生感觉受到尊重，较能诚心改变行为。

针对特定行为的改变，可以有不同的说理方式。例如要求学生不要去玩实验室的器材，可以说"不要去碰这些器材，它们很容易弄坏"，或说"不要随便拿别人的东西，因为这不是你的"，前一说法强调物品本身，后一说法提及所有权概念，对于年纪小的孩子，前一说法较有效果。如能说明行为对他人造成的影响，对年纪较大的孩子会较有效果，如"不要去碰这些器材，因为这样做会使管理员不高兴"，就比"不要去碰这些器材，因为万一弄坏了，你会倒霉的"有效。简言之，说理如能唤起对他人感受的了解，通常比只诉诸对当事人自己的影响，更能改变其行为。

2. 强化

强化即是希望学生良好的行为能够持续，因此在学生专心学习一段时间后，可给予称赞或提供给学生所喜欢的活动，也是针对问题行为的纠正，方法是强化与问题行为相反的正当行为。例如，要矫正学生上课随便讲话的行为，可以在其随便讲话时不予理会，而当其安静听课时给予赞许。

一个行为的持续出现，一方面是行为之后带来某种当事人想要的后果，另一方面是有某种先前刺激诱发了行为，这就是所谓的"诱发刺激——行为——后果"的连锁理论（ABC，Antecedents-Behavior-Conse-quence）。例如，一个学生每当老师转头在黑板上写板书时即扮鬼脸惹来全班哄堂大笑。在这个扮鬼脸的行为中，老师转头写板书是前置诱发刺激，同学的哄堂大笑则是后果强化。因此，老师如欲消除此一扮鬼脸的行为有两个可行的做法：一个是去除诱发刺激，制止该学生的行为；一个是去掉后果强化，可以要求同学不予理会，不可哄笑。如能双管齐下，同时去掉诱发刺激和后果强化，更能迅速矫正其行为。

3. 示范

我们的很多行为都是从观察他人的行为中不知不觉地学来的。当然，我们不只观察他人的行为，我们也注意到他人表现此一行为的后果，如果得到好处或被人称赞，我们会想表现同样的行为；如果带来坏处或遭人谴责，我们较不会去做同样的行为。教师可以利用此一原理促使学生表现良好的行为，抑制不好的行为。在学术用语上，称被观察者为楷模（model），安排楷模使观察者学到楷模的行为，称为示范（modeling），从观察者方面来看则是模仿或称观察学习。示范是有力的教学方法，也是有效的行为改变技术。

广义的示范包括行为表现、语言解说和两者的综合。教师称赞某一学生的良好行为，可能引发别的学生表现类似行为，这种现象即是示范；教师惩罚某一学生的不良行为，其他学生不敢表现同样行为，此种杀鸡儆猴的作用也是示范。除了学生之间可能互为楷模产生示范作用外，教师更应成为学生最重要的楷模，如倾听学生说话、对人礼貌、遇事不慌不忙、遭受批评虚心接受、不轻易动怒、不体罚学生等，都可以对学生起示范作用。换言之，教师的以身作则是最好的示范，对于培养学生的良好行为有很大作用。

4. 削弱

行为之所以出现，是因为行为之后得到强化，如果去除强化，行为可能减少甚至消失，这就是削弱。

有些不当行为的产生，是由于错误强化的结果，因此要除去这些行为，可以使用削弱，让行为不再得到强化。儿童入学前，在家庭中可以充分得到父母或家人的注意；入学后，一个班级数十位学生面对一位老师，学生竞相争取老师的注意，换言之，老师的注意对学生是一种增强。大多数学生可以因表现良好而得到老师的注意、微笑甚至称赞，因而感到满足。少数学生无法以良好行为获得老师注意，可能做出一些不当行为来引起老师注意，如发出怪声、扮鬼脸、随便走动、任意插嘴等。老师对这些学生的行为通常以皱眉、斥责甚至罚站等表示不予认可，但学生觉得已经受到注意，虽然这是消极注意，但对被老师忽略的学生仍具有增强作用。

对于这些视引起老师注意为增强的学生，可以使用削弱来去除其不正当行为，即对其企图引起老师注意的不当行为忽视不予理睬。不过，有时候增强物是来自于同学的注意，尽管老师忽视行为，该行为仍可能因获得同学的注意而继续存在。因此，打算使用削弱使学生行为不再出现，老师必须征得学生们的合作，师生一起对希望凭借不当行为引人注意的学生，在表现不当行为时不予理会。不过在忽视不当行为的同时，应设法在其表现适当行为时给予注意，使其获得满足。

凭借忽视不理来削弱行为似乎是简易可行的做法，然而忽视不理对于严重破坏课堂秩序的行为或有危险性的行为，显然不是适当做法。再者，忽视不理也容易使学生误以为老师默许此一行为，或使学生以为老师知觉迟钝无法觉察到他的不当行为，因而变本加厉。因此，Tanner 提出使用忽视的四个规则[①]：问题行为为时短暂，不严重也不危险，注意处理可能干扰教学，及该学生一向表现良好。如果符合这四个条件，可采取忽视的处理方法。

为了达到养成学生良好的行为的目的，在忽视不当行为的同时，最好能设法增强与其相反的良好行为。例如，希望凭借忽视消除学生随便发言的行为，必须同时增强举手发言的行为。此外，有些老师视学生上课安静守秩序为理所当然，忽视不予增强，一旦学生吵闹才注意纠正，倒不如在学生安静听课时不时给予嘉许，更有助于课堂秩序的维持。

5. 惩罚

学校教育中，教师常常会采取各种教育措施，诸如惩罚、奖励来引导学生朝着教育既定目标发展。事实上，惩罚成为教师常用的教学手段由来已久。曾经有过抽样调查：教师认为"用讽刺、挖苦、惩罚手段的教育效果最有效的"占 8.58%；"一时有效"的占 36.96%；"无效"的占 54.46%。而学生认为自己的教师"经常有讽刺、挖苦、侮辱、谩骂学生"的占 6.62%；"有时有"的占 41.27%；"没有"的占 52.11%。这个调查结果至少说明了惩罚作为一种教育手段是确实存在的。[②]

惩罚的目的在于抑制甚至消除学生在课堂上的问题行为。惩罚的基本形式有两种：给予不愉快的刺激或剥夺愉快的刺激。前者如没有写完作业罚站，后者如没有写完作业不准下课休息。

很多人反对惩罚，认为惩罚的使用应减至最少。反对的理由如下。

- 惩罚是将注意力集中在不好的行为，没有指出适当的替代行为。

- 惩罚只是暂时抑制行为，无法根本消除行为。

---

① TANNER L. Classroom discipline for effective teaching and learning [M]. New York：Holt, Reinehart and winston，1978.

② 陈云军. 课堂管理中的有效惩罚与无效惩罚 [J]. 中小学教师培训，2005（1）：57－59.

- 惩罚导致不愉快的情绪，会使受罚者感到恐惧、焦虑、紧张，因而讨厌老师、学科，甚至害怕上学。
- 惩罚中的体罚示范，受罚者会加以模仿。

虽然许多人反对惩罚，但惩罚仍广被使用，原因可能如下。

- 惩罚对抑制严重的破坏行为或危险行为较有效，其他处理方式可能不能及时处理问题。例如，小孩用积木打人，立即抓住他的手是最好的处理方式。
- 惩罚具有传达信息的作用，能让受罚者了解该行为不当，不被接受。
- 能抑制行为即达到惩罚的目的，根本消除行为不大可能。

在课堂管理上，惩罚事实上无法避免。不过，温和的惩罚比严厉的惩罚有效，说明原因而后惩罚比单纯的惩罚有效，出自爱心的惩罚比发泄愤怒的报复性惩罚有效。

教师要有效地使用惩罚，必须遵循以下几个原则。

- 惩罚使用前应提醒学生，并让学生了解老师不希望使用惩罚，是学生自己的行为在决定会不会受罚。
- 不得已而使用惩罚时，应周详考虑，避免不由自主的情绪反应。
- 惩罚应尽可能温和简短，但也要确实使学生感到不愉快以激发学生改变行为。
- 惩罚时应同时指出正面的期望或叙述班规，使受罚学生知道该怎么做。

此外，教师在使用惩罚时应注意以下几个问题。

（1）惩罚的种类很多。有些惩罚的负面作用太大，不宜使用，尤其是体罚。研究发现有反社会行为的罪犯大多在童年时会遭受父母严厉的体罚，小时候受到体罚，感到恐惧害怕，长大后则充满怒气和怨恨；而体罚者的行为正好成为受罚者攻击行为的示范，受罚者不知不觉加以模仿。

（2）罚写作业也不是很好的做法，因为这样做等于暗示其写作业是不愉快的事情。

（3）一个学生犯错，不要处罚全班。教师这样做可能是希望借助团体压力来抑制当事学生的问题行为。但其结果是逼使学生犹豫是支持老师或是同情同学，常见的结果是全班同学因无辜受罚而怨恨老师，反而同情起当事同学。即使果真出现老师希望的结果，全班同学指责当事学生，那对当事学生的伤害太大，也不适宜。

有效的惩罚往往相当温和。如老师板起面孔说不可以或摇摇头，常能纠正学生的问题行为；其次，指出行为的不当并说明不可以做的理由，尤其是靠近学生做此表示，也颇有效。稍重的惩罚，可以在下课或放学后把有问题行为的学生留下，给予简短训斥然后放学。

另外两种可行的惩罚是隔离（time out）和反应代价（response cost）。对于在教室内大发雷霆或失去控制的学生，可行的处理方式就是把他送到办公室冷静一下，这就是隔离。较轻的隔离则是将干扰上课的学生叫到教室后面静坐。不过，隔离的时间最好不要太长，以免使学生学习跟不上。反应代价则是取消行为不当学生的某些权利，如打球不守规则，处罚其不准下场打球数分钟。对于不写作业学生的处罚，最好的方式是要他利用下课或放学后留下把作业写完。

总之，真正有效的惩罚不应使学生产生报复心理，应使学生对自己行为感觉羞愧，使他们了解所以被惩罚是因自己行为不当所致。

教师采取纠正性管理的策略时，应时刻注意以下几点。

- 坚定地强调教室内的两个基本权利——教师有权在不受干扰的情况下上课，学生也有权利学习。

- 有始有终贯彻到底：切勿朝令夕改，要贯彻始终。
- 指引正确的行为：即让违规的学生再回到正确的行为方向上去。

三、建立教师个人课堂管理系统的步骤

教师建立个人的课堂管理的系统，是有效地进行课堂管理的方式之一。当然，教师与学生的特点不同，影响课堂教学的因素也各不相同，教师个人建立的课堂管理系统也各不相同。教师应根据学生的需要和自己的需要，结合有关的课堂管理的理论和本班级的实际情况，建立一套个人的课堂管理系统。本文将结合"预防性""支持性"与"纠正性"三种管理的原则，提供给教师建立个人课堂管理系统的步骤，教师可以参考这些步骤建立符合自己个性、满足学生需要的课堂管理系统。

（一）系统的开始

1. 明确需要与订出限度

为有效地管理课堂，首先教师应该明确学生的特点与需要，以及自己的特点与需要。教师可以拿一张纸，列出上述各项。接着教师应预先估计能满足这两组需求的行为限度。教师要考虑的课堂行为很多，如谈话、动作、作业的开始与完成、应对进退的礼节等，同时还要考虑到教师与学生在不同的课堂活动中的行为，如在全班性活动、小组活动、活动的转换、课外活动、放学前的例行工作等方面应有的行为。如果教师有特别的需要，例如安静或秩序，就把这些需要列在前面，同时邀学生们合作达成。

2. 从"预防性""支持性"与"纠正性"等三方面列出一个暂时的清单，罗列你想你会怎么做

如预防性的管理方面，列出教师如何设计教学活动，使之有价值、

生动形象、引人入胜，避免学生纪律问题的发生，同时，列出教师如何制定班规，以班规为指导，维持正常的教学进程。在支持性课堂管理方面，列出教师在学生即将出现违反课堂纪律的行为时，如何及时地通过适当的方式制止。在纠正性课堂管理方面，教师应列出，当学生在课堂教学过程中，出现违反纪律的行为时，如何制止学生的行为，并进一步指导学生正确的行为。

3. 在上课的第一天就和学生讨论课堂规则

对小学高年级到高中的学生，教师可以征询他们对课堂规则的意见，了解他们比较喜欢用什么方式快乐地学习。教师应向学生们明确说出你的需要是什么，探讨师生双方都觉得适当的课堂规则的实施过程。同时，课堂规则还要展现教师的弹性与折中性，但是教师应保留最后的否决权。

4. 与学生共同列出课堂公约

公约中的每一条约都应与学生充分地讨论，得到学生的确认与支持。课堂公约要简短、明确。

5. 从"预防性""支持性"与"纠正性"等三方面列出一个修正后的、完整的课堂常规的清单，在清单上罗列你想要做的事。

6. 认真思考如何能够建立一个正向的、积极的课堂情境

一方面能够帮助学生自我控制，另一方面又能允许人格（包括教师与学生的人格）有所发展。拿这个想法和学生讨论。

7. 建立教师自己的支持系统

详细地让校长和教导主任知道你的课堂管理的计划，同时寻求他们的支持。有必要时，可找一两位老师在危急时助自己一臂之力。同时，

也可以将你的想法叙述出来，让家长理解，并让家长知道你在为他们的子女提供最好的学校教育并征求他们的支持。

（二）系统的测试

1. 将你和学生共同制定的课堂公约付诸实施

2. 评估系统

在实施课堂公约的第一周后，教师应对这一系统的实施进行评价，评价这个系统是否真的能够提供积极而又愉快的课堂气氛，是否容易运作，是否能有效地控制学生的不良行为。

3. 和学生讨论评价的内容和结果

对小学三年级以上的学生，教师可以和他们坦诚交换课堂公约的执行情况。如果你要有所调整，应注意听取他们的意见。

4. 必要时修改系统

对课堂公约的修改必须让学生参与，而且要让学生了解为何要做修改。

（三）系统的维持与强化

1. 教师的教学应生动形象，吸引学生

教师应提供生动而有价值的课堂教学。教学内容的设计、安排符合学生的特点和要求。

2. 让课堂教学的进行如行云流水，不要有停滞或混淆的地方

3. 为人师表

敬人者人恒敬之，爱人者人恒爱之。教师要求学生做到的，教师首先应做到。

4. 个别谈话

凭借教师与学生的个别谈话，帮助学生解决困难，同时也表现出你的关心。

5. 当学生课堂上出现不良行为时，可以询问他们到底遇到什么麻烦

问问学生，他们需要什么，希望你如何帮助他们。

6. 坚持到底

即使遭遇极大的阻力，即使你十分泄气，即使学生不理解你的用心，永远不要放弃。因为你是在为学生提供一个高品质的教育机会。

参 考 案 例

案例一：

我的课堂管理的九条原则[①]

1. 初次与学生见面时要避免过于随便

教师给学生的第一印象十分重要，因此，最好是在开始与学生相处时表现得正式一些，待与学生有更多的了解后再逐渐与他们建立更亲密的关系，就像结交新朋友一样。调查显示，许多影响力差的教师是以与上述相反的方式开始与学生接触的，然后在他们已经给学生形成一种过于松散的第一印象后又竭力使自己严肃起来。这样做效果不理想，教师的权威也难以树立。另外，教师说话的风格、穿着、姿势要避免过于"独特"，防止学生分散注意力。

[①] 尹玉. 课堂管理的九条建议［J］. 中小学管理，2005（8）：43.

2. 快速记住学生的姓名

快速记住学生的姓名，并发掘每个学生的优点，不仅能让学生感觉到教师对自己的重视，而且也便于让学生参与课堂教学。

3. 使用积极的语言，而非消极的语言

课堂管理应该从对消极行为的控制转向对积极行为的促进。因此，教师在课堂上应该强调的是希望学生去做什么，而不是必须禁止他们去做什么。比如，教师要说"安静地走进教室"，而不要说"不要这样乱"；要说"看你的书"，而不应说"不要回头"等。消极的语言会暗示学生可能在此之前根本没有想到的行为。

4. 有选择地使用强化策略

为了预防课堂内违纪行为的发生，教师可以对某些学生采取选择性强化策略。在课堂学习中，当某个学生出现不良行为迹象时，教师可以不加理会，而向他提出一个比较容易回答的问题。这样，他就会感到教师在注意他。如果回答正确，他就会获得成就感，他的正当行为就会受到强化，实际上也就抑制住了他的不正当行为。选择性强化也可以通过赞扬其他学生，即转移强化来实现。学生出现问题行为时，教师不加理会，而是采取赞扬其他学生的策略，选择他邻座的同学或他最要好的同学加以赞扬。赞扬的方式可以是表扬他的家庭作业或让他回答一个较容易的问题，待他回答正确，予以夸奖。这样可以使有问题行为的学生意识到，教师已经知道了他的行为表现，他应控制自己的问题行为。

5. 运用非言语线索

如果有迹象表明某个学生将出现不当行为，教师要立即使用非言语线索，给学生一个暗示信号。例如，可以给该学生一个眼色或一个手势，也可以一边讲课一边走过去停留一下。这种非言语线索，既可控制不当行为的产生，又不影响课堂教学秩序。

6. 处理当前的事，而不是过去的事

当学生出现不当行为时，教师要教会学生将来遇到类似情境时应该怎么做，而不是对学生过去的错误纠缠不放。要处理当前的事，而不是过去的事。比如，教师要避免问学生"你当时为什么那么做？"因为学生多数时候不能表述其原因。教师应该问学生"你现在在做什么？""这样做会带来什么后果？""你应该怎么做？"这样有助于学生更清楚自己行为的目的和后果。

7. 给学生提供承担责任的机会

应提供机会让学生参与课堂纪律的制定与实施，同时给学生提供承担责任的机会。这不仅能让学生感受到教师的信任，也能使他们认识到建立一个有效的学习环境，不仅是教师的责任，更是他们自己的责任。课堂上发生了违反纪律的事件时，教师不要去听信学生的借口，否则只会让学生学会推卸或逃避责任。教师更不要去引导全班学生讨论该生的理由是否成立，这会使违纪学生认为其行为受到了重视，客观上强化了其违纪行为。这时，教师应该问学生在下次遇到相同情况时，正确的做法是什么。

8. 要就事论事，不要羞辱学生

当发生学生违纪事件时，教师应该就事论事，诚恳地表达自己的意见和对学生的希望，而不要去羞辱学生。更不要当着全班同学的面去揭露该生的短处。羞辱学生不仅不能起到预防消极行为再次发生的作用，反而会让学生产生逆反心理。

9. 避免不必要的威胁

仅仅依赖于威胁来控制学生是无效的。而且总是用"这是最后一次机会"来威胁学生会极大地损害教师在学生心中的形象。当然，威胁信号一旦发出了，就一定要执行，让学生感到教师言而有信。

案例二：①

高中：韩老师，所教科目：物理科学

我个人的信念是我班上的学生每天的行为都能中规中矩，我对自己的要求是做一个有效率的教师。我所用的方法是对学生的要求务必清楚、坚定，加上一点人性的接触。对我而言相当重要的事情是建立一个班级的整体隶属感与团结意识，拥护共同的目标与方向。在达成这个目标的过程中，我注入了幽默和趣味，我发现学生们也能很自然地参与其中。

同时，我把重点放在预防性与支持性的常规纪律上，不断地注意着每一位学生。这使我免于费神地去处理偏差行为。我会用便笺和电话与家长联络，大多数的家长都很感激我能时时谈到他们的小孩，而且有些家长成了我进行课堂管理的盟友。

我的学生学科程度包括了需要特别辅导的（经常有问题出现）到段数高超的。不论是哪一类，我的常规计划是以一种相当结构化的方式传达我的标准与要求，应用起来得心应手。

我的常规计划在每年 9 月的开学五分钟内就生效。每一名学生接到一张课堂行为契约，要带回家让家长签字，第二天交。如果学生按时缴回，可以得到一个记点。如果晚了一天，没有记点。如果晚了两天，我会打电话给家长。这份契约呈现出我的哲学理念与行为准则。

亲爱的同学与贵家长：

为了保证让我班上每一位同学生活在最佳的学习气氛里，我正进行着下列的常规计划。

出席：上课出席是学习过程最基本的要求。如果你不参加班上每天的学习活动，你就不能学得好。因此，缺席超过四次，我们会通知贵家长。缺席超过十五次，学生就不能通过这一科。

迟到：当上课铃声结束，同学应该在位置上准备上课。两次迟到，

---

① 查理士. 教室里的春天［M］. 金树人，编译. 台北：张老师文化事业股份有限公司，1998.

学生与贵家长均会受到警告通知。四次以上迟到，会有正式公函通知寄达府上。七次迟到，有可能被当掉，分数只有 F。每两次迟到，操行分数会降一级。

　　课堂行为：我相信我班上的学生都能中规中矩。我不能忍受有同学妨碍我的教学，或干扰其他同学的学习。

　　课堂公约：

1. 每天带科学课本、笔记本和笔。我不出借任何东西。
2. 当老师或同学叫你，或对你说话时要专心。
3. 不要把食物、饮料、糖果、口香糖、帽子或太阳眼镜带到班上。
4. 小心使用班上的设备。
5. 绝对禁止亵渎的言语或口语骚扰。
6. 老师说下课，才能离开位子。

　　后果：

　　在班上如果每天的举止循规蹈矩者，操行分数可以加分。相反的，违规的同学会受到以下的处分：

- 第一次：警告，记在常规卡上。
- 第二次：将违规行为通知家长。
- 第三次：转交给辅导老师。
- 第四次：转交给副校长予以校规处分。
- 在桌子上乱写乱字或在教室内乱丢垃圾的同学，放学后要留下来清洗所有的桌面，及所有的垃圾。

　　注意：

　　更严重的问题，如反抗、打架、盗窃、破坏教室用具或违反实验室安全规则的人，会被立即送到副校长室。

　　如果学生、老师和家长能够彼此合作，应该是学生最大的福气。因此，我会和贵家长保持密切的联系。请将签名的这一页撕下交由贵子弟明日缴回。如果您有任何问题或意见，欢迎来电，或在上面加注意见。

和学生们一起复习这些公约之后，我请同学们填写一张行为卡，记录行为的问题，这是我的常规系统中之一个部分。这页是间接地让同学们了解，课堂常规是我在班级组织中相当看重的一个部分。然后根据座次表，安排座位，接着说明作业、学业成绩等的记分规定，接着便发课本，整学期都会按照这样的计划进行。于是，开始上第一节课。在第一节课结束的时候，所有的学生都会有一种感觉，认为我这位老师成竹在胸、指挥若定。

经过了几年这样尝试下来，也换了不同的常规方式，我发现学生对我现在的这套系统反应最为积极。随着学期的进行，一些偶尔犯错的学生也会渐渐维持在好的行为上。我也会用眼神接触、手势信号与身体接近等方式去帮助学生避免犯规。难免在一学期当中会有较为严重的失当行为发生，学生们也都知道班规与处分之间的必然联系，会比较容易接受行为后果的惩处，而避免了我和学生之间的情绪剧变与人身攻击。

参 考 文 献

1. 钟启泉．班级管理 ［M］．上海：上海教育出版社，2001．

2. 吴清山．班级经营 ［M］．台北：心理出版社，1993．

3. 袁振国．当代教育学（修订本）［M］．北京：教育科学出版社，2002．

4. 中央教育科学研究所．简明国际教育百科全书·教学 ［M］．北京：教育科学出版社，1997．

5. 查理士．教室里的春天 ［M］．金树人，编译．台北：张老师文化事业股份有限公司，1998．

6. 汤麦士·哥顿．教师效能训练 ［M］．欧申谈，译．台北：教育资料文摘杂志社，1980．

7. 傅道春．教师组织行为 ［M］．上海：上海教育出版社，1993．

8. 施良方、崔允漷．教学理论：课堂教学的原理、策略与研究 ［M］．上海：华东师范大学出版社，1999．

9. 谢维和．教育活动的社会学分析 ［M］．北京：教育科学出版社，2000．

10. 欧文斯．教育组织行为学 ［M］．窦卫霖，等，译．上海：华东师范大学出版社，2001．

11. 吴康宁．课堂教学社会学 ［M］．南京：南京师范大学出版社，2000．

12. 戴维．课堂管理技巧 ［M］．李彦，译．上海：华东师范大学出版社，2002．

13. 李德显．课堂秩序论．［M］桂林：广西师范大学出版社，2000．

14. 李维．课堂学习理论 ［M］．贵阳：贵州人民出版社，1988．

15. 金生鈜．理解与教育——走向哲学解释学的教育哲学导论 ［M］．北京：教育科学出版社，1999．

16. JONES W F, JONES L S. 全面课堂管理——创建一个共同的班集体 ［M］．方彤，罗曼，丁刘红，陈铮，译．中国轻工业出版社，2002．

17. 唐·库斯曼．人际沟通论 ［M］．北京：知识出版社，1989．

18. 季洛特. 师生之间 ［M］. 欧申谈，译. 台北：教育资料文摘杂志社，1985.

19. 皮连生. 学与教的心理学 ［M］. 上海：华东师范大学出版社，1997.

20. 涂艳国. 走向自由——教育与人的发展问题研究 ［M］. 武汉：华中师范大学出版社，1999.

21. CHARLES C M. Building Classroom DIscipline：From Model to Practice ［M］. New York：Longman，1989.

22. EDWARDS C H. Classroom Discipline and Management ［M］. New York：Macmillan，1993.

23. HENDERSON J G. Reflective Teaching Become an Inquiring Educator ［M］. New York：Macmillan，1992.

24. 陈时见. 变革的资源：论有效的课堂管理 ［D］. 上海：华东师范大学，1999.

25. 杨国鹏. 我国中小学课堂管理的现存问题与对策研究 ［D］. 重庆：西南师范大学，2003.

26. 刘家访. 有效课堂管理行为研究 ［D］. 重庆：西南师范大学，2002.

27. 陈振华. 美国学校的三种课堂管理风格述要 ［J］. 教育评论，2000 (4).

28. 叶澜. 让课堂焕发生命活力——论中小学教学改革的深化. 教育研究，1997 (9).

29. 吴康宁. 谁是迫害者 ［J］. 教育研究与实验，2002 (4).

后　记

　　课堂是学生和教师生活、学习、交际的重要场所，学生们对于课堂充满了向往，他们希望在课堂上收获未来社会生活所必须的知识、技能，形成一定的情感、态度和价值观，锻炼意志，发展个性；教师们对于课堂也有着憧憬，他们渴望课堂能成为儿童的理想乐园，让孩子在乐园中活泼、健康、快乐地学习。但在我们经历过的无数的各种各样的课堂上，理想与现实之间总是存在矛盾和冲突。尽管教师们在理论上都能认识到"教师进行课堂教学的目的是'教'而不是'管'"，但是在实际工作中却更多地感觉到"课堂上要耗费许多教学时间来维持课堂秩序和纪律"。因此，很多教师"期待每天的教学活动都是快乐的"，可事实往往却是每天"神采奕奕到校，精疲力竭回家"。而学生们兴高采烈地踏进课堂，面对教师无休止的讲授，同学们争分夺秒地埋头苦读，他们同样感到无奈、失望和困惑。课堂包含了太多的因素和矛盾，需要进行周密的策划与组织，需要教师付出艰辛的劳动和努力。正是因为如此，我将课堂管理作为研究的视角，结合中小学课堂管理的实践，出版了《课堂管理的策略》一书，力图借鉴国内外课堂管理的研究成果，通过课堂管理的理论和实践阐述，为教师提供一些有关课堂管理的策略和技术。

《课堂管理的策略》一书出版后，我可喜的发现，近年来课堂管理问题已经引起众多研究者的关注，出现了一些有关课堂管理的论著，这些论著有的注重宏观的理论阐述，有的注重感性的经验介绍，这在一定程度上丰富了课堂管理的理论与实践。同时，社会的发展，教育改革的不断深入，越来越多的教师感觉到，随着学生们强调个性发展、权利意识日益觉醒，在教学过程中，课堂管理出现了许多新的问题和新的情况。理论的精彩迭出，实践的变化多端，往往让教学前沿的广大教师徒有眼花缭乱之感。因此，结合课堂管理理论与实践的新发展，为教师提供行之有效的课堂管理的策略和方法就显得十分重要，《课堂管理的策略》一书的修订工作也随之开始。

在本书修订过程中，我在延续了原书理论与实践结合、开放性、可操作性等特点的基础上，突出"有效课堂管理的策略"研究。通过丰富的课堂管理案例，在分析课堂管理现状的基础上，阐述了有效课堂管理的特点和内容，并结合课堂管理的几个重要环节：课堂常规管理、课堂问题行为管理、课堂情境管理等，有针对性地提出有效的管理方法和策略，并努力致力于帮助教师在借鉴不同的课堂管理理论的基础上，构建符合自身发展和学生发展特点的有效课堂管理系统。与原书相比，《有效课堂管理：方法与策略》一书结合了近期的课堂管理理论和实践的新成果，强调了课堂管理的有效性，突出了时代性和适应性的特点。

南北朝时的刘勰在《文心雕龙》中说道："方其搦翰，气倍辞前；暨乎篇成，半折心始。"这句话可作为我在完成这篇修订书稿后心情的真实写照。两年多的惨淡经营终于告一段落，我竟然丝毫没有觉得轻松：构思中的许多目标，很多并没有达到。好在学术研究本无止境，姑且把这本书稿作为一次研究的尝试吧。

本书能够修订出版，感谢我的导师袁振国教授，在本书的修订过程中给予我很多的指导和鼓励。科学研究的过程不仅是个人的思维活动过程，同时也是研究团队成员之间思想交流、观点碰撞、以得到理念升华的过程，感谢祝智庭、胡惠闵、吴刚平、张玲、金娣、郓庭瑾、鲍传友、周军等老师作为丛书编写团队成员对我的帮助和支持。淮阴师范学院教育系的领导和同事给予了无私的帮助，在此谨向他们表达诚挚的谢意！感谢我的家人和朋友，他们对我的写作给予了自始至终的关注和支持。责任编辑对本书的内容和形式提出过许多珍贵的建议，并为本书的出版付出了艰辛的劳动，在此一并深致谢忱。

杜　萍
2007 年 8 月

责任编辑　杨晓琳
版式设计　贾艳凤
责任校对　张　珍
责任印制　曲凤玲

图书在版编目（CIP）数据

有效课堂管理:方法与策略/杜萍著.—北京:教育科学
出版社,2008.4(2010.7 重印)
（新世纪教师教育丛书/袁振国主编）
ISBN 978 - 7 - 5041 - 4001 - 2

Ⅰ.有…　Ⅱ.杜…　Ⅲ.课堂教学—教学管理　Ⅳ.G424.21

中国版本图书馆 CIP 数据核字（2008）第 036076 号

出版发行	教育科学出版社				
社　　址	北京·朝阳区安慧北里安园甲 9 号	市场部电话	010 - 64989009		
邮　　编	100101	编辑部电话	010 - 64989593		
传　　真	010 - 64891796	网　　址	http://www. esph. com. cn		
经　　销	各地新华书店				
制　　作	北京金奥都图文制作中心				
印　　刷	北京人卫印刷厂	版　　次	2008 年 4 月第 2 版		
开　　本	169 毫米×239 毫米　16 开	印　　次	2010 年 7 月第 4 次印刷		
印　　张	21.5	印　　数	12 001— 17 000 册		
字　　数	292 千	定　　价	43.00 元		

如有印装质量问题,请到所购图书销售部门联系调换。